Obras completas
Sigmund Freud

Volumen 18

Obras completas

Sigmund Freud

Ordenamiento, comentarios y notas de James Strachey
con la colaboración de Anna Freud,
asistidos por Alix Strachey y Alan Tyson

Traducción directa del alemán de José L. Etcheverry

Volumen 18 (1920-22)

Más allá del principio de placer
Psicología de las masas y análisis del yo
y otras obras

Amorrortu editores

Los derechos que a continuación se consignan corresponden a todas las obras de Sigmund Freud incluidas en el presente volumen, cuyo título en su idioma original figura al comienzo de la obra respectiva.

Primera edición en castellano, 1979; segunda edición, 1984; primera reimpresión, 1986; segunda reimpresión, 1989; tercera reimpresión, 1990; cuarta reimpresión, 1992; quinta reimpresión, 1993; sexta reimpresión, 1995

Traducción directa del alemán: José Luis Etcheverry
Traducción de los comentarios y notas de James Strachey: Leandro Wolfson
Asesoramiento: Santiago Dubcovsky y Jorge Colapinto
Corrección de pruebas: Rolando Trozzi y Mario Leff

Publicada con autorización de Sigmund Freud Copyrights Ltd., The Hogarth Press Ltd., The Institute of Psychoanalysis (Londres) y Angela Richards. Primera edición en *The Standard Edition of the Complete Psychological Works of Sigmund Freud*, 1955; séptima reimpresión, 1975.

Queda hecho el depósito que previene la ley nº 11.723.

Industria argentina. Made in Argentina.

ISBN 950-518-575-8 (Obras completas)
ISBN 950-518-594-4 (Volumen 18)

Indice general

Volumen 18

Advertencia sobre la edición en castellano

El presente libro forma parte de las *Obras completas* de Sigmund Freud, edición en 24 volúmenes que ha sido publicada entre los años 1978 y 1985. En un opúsculo que acompaña a esta colección (titulado *Sobre la versión castellana*) se exponen los criterios generales con que fue abordada esta nueva versión y se fundamenta la terminología adoptada. Aquí sólo haremos un breve resumen de las fuentes utilizadas, del contenido de la edición y de ciertos datos relativos a su aparato crítico.

La primera recopilación de los escritos de Freud fueron los *Gesammelte Schriften*,[1] publicados aún en vida del autor; luego de su muerte, ocurrida en 1939, y durante un lapso de doce años, aparecieron las *Gesammelte Werke*,[2] edición ordenada, no con un criterio temático, como la anterior, sino cronológico. En 1948, el Instituto de Psicoanálisis de Londres encargó a James B. Strachey la preparación de lo que se denominaría *The Standard Edition of the Complete Psychological Works of Sigmund Freud*, cuyos primeros 23 volúmenes vieron la luz entre 1953 y 1966, y el 24° (índices y bibliografía general, amén de una fe de erratas), en 1974.[3]

La *Standard Edition*, ordenada también, en líneas generales, cronológicamente, incluyó además de los textos de Freud el siguiente material: 1) Comentarios de Strachey previos a cada escrito (titulados a veces «*Note*», otras «*Introducción*»).

[1] Viena: Internationaler Psychoanalytischer Verlag, 12 vols., 1924-34. La edición castellana traducida por Luis López-Ballesteros (Madrid: Biblioteca Nueva, 17 vols., 1922-34) fue, como puede verse, contemporánea de aquella, y fue también la primera recopilación en un idioma extranjero; se anticipó así a la primera colección inglesa, que terminó de publicarse en 1950 (*Collected Papers*, Londres: The Hogarth Press, 5 vols., 1924-50).

[2] Londres: Imago Publishing Co., 17 vols., 1940-52; el vol. 18 (índices y bibliografía general) se publicó en Francfort del Meno: S. Fischer Verlag, 1968.

[3] Londres: The Hogarth Press, 24 vols., 1953-74. Para otros detalles sobre el plan de la *Standard Edition*, los manuscritos utilizados por Strachey y los criterios aplicados en su traducción, véase su «General Preface», vol. 1, págs. xiii-xxii (traducido, en lo que no se refiere específicamente a la lengua inglesa, en la presente edición como «Prólogo general», vol. 1, págs. xv-xxv).

2) Notas numeradas de pie de página que figuran entre corchetes para diferenciarlas de las de Freud; en ellas se indican variantes en las diversas ediciones alemanas de un mismo texto; se explican ciertas referencias geográficas, históricas, literarias, etc.; se consignan problemas de la traducción al inglés, y se incluyen gran número de remisiones internas a otras obras de Freud. 3) Intercalaciones entre corchetes en el cuerpo principal del texto, que corresponden también a remisiones internas o a breves apostillas que Strachey estimó indispensables para su correcta comprensión. 4) Bibliografía general, al final de cada volumen, de todos los libros, artículos, etc., en él mencionados. 5) Indice alfabético de autores y temas, a los que se le suman en ciertos casos algunos índices especiales (p.ej., «Indice de sueños», «Indice de operaciones fallidas», etc.).

El rigor y exhaustividad con que Strachey encaró esta aproximación a una edición crítica de la obra de Freud, así como su excelente traducción, dieron a la *Standard Edition* justo renombre e hicieron de ella una obra de consulta indispensable.

La presente edición castellana, traducida directamente del alemán,[4] ha sido cotejada con la *Standard Edition*, abarca los mismos trabajos y su división en volúmenes se corresponde con la de esta. Con la sola excepción de algunas notas sobre problemas de traducción al inglés, irrelevantes en este caso, se ha recogido todo el material crítico de Strachey, el cual, como queda dicho, aparece siempre entre corchetes.[5]

Además, esta edición castellana incluye: 1) Notas de pie de página entre llaves, identificadas con un asterisco en el cuerpo principal, y referidas las más de las veces a problemas propios de la traducción al castellano. 2) Intercalaciones entre llaves en el cuerpo principal, ya sea para reproducir la palabra o frase original en alemán o para explicitar ciertas variantes de traducción (los vocablos alemanes se dan en nominativo singular, o tratándose de verbos, en infinitivo). 3) Un «Glosario alemán-castellano» de los principales términos especializados, anexo al antes mencionado opúsculo *Sobre la versión castellana*.

Antes de cada trabajo de Freud, se consignan en la *Standard Edition* sus sucesivas ediciones en alemán y en inglés; por nues-

[4] Se ha tomado como base la 4ª reimpresión de las *Gesammelte Werke*, publicada por S. Fischer Verlag en 1972; para las dudas sobre posibles erratas se consultó, además, Freud, *Studienausgabe* (Francfort del Meno: S. Fischer Verlag, 11 vols., 1969-75), en cuyo comité editorial participó James Strachey y que contiene (traducidos al alemán) los comentarios y notas de este último.

[5] En el volumen 24 se da una lista de equivalencias, página por página, entre las *Gesammelte Werke*, la *Standard Edition* y la presente edición.

tra parte proporcionamos los datos de las ediciones en alemán y las principales versiones existentes en castellano.[6]

Con respecto a las grafías de las palabras castellanas y al vocabulario utilizado, conviene aclarar que: *a*) En el caso de las grafías dobles autorizadas por las Academias de la Lengua, hemos optado siempre por la de escritura más simple («trasferencia» en vez de «transferencia», «sustancia» en vez de «substancia», «remplazar» en vez de «reemplazar», etc.), siguiendo así una línea que desde hace varias décadas parece imponerse en la norma lingüística. Nuestra única innovación en este aspecto ha sido la adopción de las palabras «conciente» e «inconciente» en lugar de «consciente» e «inconsciente», innovación esta que aún no fue aprobada por las Academias pero que parecería natural, ya que «conciencia» sí goza de legitimidad. *b*) En materia de léxico, no hemos vacilado en recurrir a algunos arcaísmos cuando estos permiten rescatar matices presentes en las voces alemanas originales y que se perderían en caso de dar preferencia exclusiva al uso actual.

Análogamente a lo sucedido con la *Standard Edition*, los 24 volúmenes que integran esta colección no fueron publicados en orden numérico o cronológico, sino según el orden impuesto por el contenido mismo de un material que debió ser objeto de una amplia elaboración previa antes de adoptar determinadas decisiones de índole conceptual o terminológica.[7]

[6] A este fin entendemos por «principales» la primera traducción (cronológicamente hablando) de cada trabajo y sus publicaciones sucesivas dentro de una colección de obras completas. La historia de estas publicaciones se pormenoriza en *Sobre la versión castellana*, donde se indican también las dificultades de establecer con certeza quién fue el traductor de algunos de los trabajos incluidos en las ediciones de Biblioteca Nueva de 1967-68 (3 vols.) y 1972-75 (9 vols.).

En las notas de pie de página y en la bibliografía que aparece al final del volumen, los títulos en castellano de los trabajos de Freud son los adoptados en la presente edición. En muchos casos, estos títulos no coinciden con los de las versiones castellanas anteriores.

[7] El orden de publicación de los volúmenes de la *Standard Edition* figura en *AE*, 1, pág. xxi, *n.* 7. Para esta versión castellana, el orden ha sido el siguiente: 1978: vols. 7, 15, 16; 1979: vols. 4, 5, 8, 9, 11, 14, 17, 18, 19, 20, 21, 22; 1980: vols. 2, 6, 10, 12, 13, 23; 1981: vols. 1, 3; 1985: vol. 24.

Lista de abreviaturas

(Para otros detalles sobre abreviaturas y caracteres tipográficos, véase la aclaración incluida en la bibliografía, *infra*, pág. 275.)

AE	Freud, *Obras completas* (24 vols., en curso de publicación). Buenos Aires: Amorrortu editores, 1978–.
BN	Freud, *Obras completas*. Madrid: Biblioteca Nueva.*
EA	Freud, *Obras completas* (19 vols.). Buenos Aires: Editorial Americana, 1943-44.
GS	Freud, *Gesammelte Schriften* (12 vols.). Viena: Internationaler Psychoanalytischer Verlag, 1924-34.
GW	Freud, *Gesammelte Werke* (18 vols.). Volúmenes 1-17, Londres: Imago Publishing Co., 1940-52; volumen 18, Francfort del Meno: S. Fischer Verlag, 1968.
RP	*Revista de Psicoanálisis*. Buenos Aires: Asociación Psicoanalítica Argentina, 1943–.
SA	Freud, *Studienausgabe* (11 vols.). Francfort del Meno: S. Fischer Verlag, 1969-75.
SE	Freud, *The Standard Edition of the Complete Psychological Works* (24 vols.). Londres: The Hogarth Press, 1953-74.
SKSN	Freud, *Sammlung kleiner Schriften zur Neurosenlehre* (5 vols.). Viena, 1906-22.
SR	Freud, *Obras completas* (22 vols.). Buenos Aires: Santiago Rueda, 1952-56.
Neurosenlehre und Technik	Freud, *Schriften zur Neurosenlehre und zur psychoanalytischen Technik (1913-1926)*. Viena, 1931.

* Utilizaremos la sigla *BN* para todas las ediciones publicadas por Biblioteca Nueva, distinguiéndolas entre sí por la cantidad de volúmenes: edición de 1922-34, 17 vols.; edición de 1948, 2 vols.; edición de 1967-68, 3 vols.; edición de 1972-75, 9 vols.

Psychoanalyse der Neurosen	Freud, *Studien zur Psychoanalyse der Neurosen aus den Jahren 1913-1925.* Viena, 1925.
Sexualtheorie und Traumlehre	Freud, *Kleine Schriften zur Sexualtheorie und zur Traumlehre.* Viena, 1931.
Technik und Metapsychol.	Freud, *Zur Technik der Psychoanalyse und zur Metapsychologie.* Viena, 1924.
Theoretische Schriften	Freud, *Theoretische Schriften (1911-1925).* Viena, 1931.
Traumlehre	Freud, *Kleine Beiträge zur Traumlehre.* Viena, 1925.

Más allá del principio de placer
(1920)

Nota introductoria

Jenseits des Lustprinzips

Ediciones en alemán

1920 Leipzig, Viena y Zurich: Internationaler Psychoanalytischer Verlag, 60 págs.
1921 2ª ed. La misma editorial, 64 págs.
1923 3ª ed. La misma editorial, 94 págs.
1925 *GS*, **6**, págs. 191-257.
1931 *Theoretische Schriften*, págs. 178-247.
1940 *GW*, **13**, págs. 3-69.
1975 *SA*, **3**, págs. 213-72.

Traducciones en castellano *

1923 *Más allá del principio del placer*. *BN* (17 vols.), **2**, págs. 299-378. Traducción de Luis López-Ballesteros.
1943 Igual título. *EA*, **2**, págs. 275-346. El mismo traductor.
1948 Igual título. *BN* (2 vols.), **1**, págs. 1111-40. El mismo traductor.
1952 Igual título. *SR*, **2**, págs. 217-75. El mismo traductor.
1967 Igual título. *BN* (3 vols.), **1**, págs. 1097-126. El mismo traductor.
1974 Igual título. *BN* (9 vols.), **7**, págs. 2507-41. El mismo traductor.

En la segunda edición, Freud introdujo una cierta cantidad de agregados; las modificaciones posteriores del texto fueron mínimas.

Como revela su correspondencia, Freud ya había comenzado a trabajar en el primer borrador de *Más allá del principio de placer* en marzo de 1919, y en el siguiente mes de

* {Cf. la «Advertencia sobre la edición en castellano», *supra*, pág. xi y *n*. 6.}

mayo comunicó que lo había concluido. En esa misma fecha terminaba su artículo sobre «Lo ominoso» (1919*h*), en uno de cuyos párrafos se asienta en unas pocas frases gran parte del núcleo de la presente obra. Alude Freud en ese párrafo a la «compulsión de repetición» como fenómeno manifiesto en la conducta de los niños y en el tratamiento psicoanalítico, sugiere que deriva de la naturaleza más íntima de las pulsiones y declara que es lo suficientemente poderosa como para hacer caso omiso del principio de placer. No hay empero allí ninguna referencia a las «pulsiones de muerte». Añade Freud que ya ha completado una exposición detallada del tema.

El artículo sobre «Lo ominoso», que incluía este resumen, fue publicado en el otoño de 1919. Como más tarde le informó Freud a Wittels, en setiembre de ese año dejó el manuscrito de *Más allá del principio de placer* a algunos amigos suyos en Berlín (Abraham y Eitingon) para que lo leyeran; a la sazón ya estaba completo (o sea, incluía el concepto de las pulsiones de muerte), con excepción del fragmento sobre la mortalidad o inmortalidad de los protozoos.[1] Pero Freud retuvo la obra todavía un año; a comienzos de 1920 estaba nuevamente trabajando en ella, y en una carta a Eitingon del 20 de febrero hay una referencia a las «pulsiones de muerte». En junio, seguía revisándola; el 16 de ese mes presentó un resumen del casi concluido libro en la Sociedad Psicoanalítica de Viena,[2] y por fin lo terminó a mediados de julio. El 9 de setiembre pronunció una conferencia en el Congreso Psicoanalítico Internacional celebrado en La Haya, con el título «Complementos a la doctrina de los sueños», y en ella anunciaba la próxima aparición del libro, que tuvo lugar a comienzos de diciembre. La conferencia se publicó, «resumida por el autor», en *Internationale Zeitschrift für Psychoanalyse*, **6** (1920), págs. 397-8. Aunque no se tiene la certeza de que este resumen haya sido preparado por el propio Freud, tal vez interese reproducirlo aquí.

«Complementos a la doctrina de los sueños» *

«El orador se ocupó, en sus breves comentarios, de tres puntos relativos a la doctrina de los sueños. Los dos pri-

[1] Cf. Freud (1924*g*), *AE*, **19**, pág. 293*n*.
[2] Cf. Ernest Jones, 1957, pág. 42.
* {«Ergänzungen zur Traumlehre». *Traducciones en castellano:*

meros concernían a la tesis según la cual los sueños son cumplimientos de deseo, exponiéndose algunas modificaciones indispensables de dicha tesis. El tercero se refería a un material que confirmó plenamente su rechazo de la presunta "tendencia prospectiva" de los sueños.[3]

»Explicó el orador que junto a los bien conocidos sueños de deseo y sueños de angustia, fácilmente asimilables dentro de la teoría, había motivos para admitir la existencia de una tercera categoría, a la que dio el nombre de "sueños de punición". Si se tiene en cuenta el justificado supuesto de la existencia en el yo de una instancia especial de crítica y observación de sí (el ideal del yo, el censor, la conciencia moral), también a estos sueños de punición debería subsumírselos en la teoría del cumplimiento de deseo, pues figurarían el cumplimiento de un deseo proveniente de esa instancia crítica. Tales sueños —sostuvo— son a los sueños de deseo ordinarios aproximadamente lo que los síntomas de la neurosis obsesiva, surgidos por formación reactiva, son a los de la histeria.

»Sin embargo, hay otra clase de sueños que plantean, a juicio del orador, una excepción más seria a la regla de que los sueños son cumplimientos de deseo; son ellos los denominados "sueños traumáticos", como los que tienen lugar en personas que han sufrido un accidente, pero también los que en el curso del psicoanálisis de neuróticos les vuelven a hacer presentes unos traumas olvidados de su infancia. En conexión con el problema de acomodar estos sueños dentro de la doctrina del cumplimiento de deseo, el orador hizo referencia a una obra suya que habrá de publicarse próximamente con el título de *Más allá del principio de placer*.

»El tercer punto de la comunicación del orador se vinculó con una investigación todavía inédita del doctor Varendonck, de Gante. Este autor logró someter en vasta escala a su observación conciente el fantaseo inconciente en un estado de duermevela —proceso que denominó "pensamiento autista"—. De esta indagación parecía desprenderse que prever lo que es posible que acontezca el día siguiente, preparar eventuales soluciones y adaptaciones, etc., pertenece cabalmente al campo de la actividad preconciente que también crea los pensamientos oníricos latentes, y, como ha mante-

1955: «Complementos a la teoría onírica», *SR*, **19**, págs. 137-8, trad. de L. Rosenthal; 1968: Igual título, *BN* (3 vols.), **3**, pág. 95; 1974: Igual título, *BN* (9 vols.), **7**, pág. 2630.}

[3] [Cf. sobre esto *La interpretación de los sueños* (1900*a*), *AE*, **5**, pág. 502*n*.]

nido siempre el orador, nada tiene que ver con el trabajo del sueño».[4]

Dentro de la serie de escritos metapsicológicos de Freud, puede considerarse que *Más allá del principio de placer* inaugura la fase final de sus concepciones. Ya había llamado la atención sobre la «compulsión de repetición» como fenómeno clínico, pero aquí le atribuye las características de una pulsión; asimismo, por primera vez plantea la nueva dicotomía entre Eros y las pulsiones de muerte que tuvo cabal elaboración en *El yo y el ello* (1923*b*). En la presente obra encontramos también indicios del nuevo cuadro estructural de la mente que habría de dominar todos los escritos posteriores de Freud. Por último, aquí hace su primera aparición explícita el problema de la destructividad, que tuvo un papel cada vez más prominente en sus obras teóricas.

Que varios elementos del presente trabajo proceden de escritos metapsicológicos anteriores —como «Formulaciones sobre los dos principios del acaecer psíquico» (1911*b*), «Introducción del narcisismo» (1914*c*) y «Pulsiones y destinos de pulsión» (1915*c*)— resultará obvio; merece en cambio destacarse particularmente cuán de cerca siguen algunas de las primeras secciones el «Proyecto de psicología» (1950*a*) bosquejado por Freud veinticinco años antes, en 1895.

James Strachey

[4] La introducción de Freud a esta obra de Varendonck se incluye en este mismo volumen, *infra*, págs. 268-9.

I

En la teoría psicoanalítica adoptamos sin reservas el supuesto de que el decurso de los procesos anímicos es regulado automáticamente por el principio de placer. Vale decir: creemos que en todos los casos lo pone en marcha una tensión displacentera, y después adopta tal orientación que su resultado final coincide con una disminución de aquella, esto es, con una evitación de displacer o una producción de placer. Cuando consideramos con referencia a ese decurso los procesos anímicos por nosotros estudiados, introducimos en nuestro trabajo el punto de vista económico. A nuestro juicio, una exposición que además de los aspectos tópico y dinámico intente apreciar este otro aspecto, el económico, es la más completa que podamos concebir por el momento y merece distinguirse con el nombre de «exposición *metapsicológica*».[1]

En todo esto, no tiene para nosotros interés alguno indagar si nuestra tesis del principio de placer nos aproxima o nos afilia a un determinado sistema filosófico formulado en la historia. Es que hemos llegado a tales supuestos especulativos a raíz de nuestro empeño por describir y justipreciar los hechos de observación cotidiana en nuestro campo. Ni la prioridad ni la originalidad se cuentan entre los objetivos que se ha propuesto el trabajo psicoanalítico, y las impresiones que sirven de sustento a la formulación de este principio son tan palmarias que apenas se podría desconocerlas. Por otra parte, estaríamos dispuestos a confesar la precedencia de una teoría filosófica o psicológica que supiera indicarnos los significados de las sensaciones de placer y displacer, tan imperativas para nosotros. Por desdicha, sobre este punto no se nos ofrece nada utilizable. Es el ámbito más oscuro e inaccesible de la vida anímica y, puesto que no podemos evitar el tocarlo, yo creo que la hipótesis más laxa que adoptemos será la mejor. Nos hemos resuelto a referir placer y displacer a la cantidad de excitación presente en la vida anímica —y no ligada de ningún modo—,[2] así: el dis-

[1] [Cf. «Lo inconciente» (1915*e*), *AE*, **14**, pág. 178.]

[2] [El examen más exhaustivo de los conceptos de «cantidad» y

placer corresponde a un incremento de esa cantidad, y el placer a una reducción de ella. No tenemos en mente una relación simple entre la intensidad de tales sensaciones y esas alteraciones a que las referimos; menos aún —según lo enseñan todas las experiencias de la psicofisiología—, una proporcionalidad directa; el factor decisivo respecto de la sensación es, probablemente, la medida del incremento o reducción en un período de tiempo. Es posible que la experimentación pueda aportar algo en este punto, pero para nosotros, los analistas, no es aconsejable adentrarnos más en este problema hasta que observaciones bien precisas puedan servirnos de guía.[3]

Ahora bien, no puede resultarnos indiferente hallar que un investigador tan penetrante como G. T. Fechner ha sustentado, sobre el placer y el displacer, una concepción coincidente en lo esencial con la que nos impuso el trabajo psicoanalítico. El enunciado de Fechner está contenido en su opúsculo *Einige Ideen zur Schöpfungs- und Entwicklungsgeschichte der Organismen*, 1873 (parte XI, suplemento, pág. 94), y reza como sigue: «Por cuanto las impulsiones concientes siempre van unidas con un placer o un displacer, estos últimos pueden concebirse referidos, en términos psicofísicos, a proporciones de estabilidad o de inestabilidad; y sobre esto puede fundarse la hipótesis que desarrollaré con más detalle en otro lugar, según la cual todo movimiento psicofísico que rebase el umbral de la conciencia va afectado de placer en la medida en que se aproxime, más allá de cierta frontera, a la estabilidad plena, y afectado de displacer en la medida en que más allá de cierta frontera se desvíe de aquella, existiendo entre ambas fronteras, que han de caracterizarse como umbrales cualitativos del placer y el displacer, un cierto margen de indiferencia estética...».[4]

Los hechos que nos movieron a creer que el principio de placer rige la vida anímica encuentran su expresión también en la hipótesis de que el aparato anímico se afana por mantener lo más baja posible, o al menos constante, la cantidad

de «excitación ligada», de los que están penetrados todos los escritos de Freud, es quizás el efectuado en el temprano «Proyecto de psicología» de 1895 (1950*a*). Véase en especial el largo análisis del término «ligado» en la parte III de dicha obra, *AE*, **1**, págs. 416-7. Cf. también *infra*, págs. 34-5.]

[3] [Vuelve a hacerse mención a esto *infra*, pág. 61, y se lo desarrolla en «El problema económico del masoquismo» (1924*c*). Véase también el «Proyecto» (1950*a*), *AE*, **1**, pág. 354.]

[4] [Cf. el «Proyecto» (1950*a*), *AE*, **1**, pág. 357. — Aquí el adjetivo «estética» está usado en el antiguo sentido de «relativa a la sensación o a la percepción».]

de excitación presente en él. Esto equivale a decir lo mismo, sólo que de otra manera, pues si el trabajo del aparato anímico se empeña en mantener baja la cantidad de excitación, todo cuanto sea apto para incrementarla se sentirá como disfuncional, vale decir, displacentero. El principio de placer se deriva del principio de constancia; en realidad, el principio de constancia se discernió a partir de los hechos que nos impusieron la hipótesis del principio de placer.[5] Por otra parte, en un análisis más profundizado descubriremos que este afán, por nosotros supuesto, del aparato anímico se subordina como caso especial bajo el principio de Fechner de la *tendencia a la estabilidad*, a la que él refirió las sensaciones de placer y displacer.

Pero entonces debemos decir que, en verdad, es incorrecto hablar de un imperio del principio de placer sobre el decurso de los procesos anímicos. Si así fuera, la abrumadora mayoría de nuestros procesos anímicos tendría que ir acompañada de placer o llevar a él; y la experiencia más universal refuta enérgicamente esta conclusión. Por tanto, la situación no puede ser sino esta: en el alma existe una fuerte tendencia al principio de placer, pero ciertas otras fuerzas o constelaciones la contrarían, de suerte que el resultado final no siempre puede corresponder a la tendencia al placer. Compárese la observación que hace Fechner (1873, pág. 90) a raíz de un problema parecido: «Pero puesto que la tendencia a la meta no significa todavía su logro, y en general esta meta sólo puede alcanzarse por aproximaciones...». Si ahora atendemos a la pregunta por las circunstancias capaces de impedir que el principio de placer prevalezca, volvemos a pisar un terreno seguro y conocido, y para dar la respuesta podemos aducir en sobrado número nuestras experiencias analíticas.

El primer caso de una tal inhibición del principio de placer nos es familiar; tiene el carácter de una ley {*gesetzmässig*}. Sabemos que el principio de placer es propio de un modo de trabajo *primario* del aparato anímico, desde el comienzo

[5] [El «principio de constancia» se remonta a los comienzos mismos de los estudios psicológicos de Freud. El primer examen publicado sobre él de cierta longitud es el que hace Breuer (en términos semifisiológicos) en su contribución teórica a *Estudios sobre la histeria* (Breuer y Freud, 1895), *AE*, **2**, págs. 208-11. Allí lo define como «la tendencia a mantener constante la excitación intracerebral». En ese pasaje atribuye el principio a Freud, y en verdad el propio Freud sólo había hecho antes breve referencia a él en una o dos oportunidades, en escritos póstumos. (Cf. Freud, 1941*a*, y Breuer y Freud, 1940.) También lo examinó en detalle en el «Proyecto» (1950*a*), *AE*, **1**, págs. 340-2, titulándolo allí «principio de inercia neuronal».]

mismo inutilizable, y aun peligroso en alto grado, para la autopreservación del organismo en medio de las dificultades del mundo exterior. Bajo el influjo de las pulsiones de autoconservación del yo, es relevado por el *principio de realidad*,[6] que, sin resignar el propósito de una ganancia final de placer, exige y consigue posponer la satisfacción, renunciar a diversas posibilidades de lograrla y tolerar provisionalmente el displacer en el largo rodeo hacia el placer. Ahora bien, el principio de placer sigue siendo todavía por largo tiempo el modo de trabajo de las pulsiones sexuales, difíciles de «educar»; y sucede una y otra vez que, sea desde estas últimas, sea en el interior del mismo yo, prevalece sobre el principio de realidad en detrimento del organismo en su conjunto.

Es indudable, no obstante, que el relevo del principio de placer por el principio de realidad puede ser responsabilizado sólo de una pequeña parte, y no la más intensa, de las experiencias de displacer. Otra fuente del desprendimiento de displacer, no menos sujeta a ley, surge de los conflictos y escisiones producidos en el aparato anímico mientras el yo recorre su desarrollo hacia organizaciones de superior complejidad. Casi toda la energía que llena al aparato proviene de las mociones pulsionales congénitas, pero no se las admite a todas en una misma fase del desarrollo. En el curso de este, acontece repetidamente que ciertas pulsiones o partes de pulsiones se muestran, por sus metas o sus requerimientos, inconciliables con las restantes que pueden conjugarse en la unidad abarcadora del yo. Son segregadas entonces de esa unidad por el proceso de la represión; se las retiene en estadios inferiores del desarrollo psíquico y se les corta, en un comienzo, la posibilidad de alcanzar satisfacción. Y si luego consiguen (como tan fácilmente sucede en el caso de las pulsiones sexuales reprimidas) procurarse por ciertos rodeos una satisfacción directa o sustitutiva, este éxito, que normalmente habría sido una posibilidad de placer, es sentido por el yo como displacer. A consecuencia del viejo conflicto que desembocó en la represión, el principio de placer experimenta otra ruptura justo en el momento en que ciertas pulsiones laboraban por ganar un placer nuevo en obediencia a ese principio. Los detalles del proceso por el cual la represión trasforma una posibilidad de placer en una fuente de displacer no son todavía bien inteligibles o no pueden exponerse con claridad, pero seguramente todo displacer neu-

[6] [Cf. «Formulaciones sobre los dos principios del acaecer psíquico» (1911*b*).]

rótico es de esa índole, un placer que no puede ser sentido como tal.[7]

Las dos fuentes del displacer que hemos indicado están muy lejos de abarcar la mayoría de nuestras vivencias de displacer; pero de las restantes puede afirmarse, con visos de justificación, que su existencia no contradice al imperio del principio de placer. En su mayor parte, el displacer que sentimos es un displacer de percepción. Puede tratarse de la percepción del esfuerzo de pulsiones insatisfechas, o de una percepción exterior penosa en sí misma o que excite expectativas displacenteras en el aparato anímico, por discernirla este como «peligro». La reacción frente a esas exigencias pulsionales y amenazas de peligro, reacción en que se exterioriza la genuina actividad del aparato anímico, puede ser conducida luego de manera correcta por el principio de placer o por el de realidad, que lo modifica. No parece entonces necesario admitir una restricción considerable del principio de placer; empero, justamente la indagación de la reacción anímica frente al peligro exterior puede brindar un nuevo material y nuevos planteos con relación al problema que nos ocupa.

7 [*Nota agregada* en 1925:] Lo esencial es, sin duda, que placer y displacer están ligados al yo como sensaciones concientes. [Esto se elucida con más detalle en *Inhibición, síntoma y angustia* (1926*d*), *AE*, **20**, pág. 87.]

II

Ya es de antigua data la descripción de un estado que sobreviene tras conmociones mecánicas, choques ferroviarios y otros accidentes que aparejaron riesgo de muerte, por lo cual le ha quedado el nombre de «neurosis traumática». La horrorosa guerra que acaba de terminar la provocó en gran número, y al menos puso fin al intento de atribuirla a un deterioro orgánico del sistema nervioso por acción de una violencia mecánica.[1] El cuadro de la neurosis traumática se aproxima al de la histeria por presentar en abundancia síntomas motores similares; pero lo sobrepasa, por lo regular, en sus muy acusados indicios de padecimiento subjetivo —que la asemejan a una hipocondría o una melancolía—, así como en la evidencia de un debilitamiento y una destrucción generales mucho más vastos de las operaciones anímicas. Hasta ahora no se ha alcanzado un conocimiento pleno[2] de las neurosis de guerra ni de las neurosis traumáticas de tiempos de paz. En el caso de las primeras, resultó por un lado esclarecedor, aunque por el otro volvió a confundir las cosas, el hecho de que el mismo cuadro patológico sobrevenía en ocasiones sin la cooperación de una violencia mecánica cruda; en la neurosis traumática común se destacan dos rasgos que podrían tomarse como punto de partida de la reflexión: que el centro de gravedad de la causación parece situarse en el factor de la sorpresa, en el terror, y que un simultáneo daño físico o herida contrarresta en la mayoría de los casos la producción de la neurosis. Terror, miedo, angustia, se usan equivocadamente como expresiones sinónimas; se las puede distinguir muy bien en su relación con el peligro. La angustia designa cierto estado como de expectativa frente al peligro y preparación para él, aunque se trate de un peligro desconocido; el miedo requiere un objeto determinado, en

[1] Cf. la discusión sobre el psicoanálisis de las neurosis de guerra por Ferenczi, Abraham, Simmel y Jones (Ferenczi *et al.*, 1919). [Freud redactó la introducción de este trabajo (1919*d*). Cf. también su «Informe sobre la electroterapia de los neuróticos de guerra», de edición póstuma (1955*c*).]

[2] [La palabra «pleno» fue agregada en 1921.]

presencia del cual uno lo siente; en cambio, se llama terror al estado en que se cae cuando se corre un peligro sin estar preparado: destaca el factor de la sorpresa. No creo que la angustia pueda producir una neurosis traumática; en la angustia hay algo que protege contra el terror y por tanto también contra la neurosis de terror. Más adelante volveremos sobre esta tesis [cf. pág. 31].[3]

Nos es lícito considerar el estudio del sueño como la vía más confiable para explorar los procesos anímicos profundos. Ahora bien, la vida onírica de la neurosis traumática muestra este carácter: reconduce al enfermo, una y otra vez, a la situación de su accidente, de la cual despierta con renovado terror. Esto no provoca el suficiente asombro: se cree que si la vivencia traumática lo asedia de continuo mientras duerme, ello prueba la fuerza de la impresión que le provocó. El enfermo —se sostiene— está, por así decir, fijado psíquicamente al trauma. Tales fijaciones a la vivencia que desencadenó la enfermedad nos son conocidas desde hace tiempo en la histeria. Breuer y Freud manifestaron en 1893 [4] que «el histérico padece por la mayor parte de reminiscencias». También respecto de las neurosis de guerra, observadores como Ferenczi y Simmel explicaron muchos síntomas motores por una fijación al momento del trauma.

Sin embargo, no he sabido que los enfermos de neurosis traumática frecuenten mucho en su vida de vigilia el recuerdo de su accidente. Quizá se esfuercen más bien por no pensar en él. Cuando se admite como cosa obvia que el sueño nocturno los traslada de nuevo a la situación patógena, se desconoce la naturaleza del sueño. Más propio de este sería presentar al enfermo imágenes del tiempo en que estaba sano, o de su esperada curación. Suponiendo que los sueños de estos neuróticos traumáticos no nos disuadan de afirmar que la tendencia del sueño es el cumplimiento de un deseo, tal vez nos quede el expediente de sostener que en este estado la función del sueño, como tantas otras cosas, resultó afec-

[3] [Freud dista mucho, en verdad, de hacer siempre el distingo que traza aquí. Con suma frecuencia usa la palabra «*Angst*» {«angustia»} para designar un estado de temor sin referencia alguna al futuro. No es improbable que en este pasaje comenzara a vislumbrar la distinción que haría luego, en *Inhibición, síntoma y angustia* (1926*d*), entre la angustia como reacción frente a una situación traumática —algo probablemente equivalente a lo que aquí se denomina «*Schreck*» {«terror»}— y como señal de advertencia de la proximidad de un suceso tal. Cf. también *infra*, pág. 31, su empleo de la frase «apronte angustiado».]

[4] [Sobre el mecanismo psíquico de fenómenos histéricos: comunicación preliminar» (1893*a*), *AE*, **2**, pág. 33.]

tada y desviada de sus propósitos; o bien tendríamos que pensar en las enigmáticas tendencias masoquistas del yo.[5]

Ahora propongo abandonar el oscuro y árido tema de la neurosis traumática y estudiar el modo de trabajo del aparato anímico en una de sus prácticas normales más tempranas. Me refiero al juego infantil.

Hace poco, S. Pfeifer (1919) ha ofrecido un resumen y una apreciación psicoanalítica de las diversas teorías sobre el juego infantil; puedo remitirme aquí a su trabajo. Estas teorías se esfuerzan por colegir los motivos que llevan al niño a jugar, pero no lo hacen dando precedencia al punto de vista económico, vale decir, considerando la ganancia de placer. Por mi parte, y sin pretender abarcar la totalidad de estos fenómenos, he aprovechado una oportunidad que se me brindó para esclarecer el primer juego, autocreado, de un varoncito de un año y medio. Fue más que una observación hecha de pasada, pues conviví durante algunas semanas con el niño y sus padres bajo el mismo techo, y pasó bastante tiempo hasta que esa acción enigmática y repetida de continuo me revelase su sentido.

El desarrollo intelectual del niño en modo alguno era precoz; al año y medio, pronunciaba apenas unas pocas palabras inteligibles y disponía, además, de varios sonidos significativos, comprendidos por quienes lo rodeaban. Pero tenía una buena relación con sus padres y con la única muchacha de servicio, y le elogiaban su carácter «juicioso». No molestaba a sus padres durante la noche, obedecía escrupulosamente las prohibiciones de tocar determinados objetos y de ir a ciertos lugares, y, sobre todo, no lloraba cuando su madre lo abandonaba durante horas; esto último a pesar de que sentía gran ternura por ella, quien no sólo lo había amamantado por sí misma, sino que lo había cuidado y criado sin ayuda ajena. Ahora bien, este buen niño exhibía el hábito, molesto en ocasiones, de arrojar lejos de sí, a un rincón o debajo de una cama, etc., todos los pequeños objetos que hallaba a su alcance, de modo que no solía ser tarea fácil juntar sus juguetes. Y al hacerlo profería, con expresión de interés y satisfacción, un fuerte y prolongado «o-o-o-o», que, según el juicio coincidente de la madre y de este observador, no era una interjección, sino que significaba «*fort*»

5 [Todo lo que sigue al punto y coma fue agregado en 1921. Para esto, cf. *La interpretación de los sueños* (1900*a*), *AE*, **5**, págs. 543 y sigs.]

{se fue}. Al fin caí en la cuenta de que se trataba de un juego y que el niño no hacía otro uso de sus juguetes que el de jugar a que «se iban». Un día hice la observación que corroboró mi punto de vista. El niño tenía un carretel de madera atado con un piolín. No se le ocurrió, por ejemplo, arrastrarlo tras sí por el piso para jugar al carrito, sino que con gran destreza arrojaba el carretel, al que sostenía por el piolín, tras la baranda de su cunita con mosquitero; el carretel desaparecía ahí dentro, el niño pronunciaba su significativo «o-o-o-o», y después, tirando del piolín, volvía a sacar el carretel de la cuna, saludando ahora su aparición con un amistoso «*Da*» {acá está}. Ese era, pues, el juego completo, el de desaparecer y volver. Las más de las veces sólo se había podido ver el primer acto, repetido por sí solo incansablemente en calidad de juego, aunque el mayor placer, sin ninguna duda, correspondía al segundo.[6]

La interpretación del juego resultó entonces obvia. Se entramaba con el gran logro cultural del niño: su renuncia pulsional (renuncia a la satisfacción pulsional) de admitir sin protestas la partida de la madre. Se resarcía, digamos, escenificando por sí mismo, con los objetos a su alcance, ese desaparecer y regresar. Para la valoración afectiva de este juego no tiene importancia, desde luego, que el niño mismo lo inventara o se lo apropiara a raíz de una incitación [externa]. Nuestro interés se dirigirá a otro punto. Es imposible que la partida de la madre le resultara agradable, o aun indiferente. Entonces, ¿cómo se concilia con el principio de placer que repitiese en calidad de juego esta vivencia penosa para él? Acaso se responderá que jugaba a la partida porque era la condición previa de la gozosa reaparición, la cual contendría el genuino propósito del juego. Pero lo contradice la observación de que el primer acto, el de la partida, era escenificado por sí solo y, en verdad, con frecuencia incomparablemente mayor que el juego íntegro llevado hasta su final placentero.

El análisis de un único caso de esta índole no permite zanjar con certeza la cuestión. Si lo consideramos sin preven-

6 Esta interpretación fue certificada plenamente después por otra observación. Un día que la madre había estado ausente muchas horas, fue saludada a su regreso con esta comunicación: «¡Bebé o-o-o-o!»; primero esto resultó incomprensible, pero pronto se pudo comprobar que durante esa larga soledad el niño había encontrado un medio para hacerse desaparecer a sí mismo. Descubrió su imagen en el espejo del vestuario, que llegaba casi hasta el suelo, y luego le hurtó el cuerpo de manera tal que la imagen del espejo «se fue». [Otra referencia a esta historia se hallará en *La interpretación de los sueños* (1900*a*), *AE*, **5**, pág. 459, *n*. 3.]

ciones, recibimos la impresión de que el niño convirtió en juego esa vivencia a raíz de otro motivo. En la vivencia era pasivo, era afectado por ella; ahora se ponía en un papel activo repitiéndola como juego, a pesar de que fue displacentera. Podría atribuirse este afán a una pulsión de apoderamiento que actuara con independencia de que el recuerdo en sí mismo fuese placentero o no. Pero también cabe ensayar otra interpretación. El acto de arrojar el objeto para que «se vaya» acaso era la satisfacción de un impulso, sofocado por el niño en su conducta, a vengarse de la madre por su partida; así vendría a tener este arrogante significado: «Y bien, vete pues; no te necesito, yo mismo te echo». Este mismo niño cuyo primer juego observé teniendo él un año y medio solía un año después arrojar al suelo un juguete con el que se había irritado, diciéndole: «¡Vete a la gue(r)ra!». Le habían contado por entonces que su padre ausente se encontraba en la guerra; y por cierto no lo echaba de menos, sino que daba los más claros indicios de no querer ser molestado en su posesión exclusiva de la madre.[7] También de otros niños sabemos que son capaces de expresar similares mociones hostiles botando objetos en lugar de personas.[8] Así se nos plantea esta duda: ¿Puede el esfuerzo {*Drang*} de procesar psíquicamente algo impresionante, de apoderarse enteramente de eso, exteriorizarse de manera primaria e independiente del principio de placer? Comoquiera que sea, si en el caso examinado ese esfuerzo repitió en el juego una impresión desagradable, ello se debió únicamente a que la repetición iba conectada a una ganancia de placer de otra índole, pero directa.

Ahora bien, el estudio del juego infantil, por más que lo profundicemos, no remediará esta fluctuación nuestra entre dos concepciones. Se advierte que los niños repiten en el juego todo cuanto les ha hecho gran impresión en la vida; de ese modo abreaccionan la intensidad de la impresión y se adueñan, por así decir, de la situación. Pero, por otro lado, es bastante claro que todos sus juegos están presididos por el deseo dominante en la etapa en que ellos se encuentran: el de ser grandes y poder obrar como los mayores. También se observa que el carácter displacentero de la vivencia no siempre la vuelve inutilizable para el juego. Si el doctor examina la garganta del niño o lo somete a una pequeña operación,

[7] Teniendo el niño cinco años y nueve meses, murió la madre. Ahora que realmente «se fue» (o-o-o), el muchachito no mostró duelo alguno por ella. Es verdad que entretanto había nacido un segundo niño, que despertó sus más fuertes celos.

[8] Cf. «Un recuerdo de infancia en *Poesía y verdad*» (1917*b*).

con toda certeza esta vivencia espantable pasará a ser el contenido del próximo juego. Pero la ganancia de placer que proviene de otra fuente es palmaria aquí. En cuanto el niño trueca la pasividad del vivenciar por la actividad del jugar, inflige a un compañero de juegos lo desagradable que a él mismo le ocurrió y así se venga en la persona de este sosias.[9]

Sea como fuere, de estas elucidaciones resulta que es superfluo suponer una pulsión particular de imitación como motivo del jugar. Unas reflexiones para terminar: el juego * y la imitación artísticos practicados por los adultos, que a diferencia de la conducta del niño apuntan a la persona del espectador, no ahorran a este último las impresiones más dolorosas (en la tragedia, por ejemplo), no obstante lo cual puede sentirlas como un elevado goce.[10] Así nos convencemos de que aun bajo el imperio del principio de placer existen suficientes medios y vías para convertir en objeto de recuerdo y elaboración anímica lo que en sí mismo es displacentero. Una estética de inspiración económica debería ocuparse de estos casos y situaciones que desembocan en una ganancia final de placer; pero no nos sirven de nada para nuestro propósito, pues presuponen la existencia y el imperio del principio de placer y no atestiguan la acción de tendencias situadas más allá de este, vale decir, tendencias que serían más originarias que el principio de placer e independientes de él.

9 [Esta observación se repite en «Sobre la sexualidad femenina» (1931*b*), *AE*, **21**, pág. 237.]

* {Aquí, «*Spiel*» en el sentido de representación escénica. Preferimos una traducción forzada para que no se pierda la asimilación con el juego infantil (también «*Spiel*»).}

10 [Freud había hecho un estudio provisional de esto en su trabajo póstumo «Personajes psicopáticos en el escenario» (1942*a*), cuya redacción data probablemente de 1905 o 1906.]

III

Veinticinco años de trabajo intenso han hecho que las metas inmediatas de la técnica psicoanalítica sean hoy por entero diversas que al empezar. En aquella época, el médico dedicado al análisis no podía tener otra aspiración que la de colegir, reconstruir y comunicar en el momento oportuno lo inconciente oculto para el enfermo. El psicoanálisis era sobre todo un arte de interpretación. Pero como así no se solucionaba la tarea terapéutica, enseguida se planteó otro propósito inmediato: instar al enfermo a corroborar la construcción mediante su propio recuerdo. A raíz de este empeño, el centro de gravedad recayó en las resistencias de aquel; el arte consistía ahora en descubrirlas a la brevedad, en mostrárselas y, por medio de la influencia humana (este era el lugar de la sugestión, que actuaba como «trasferencia»), moverlo a que las resignase.

Después, empero, se hizo cada vez más claro que la meta propuesta, el devenir-conciente de lo inconciente, tampoco podía alcanzarse plenamente por este camino. El enfermo puede no recordar todo lo que hay en él de reprimido, acaso justamente lo esencial. Si tal sucede, no adquiere convencimiento ninguno sobre la justeza de la construcción que se le comunicó. Más bien se ve forzado a *repetir* lo reprimido como vivencia presente, en vez de *recordarlo*, como el médico preferiría, en calidad de fragmento del pasado.[1] Esta reproducción, que emerge con fidelidad no deseada, tiene siempre por contenido un fragmento de la vida sexual infantil y, por tanto, del complejo de Edipo y sus ramificaciones; y regularmente se juega {se escenifica} en el terreno de la trasferencia, esto es, de la relación con el médico. Cuando en el tratamiento las cosas se han llevado hasta este punto, puede decirse que la anterior neurosis ha sido sustituida por una

[1] Cf. mi trabajo «Recordar, repetir y reelaborar» (1914*g*). [También se hallará en ese trabajo una temprana referencia a la «compulsión de repetición», uno de los temas principales que se examinan en la presente obra. (Cf. asimismo mi «Nota introductoria», *supra*, pág. 6.) — La frase «neurosis de trasferencia», en el sentido especial con que se la usa pocas líneas más adelante, aparece también en el trabajo mencionado.]

nueva, una neurosis de trasferencia. El médico se ha empeñado por restringir en todo lo posible el campo de esta neurosis de trasferencia, por esforzar el máximo recuerdo y admitir la mínima repetición. La proporción que se establece entre recuerdo y reproducción es diferente en cada caso. Por lo general, el médico no puede ahorrar al analizado esta fase de la cura; tiene que dejarle revivenciar cierto fragmento de su vida olvidada, cuidando que al par que lo hace conserve cierto grado de reflexión en virtud del cual esa realidad aparente pueda individualizarse cada vez como reflejo de un pasado olvidado. Con esto se habrá ganado el convencimiento del paciente y el éxito terapéutico que depende de aquel.

Para hallar más inteligible esta «*compulsión de repetición*» que se exterioriza en el curso del tratamiento psicoanalítico de los neuróticos, es preciso ante todo librarse de un error, a saber, que en la lucha contra las resistencias uno se enfrenta con la resistencia de lo «inconciente». Lo inconciente, vale decir, lo «reprimido», no ofrece resistencia alguna a los esfuerzos de la cura; y aun no aspira a otra cosa que a irrumpir hasta la conciencia —a despecho de la presión que lo oprime— o hasta la descarga —por medio de la acción real—. La resistencia en la cura proviene de los mismos estratos y sistemas superiores de la vida psíquica que en su momento llevaron a cabo la represión. Pero, dado que los motivos de las resistencias, y aun estas mismas, son al comienzo inconcientes en la cura (según nos lo enseña la experiencia), esto nos advierte que hemos de salvar un desacierto de nuestra terminología. Eliminamos esta oscuridad poniendo en oposición, no lo conciente y lo inconciente, sino el *yo* [2] coherente y lo *reprimido*. Es que sin duda también en el interior del yo es mucho lo inconciente: justamente lo que puede llamarse el «núcleo del yo»;[3] abarcamos sólo una pequeña parte de eso con el nombre de *preconciente*.[4] Tras sustituir así una terminología meramente descriptiva por una sistemática o dinámica, podemos decir que la resistencia del analizado parte de su yo;[5] hecho esto, enseguida advertimos que hemos de

NO TIENE NADA QUE VER CON LA RESISTENCIA A LA CURA.

YO → REPRESIÓN

ahora resist. de la representa

2 [Véase un examen de esto en mi «Introducción» a *El yo y el ello* (1923*b*), *AE*, **19**, pág. 8.]

3 [Esta formulación fue corregida en una nota al pie de *El yo y el ello* (1923*b*), *AE*, **19**, pág. 30.]

4 [En su forma actual, esta oración data de 1921. En la primera edición (1920), rezaba: «Es posible que en el yo sea mucho lo inconciente; probablemente abarcamos sólo una pequeña parte de eso con el nombre de *preconciente*».]

5 [En el cap. XI de *Inhibición, síntoma y angustia* (1926*d*) se examinan en forma más completa y algo diferente las fuentes de la resistencia.]

adscribir la compulsión de repetición a lo reprimido inconciente. Es probable que no pueda exteriorizarse antes que el trabajo solicitante de la cura haya aflojado la represión.[6]

No hay duda de que la resistencia del yo conciente y preconciente está al servicio del principio de placer. En efecto: quiere ahorrar el displacer que se excitaría por la liberación de lo reprimido, en tanto nosotros nos empeñamos en conseguir que ese displacer se tolere invocando el principio de realidad. Ahora bien, ¿qué relación guarda con el principio de placer la compulsión de repetición, la exteriorización forzosa de lo reprimido? Es claro que, las más de las veces, lo que la compulsión de repetición hace revivenciar no puede menos que provocar displacer al yo, puesto que saca a luz operaciones de mociones pulsionales reprimidas. Empero, ya hemos considerado esta clase de displacer; no contradice al principio de placer, es displacer para un sistema y, al mismo tiempo, satisfacción para el otro.[7] Pero el hecho nuevo y asombroso que ahora debemos describir es que la compulsión de repetición devuelve también vivencias pasadas que no contienen posibilidad alguna de placer, que tampoco en aquel momento pudieron ser satisfacciones, ni siquiera de las mociones pulsionales reprimidas desde entonces.

El florecimiento temprano de la vida sexual infantil estaba destinado a sepultarse {*Untergang*} porque sus deseos eran inconciliables con la realidad y por la insuficiencia de la etapa evolutiva en que se encontraba el niño. Ese florecimiento se fue a pique {*zugrunde gehen*} a raíz de las más penosas ocasiones y en medio de sensaciones hondamente dolorosas. La pérdida de amor y el fracaso dejaron como secuela un daño permanente del sentimiento de sí, en calidad de cicatriz narcisista, que, tanto según mis experiencias como según las puntualizaciones de Marcinowski (1918), es el más poderoso aporte al frecuente «sentimiento de inferioridad» de los neuróticos. La investigación sexual, que chocó con la barrera del desarrollo corporal del niño, no obtuvo conclusión satisfactoria; de ahí la queja posterior: «No puedo lograr nada; nada me sale bien». El vínculo tierno establecido casi siempre con el progenitor del otro sexo sucumbió al desengaño, a la vana espera de una satisfacción, a los celos que provocó

6 [*Nota agregada* en 1923:] En otro lugar [1923*c*] expongo que aquí viene en ayuda de la compulsión de repetición el «efecto de sugestión», vale decir, la obediencia hacia el médico, profundamente arraigada en el complejo parental inconciente.

7 [Véase el empleo alegórico que hace Freud del cuento tradicional de los «tres deseos» en *Conferencias de introducción al psicoanálisis* (1916-17), *AE*, **15**, pág. 198.]

el nacimiento de un hermanito, prueba indubitable de la infidelidad del amado o la amada; su propio intento, emprendido con seriedad trágica, de hacer él mismo un hijo así, fracasó vergonzosamente; el retiro de la ternura que se prodigaba al niñito, la exigencia creciente de la educación, palabras serias y un ocasional castigo habían terminado por revelarle todo el alcance del *desaire* que le reservaban. Así llega a su fin el amor típico de la infancia; su ocaso responde a unos pocos tipos, que aparecen con regularidad.

Ahora bien, los neuróticos repiten en la trasferencia todas estas ocasiones indeseadas y estas situaciones afectivas dolorosas, reanimándolas con gran habilidad. Se afanan por interrumpir la cura incompleta, saben procurarse de nuevo la impresión del desaire, fuerzan al médico a dirigirles palabras duras y a conducirse fríamente con ellos, hallan los objetos apropiados para sus celos, sustituyen al hijo tan ansiado del tiempo primordial por el designio o la promesa de un gran regalo, casi siempre tan poco real como aquel. Nada de eso pudo procurar placer entonces; se creería que hoy produciría un displacer menor si emergiera como recuerdo o en sueños, en vez de configurarse como vivencia nueva. Se trata, desde luego, de la acción de pulsiones que estaban destinadas a conducir a la satisfacción; pero ya en aquel momento no la produjeron, sino que conllevaron únicamente displacer. Esa experiencia se hizo en vano.[8] Se la repite a pesar de todo; una compulsión esfuerza a ello.

Eso mismo que el psicoanálisis revela en los fenómenos de trasferencia de los neuróticos puede reencontrarse también en la vida de personas no neuróticas. En estas hace la impresión de un destino que las persiguiera, de un sesgo demoníaco en su vivenciar; y desde el comienzo el psicoanálisis juzgó que ese destino fatal era autoinducido y estaba determinado por influjos de la temprana infancia. La compulsión que así se exterioriza no es diferente de la compulsión de repetición de los neuróticos, a pesar de que tales personas nunca han presentado los signos de un conflicto neurótico tramitado mediante la formación de síntoma. Se conocen individuos en quienes toda relación humana lleva a idéntico desenlace: benefactores cuyos protegidos (por disímiles que sean en lo demás) se muestran ingratos pasado cierto tiempo, y entonces parecen destinados a apurar entera la amargura de la ingratitud; hombres en quienes toda amistad termina con la traición del amigo; otros que en su vida repiten incontables veces el acto de elevar a una persona a

8 [Las dos últimas oraciones fueron agregadas en 1921.]

la condición de eminente autoridad para sí mismos o aun para el público, y tras el lapso señalado la destronan para sustituirla por una nueva; amantes cuya relación tierna con la mujer recorre siempre las mismas fases y desemboca en idéntico final, etc. Este «eterno retorno de lo igual» nos asombra poco cuando se trata de una conducta *activa* de tales personas y podemos descubrir el rasgo de carácter que permanece igual en ellas, exteriorizándose forzosamente en la repetición de idénticas vivencias. Nos sorprenden mucho más los casos en que la persona parece vivenciar *pasivamente* algo sustraído a su poder, a despecho de lo cual vivencia una y otra vez la repetición del mismo destino. Piénsese, por ejemplo, en la historia de aquella mujer que se casó tres veces sucesivas, y las tres el marido enfermó y ella debió cuidarlo en su lecho de muerte.[9] La figuración poética más tocante de un destino fatal como este la ofreció Tasso en su epopeya romántica, la *Jerusalén liberada.* El héroe, Tancredo, dio muerte sin saberlo a su amada Clorinda cuando ella lo desafió revestida con la armadura de un caballero enemigo. Ya sepultada, Tancredo se interna en un ominoso bosque encantado, que aterroriza al ejército de los cruzados. Ahí hiende un alto árbol con su espada, pero de la herida del árbol mana sangre, y la voz de Clorinda, cuya alma estaba aprisionada en él, le reprocha que haya vuelto a herir a la amada.

En vista de estas observaciones relativas a la conducta durante la trasferencia y al destino fatal de los seres humanos, osaremos suponer que en la vida anímica existe realmente una compulsión de repetición que se instaura más allá del principio de placer. Y ahora nos inclinaremos a referir a ella los sueños de los enfermos de neurosis traumática y la impulsión al juego en el niño.

Debemos admitir, es cierto, que sólo en raros casos podemos aprehender puros, sin la injerencia de otros motivos, los efectos de la compulsión de repetición. Respecto del juego infantil, ya pusimos de relieve las otras interpretaciones que admite su génesis: compulsión de repetición y satisfacción pulsional placentera directa parecen entrelazarse en íntima comunidad. En cuanto a los fenómenos de la trasferencia, es evidente que están al servicio de la resistencia del yo, obstinado en la represión; se diría que la compulsión de repetición, que la cura pretendía poner a su servicio, es ganada para el bando del yo, que quiere aferrarse al principio de

[9] Cf. las oportunas observaciones que hace al respecto C. G. Jung (1909).

placer.[10] Y con respecto a lo que podría llamarse la compulsión de destino, nos parece en gran parte explicable por la ponderación ajustada a la *ratio* {*rationelle Erwägung*}, de suerte que no se siente la necesidad de postular un nuevo y misterioso motivo. El caso menos dubitable es quizás el de los sueños traumáticos; pero tras una reflexión más detenida es preciso confesar que tampoco en los otros ejemplos los motivos que nos resultan familiares abarcan íntegramente la constelación de los hechos.

Lo que resta es bastante para justificar la hipótesis de la compulsión de repetición, y esta nos aparece como más originaria, más elemental, más pulsional * que el principio de placer que ella destrona. Ahora bien, si en lo anímico existe una tal compulsión de repetición, nos gustaría saber algo sobre la función que le corresponde, las condiciones bajo las cuales puede aflorar y la relación que guarda con el principio de placer, al que hasta hoy, en verdad, habíamos atribuido el imperio sobre el decurso de los procesos de excitación en la vida anímica.

10 [Antes de 1923 la última cláusula rezaba: «se diría que la compulsión de repetición es llamada en su auxilio por el yo, que quiere aferrarse al principio de placer».]

* {«*Triebhaft*»; véase la nota de la traducción castellana en la página 35.}

Lo que sigue es especulación, a menudo de largo vuelo, que cada cual estimará o desdeñará de acuerdo con su posición subjetiva. Es, además, un intento de explotar consecuentemente una idea, por curiosidad de saber adónde lleva.

La especulación psicoanalítica arranca de la impresión, recibida a raíz de la indagación de procesos inconcientes, de que la conciencia no puede ser el carácter más universal de los procesos anímicos, sino sólo una función particular de ellos. En terminología metapsicológica sostiene que la conciencia es la operación de un sistema particular, al que llama *Cc.*[1] Puesto que la conciencia brinda en lo esencial percepciones de excitaciones que vienen del mundo exterior, y sensaciones de placer y displacer que sólo pueden originarse en el interior del aparato anímico, es posible atribuir al sistema *P-Cc*[2] una posición espacial. Tiene que encontrarse en la frontera entre lo exterior y lo interior, estar vuelto hacia el mundo exterior y envolver a los otros sistemas psíquicos. Así caemos en la cuenta de que con estas hipótesis no hemos ensayado algo nuevo, sino seguido las huellas de la anatomía cerebral localizadora que sitúa la «sede» de la conciencia en la corteza del cerebro, en el estrato más exterior, envolvente, del órgano central. La anatomía cerebral no necesita ocuparse de la razón por la cual —dicho en términos anatómicos— la conciencia está colocada justamente en la superficie del encéfalo, en vez de estar alojada en alguna otra parte, en lo más recóndito de él. Quizá nosotros, respecto de nuestro sistema *P-Cc*, podamos llegar más lejos en cuanto a deducir esa ubicación.

La conciencia no es la única propiedad que adscribimos a los procesos de ese sistema. No hacemos sino apoyarnos en las impresiones que nos brinda nuestra experiencia psicoana-

1 [Cf. *La interpretación de los sueños* (1900*a*), *AE*, **5**, págs. 598 y sigs., y «Lo inconciente» (1915*e*), sección II.]

2 [El sistema *P* (percepción) fue descrito por primera vez por Freud en *La interpretación de los sueños* (1900*a*), *AE*, **5**, págs. 531 y sigs. En un trabajo posterior (1917*d*) argumentó que dicho sistema coincidía con el sistema *Cc.*]

lítica si adoptamos la hipótesis de que todos los procesos excitatorios de los otros sistemas les dejan como secuela huellas permanentes que son la base de la memoria, vale decir, restos mnémicos que nada tienen que ver con el devenir-conciente. A menudo los más fuertes y duraderos son los dejados por un proceso que nunca llegó a la conciencia. Pues bien: nos resulta difícil creer que esas huellas permanentes de la excitación puedan producirse asimismo en el sistema *P-Cc*. Si permanecieran siempre concientes, muy pronto reducirían la aptitud de este sistema para la recepción de nuevas excitaciones;[3] y si por el contrario devinieran inconcientes, nos enfrentarían con la tarea de explicar la existencia de procesos inconcientes en un sistema cuyo funcionamiento va acompañado en general por el fenómeno de la conciencia. Entonces no habríamos modificado ni ganado nada, por así decir, con esta hipótesis nuestra por la cual remitimos el devenir-conciente a un sistema particular. Aunque esta consideración carezca de fuerza lógica concluyente, puede movernos a conjeturar que para un mismo sistema son inconciliables el devenir-conciente y el dejar como secuela una huella mnémica. Así, podríamos decir que en el sistema *Cc* el proceso excitatorio deviene conciente, pero no le deja como secuela ninguna huella duradera; todas las huellas de ese proceso, huellas en que se apoya el recuerdo, se producirían a raíz de la propagación de la excitación a los sistemas internos contiguos, y en estos. En tal sentido apuntaba ya el esquema que en 1900 introduje en el capítulo especulativo de *La interpretación de los sueños*.[4] Si se considera cuán poco sabemos de otras fuentes acerca de la génesis de la conciencia, se atribuirá a la siguiente tesis, al menos, el valor de un aserto que exhibe cierta precisión: *La conciencia surge en remplazo de la huella mnémica.*

El sistema *Cc* se singularizaría entonces por la particularidad de que en él, a diferencia de lo que ocurre en todos los otros sistemas psíquicos, el proceso de excitación no deja tras sí una alteración permanente de sus elementos, sino que se agota, por así decir, en el fenómeno de devenir-conciente. Semejante desviación de la regla general pide ser ex-

[3] Lo que sigue se basa en las opiniones expuestas por Breuer en *Estudios sobre la histeria* (Breuer y Freud, 1895) [*AE*, **2**, págs. 203-14. Freud examinó el tema en *La interpretación de los sueños* (1900*a*), *AE*, **5**, págs. 531-2, y ya antes lo había considerado cabalmente en el «Proyecto de psicología» de 1895 (1950*a*), *AE*, **1**, págs. 343-6. Volvió a él más tarde en «Nota sobre la "pizarra mágica"» (1925*a*).]

[4] [*AE*, **5**, pág. 532.]

plicada por un factor que cuente con exclusividad para este solo sistema; y bien: ese factor que falta a todos los otros sistemas podría ser la ubicación del sistema *Cc*, que acabamos de exponer: su choque directo con el mundo exterior.

Representémonos al organismo vivo en su máxima simplificación posible, como una vesícula indiferenciada de sustancia estimulable; entonces su superficie vuelta hacia el mundo exterior está diferenciada por su ubicación misma y sirve como órgano receptor de estímulos. Y en efecto la embriología, en cuanto repetición {recapitulación} de la historia evolutiva, nos muestra que el sistema nervioso central proviene del ectodermo; comoquiera que fuese, la materia gris de la corteza es un retoño de la primitiva superficie y podría haber recibido por herencia propiedades esenciales de esta. Así, sería fácilmente concebible que, por el incesante embate de los estímulos externos sobre la superficie de la vesícula, la sustancia de esta se alterase hasta una cierta profundidad, de suerte que su proceso excitatorio discurriese de manera diversa que en estratos más profundos. De ese modo se habría formado una corteza, tan cribada al final del proceso por la acción de los estímulos, que ofrece las condiciones más favorables a la recepción de estos y ya no es susceptible de ulterior modificación. Trasferido al sistema *Cc*, esto significaría que el paso de la excitación ya no puede imprimir ninguna alteración permanente a sus elementos. Ellos están modificados al máximo en el sentido de este efecto, quedando entonces habilitados para generar la conciencia. ¿En qué consistió esa modificación de la sustancia y del proceso excitatorio que discurre dentro de ella? Sólo podemos formarnos diversas representaciones, inverificables por ahora todas ellas. Un supuesto posible sería que en su avance de un elemento al otro la excitación tiene que vencer una resistencia, y justamente la reducción de esta crea la huella permanente de la excitación (facilitación); podría pensarse entonces que en el sistema *Cc* ya no subsiste ninguna resistencia de pasaje de esa índole entre un elemento y otro.[5] Podríamos conjugar esta imagen con el distingo de Breuer entre energía de investidura quiescente (ligada) y libremente móvil en los elementos de los sistemas psíquicos;[6] los elementos del sistema *Cc* no conducirían entonces ninguna energía ligada, sino sólo una energía susceptible de libre descarga. Pero opino que provisional-

[5] [Un preanuncio de este pasaje se hallará en el «Proyecto» (1950*a*), *AE*, **1**, págs. 344-6.]

[6] Breuer y Freud, 1895. [Cf. la sección 2 de la contribución teórica de Breuer, *AE*, **2**, págs. 204 y sigs., esp. págs. 205-6*n*. Cf. también *supra*, pág. 7, *n*. 2.]

mente es mejor pronunciarse de la manera más vaga posible sobre estas constelaciones. En definitiva, mediante esta especulación habríamos entrelazado de algún modo la génesis de la conciencia con la ubicación del sistema *Cc* y con las particularidades atribuibles al proceso excitatorio de este.

Nos resta todavía dilucidar algo en esta vesícula viva con su estrato cortical receptor de estímulos. Esta partícula de sustancia viva flota en medio de un mundo exterior cargado {*laden*} con las energías más potentes, y sería aniquilada por la acción de los estímulos que parten de él si no estuviera provista de una *protección antiestímulo*. La obtiene del siguiente modo: su superficie más externa deja de tener la estructura propia de la materia viva, se vuelve inorgánica, por así decir, y en lo sucesivo opera apartando los estímulos, como un envoltorio especial o membrana; vale decir, hace que ahora las energías del mundo exterior puedan propagarse sólo con una fracción de su intensidad a los estratos contiguos, que permanecieron vivos. Y estos, escudados tras la protección antiestímulo, pueden dedicarse a recibir los volúmenes de estímulo filtrados. Ahora bien, el estrato externo, al morir, preservó a todos los otros, más profundos, de sufrir igual destino, al menos hasta el momento en que sobrevengan estímulos tan fuertes que perforen la protección antiestímulo. Para el organismo vivo, la tarea de protegerse contra los estímulos es casi más importante que la de recibirlos; está dotado de una reserva energética propia, y en su interior se despliegan formas particulares de trasformación de la energía: su principal afán tiene que ser, pues, preservarlas del influjo nivelador, y por tanto destructivo, de las energías hipergrandes que laboran fuera. La recepción de estímulos sirve sobre todo al propósito de averiguar la orientación y la índole de los estímulos exteriores, y para ello debe bastar con tomar pequeñas muestras del mundo externo, probarlo en cantidades pequeñas. En el caso de los organismos superiores, hace ya tiempo que el estrato cortical receptor de estímulos de la antigua vesícula se internó en lo profundo del cuerpo, pero partes de él se dejaron atrás, en la superficie, inmediatamente debajo de la protección general antiestímulo. Nos referimos a los órganos sensoriales, que en lo esencial contienen dispositivos destinados a recibir acciones estimuladoras específicas, pero, además, particulares mecanismos preventivos para la ulterior protección contra volúmenes hipergrandes de estímulos y el apartamiento de variedades inadecuadas de estos.[7] Es característico de tales órganos el procesar

[7] [Cf. el «Proyecto» (1950*a*), *AE*, **1**, págs. 349 y sigs., 356 y sigs.]

sólo cantidades muy pequeñas del estímulo externo: toman sólo pizquitas del mundo exterior; quizá se los podría comparar con unas antenas que tantearan el mundo exterior y se retiraran de él cada vez.

En este punto me permito rozar de pasada un tema merecedor del más profundo tratamiento. La tesis de Kant según la cual tiempo y espacio son formas necesarias de nuestro pensar puede hoy someterse a revisión a la luz de ciertos conocimientos psicoanalíticos. Tenemos averiguado que los procesos anímicos inconcientes son en sí «atemporales».[8] Esto significa, en primer término, que no se ordenaron temporalmente, que el tiempo no altera nada en ellos, que no puede aportárseles la representación del tiempo. He ahí unos caracteres negativos que sólo podemos concebir por comparación con los procesos anímicos concientes. Nuestra representación abstracta del tiempo parece más bien estar enteramente tomada del modo de trabajo del sistema *P-Cc*, y corresponder a una autopercepción de este. Acaso este modo de funcionamiento del sistema equivale a la adopción de otro camino para la protección contra los estímulos. Sé que estas aseveraciones suenan muy oscuras, pero no puedo hacer más que limitarme a indicaciones de esta clase.[9]

Hemos puntualizado aquí que la vesícula viva está dotada de una protección antiestímulo frente al mundo exterior. Y habíamos establecido que el estrato cortical contiguo a ella tiene que estar diferenciado como órgano para la recepción de estímulos externos. Ahora bien, este estrato cortical sensitivo, que más tarde será el sistema *Cc*, recibe también excitaciones desde adentro; la posición del sistema entre el exterior y el interior, así como la diversidad de las condiciones bajo las cuales puede ser influido desde un lado y desde el otro, se vuelven decisivas para su operación y la del aparato anímico como un todo. Hacia afuera hay una protección antiestímulo, y las magnitudes de excitación accionarán sólo en escala reducida; hacia adentro, aquella es imposible,[10] y las excitaciones de los estratos más profundos se propagan hasta el sistema de manera directa y en medida no reducida, al par que ciertos caracteres de su decurso producen la serie de las sensaciones de placer y displacer. Es cierto que las excitaciones provenientes del interior serán, por su intensidad y por

[8] [Cf. la sección V de «Lo inconciente» (1915*e*).]

[9] [Freud vuelve a ocuparse del origen de la idea de tiempo en «Nota sobre la "pizarra mágica"» (1925*a*), *AE*, **19**, págs. 246-7; ese mismo trabajo contiene un nuevo examen de la «protección antiestímulo».]

[10] [Cf. el «Proyecto» (1950*a*), *AE*, **1**, págs. 359-61.]

otros caracteres cualitativos (eventualmente, por su amplitud), más adecuadas al modo de trabajo del sistema que los estímulos que afluyen desde el mundo exterior.[11] Pero esta constelación determina netamente dos cosas: la primera, la prevalencia de las sensaciones de placer y displacer (indicio de procesos que ocurren en el interior del aparato) sobre todos los estímulos externos; la segunda, cierta orientación de la conducta respecto de las excitaciones internas que produzcan una multiplicación de displacer demasiado grande. En efecto, se tenderá a tratarlas como si no obrasen desde adentro, sino desde afuera, a fin de poder aplicarles el medio defensivo de la protección antiestímulo. Este es el origen de la *proyección*, a la que le está reservado un papel tan importante en la causación de procesos patológicos.

Tengo la impresión de que estas últimas reflexiones nos han llevado a comprender mejor el imperio del principio de placer; pero todavía no hemos logrado aclarar los casos que lo contrarían. Demos entonces un paso más. Llamemos *traumáticas* a las excitaciones externas que poseen fuerza suficiente para perforar la protección antiestímulo. Creo que el concepto de trauma pide esa referencia a un apartamiento de los estímulos que de ordinario resulta eficaz. Un suceso como el trauma externo provocará, sin ninguna duda, una perturbación enorme en la economía {*Betrieb*} energética del organismo y pondrá en acción todos los medios de defensa. Pero en un primer momento el principio de placer quedará abolido. Ya no podrá impedirse que el aparato anímico resulte anegado por grandes volúmenes de estímulo; entonces, la tarea planteada es más bien esta otra: dominar el estímulo, ligar psíquicamente los volúmenes de estímulo que penetraron violentamente a fin de conducirlos, después, a su tramitación.

Es probable que el displacer específico del dolor corporal se deba a que la protección antiestímulo fue perforada en un área circunscrita. Y entonces, desde este lugar de la periferia afluyen al aparato anímico central excitaciones continuas, como las que por lo regular sólo podrían venirle del interior del aparato.[12] ¿Y qué clase de reacción de la vida anímica esperaríamos frente a esa intrusión? De todas partes es movilizada la energía de investidura a fin de crear, en el entorno del punto de intrusión, una investidura energética de nivel correspondiente. Se produce una enorme «contrainvestidura»

[11] [Cf. el «Proyecto» (1950*a*), *AE*, **1**, pág. 349.]

[12] Cf. «Pulsiones y destinos de pulsión» (1915*c*). [Cf. también el «Proyecto» (1950*a*), *AE*, **1**, pág. 351, y el capítulo XI de *Inhibición, síntoma y angustia* (1926*d*), *AE*, **20**, págs. 158-61.]

en favor de la cual se empobrecen todos los otros sistemas psíquicos, de suerte que el resultado es una extensa parálisis o rebajamiento de cualquier otra operación psíquica. Con estos ejemplos, tratamos de aprender a apuntalar nuestras conjeturas metapsicológicas en tales modelos {*Vorbild*}. De esta constelación inferimos que un sistema de elevada investidura en sí mismo es capaz de recibir nuevos aportes de energía fluyente y trasmudarlos en investidura quiescente, vale decir, «ligarlos» psíquicamente. Cuanto más alta sea su energía quiescente propia, tanto mayor será también su fuerza ligadora; y a la inversa: cuanto más baja su investidura, tanto menos capacitado estará el sistema para recibir energía afluyente,[13] y más violentas serán las consecuencias de una perforación de la protección antiestímulo como la considerada. Sería erróneo objetar a esta concepción que el aumento de la investidura en torno del punto de intrusión se explicaría de manera mucho más simple por el trasporte directo de los volúmenes de excitación ingresados. Si así fuera, el aparato anímico experimentaría sólo un aumento de sus investiduras energéticas, y quedaría sin esclarecer el carácter paralizante del dolor, el empobrecimiento de todos los otros sistemas. Tampoco contradicen nuestra explicación los muy violentos efectos de descarga producidos por el dolor; en efecto, se cumplen por vía de reflejo, vale decir, sin la mediación del aparato anímico. El carácter impreciso de todas estas elucidaciones nuestras, que llamamos metapsicológicas, se debe, por supuesto, a que no sabemos nada sobre la naturaleza del proceso excitatorio en los elementos del sistema psíquico, ni nos sentimos autorizados a adoptar una hipótesis respecto de ella. Así, operamos de continuo con una gran *X* que trasportamos a cada nueva fórmula. Admitimos con facilidad que este proceso se cumple con energías que presentan diferencias cuantitativas, y quizá nos parezca probable que posea también más de una cualidad (p. ej., de la índole de una amplitud); y como elemento nuevo hemos considerado la concepción de Breuer según la cual están en juego dos diversas formas de llenado energético {*Energieerfüllung*} [cf. pág. 26], de tal suerte que sería preciso distinguir una investidura en libre fluir, que esfuerza en pos de su descarga,* y una investidura quiescente de los sistemas psíquicos (o de sus elementos). Y quizás admitamos la conjetura de que la «ligazón» de la energía que afluye al aparato anímico con-

[13] [Cf. el «principio de la inexcitabilidad de los sistemas no investidos», en «Complemento metapsicológico a la doctrina de los sueños» (1917*d*), *AE*, **14**, pág. 225, *n.* 14, y 233, *n.* 38.]
* {Véase la nota de la traducción castellana en pág. 41.}

siste en un trasporte desde el estado de libre fluir hasta el estado quiescente.

Creo que podemos atrevernos a concebir la neurosis traumática común como el resultado de una vasta ruptura de la protección antiestímulo. Así volvería por sus fueros la vieja e ingenua doctrina del choque {*shock*}, opuesta, en apariencia, a una más tardía y de mayor refinamiento psicológico, que no atribuye valor etiológico a la acción de la violencia mecánica, sino al terror y al peligro de muerte. Sólo que estos opuestos no son irreconciliables, ni la concepción psicoanalítica de la neurosis traumática es idéntica a la forma más burda de la teoría del choque. Mientras que esta sitúa la esencia del choque en el deterioro directo de la estructura molecular o aun histológica de los elementos nerviosos, nosotros buscamos comprender su efecto por la ruptura de la protección antiestímulo del órgano anímico y las tareas que ello plantea. Pero también el terror conserva para nosotros su valor. Tiene por condición la falta del apronte angustiado [cf. pág. 13, *n.* 3]; este último conlleva la sobreinvestidura de los sistemas que reciben primero el estímulo. A raíz de esta investidura más baja, pues, los sistemas no están en buena situación para ligar los volúmenes de excitación sobrevinientes, y por eso las consecuencias de la ruptura de la protección antiestímulo se producen tanto más fácilmente. Descubrimos, así, que el apronte angustiado, con su sobreinvestidura de los sistemas recipientes, constituye la última trinchera de la protección antiestímulo. En toda una serie de traumas, el factor decisivo para el desenlace quizá sea la diferencia entre los sistemas no preparados y los preparados por sobreinvestidura; claro que a partir de una cierta intensidad del trauma, esa diferencia dejará de pesar. Si en la neurosis traumática los sueños reconducen tan regularmente al enfermo a la situación en que sufrió el accidente, es palmario que no están al servicio del cumplimiento de deseo, cuya producción alucinatoria devino la función de los sueños bajo el imperio del principio de placer. Pero tenemos derecho a suponer que por esa vía contribuyen a otra tarea que debe resolverse antes de que el principio de placer pueda iniciar su imperio. Estos sueños buscan recuperar el dominio {*Bewältigung*} sobre el estímulo por medio de un desarrollo de angustia cuya omisión causó la neurosis traumática. Nos proporcionan así una perspectiva sobre una función del aparato anímico que, sin contradecir al principio de placer, es empero independiente de él y parece más originaria que el propósito de ganar placer y evitar displacer.

Aquí, entonces, deberíamos admitir por primera vez una

excepción a la tesis de que el sueño es cumplimiento de deseo. Los sueños de angustia no son tal excepción, como lo he mostrado repetidamente y en profundidad; tampoco los «sueños punitorios», puesto que no hacen sino remplazar el cumplimiento de deseo prohibido por el castigo pertinente, y por tanto son el cumplimiento de deseo de la conciencia de culpa que reacciona frente a la pulsión reprobada.[14] Pero los mencionados sueños de los neuróticos traumáticos ya no pueden verse como cumplimiento de deseo; tampoco los sueños que se presentan en los psicoanálisis, y que nos devuelven el recuerdo de los traumas psíquicos de la infancia. Más bien obedecen a la compulsión de repetición, que en el análisis se apoya en el deseo (promovido ciertamente por la «sugestión»)[15] de convocar lo olvidado y reprimido. Así, no sería la función originaria del sueño eliminar, mediante el cumplimiento de deseo de las mociones perturbadoras, unos motivos capaces de interrumpir el dormir; sólo podría apropiarse de esa función después que el conjunto de la vida anímica aceptó el imperio del principio de placer. Si existe un «más allá del principio de placer», por obligada consecuencia habrá que admitir que hubo un tiempo anterior también a la tendencia del sueño al cumplimiento de deseo. Esto no contradice la función que adoptará más tarde. Pero, una vez admitida la excepción a esta tendencia, se plantea otra pregunta: ¿No son posibles aun fuera del análisis sueños de esta índole, que en interés de la ligazón psíquica de impresiones traumáticas obedecen a la compulsión de repetición? Ha de responderse enteramente por la afirmativa.

En cuanto a las «neurosis de guerra» (en la medida en que esta designación denote algo más que la referencia a lo que ocasionó la enfermedad), he puntualizado en otro lugar que muy bien podría tratarse de neurosis traumáticas facilitadas por un conflicto en el yo.[16] El hecho citado *supra* (pág. 12) de que las posibilidades de contraer neurosis se reducen cuando el trauma es acompañado por una herida física deja de resultar incomprensible si se toman en cuenta dos constelaciones que la investigación psicoanalítica ha puesto de relieve. La primera, que la conmoción mecánica debe admitirse como una de las fuentes de la excitación sexual,[17]

[14] [Cf. *La interpretación de los sueños* (1900*a*), *AE*, **5**, pág. 550, y la sección IX de «Observaciones sobre la teoría y la práctica de la interpretación de los sueños» (1923*c*).]

[15] [La frase entre paréntesis remplazó en 1923 a «no inconciente», que aparecía en las ediciones anteriores.]

[16] Véase mi «Introducción» (1919*d*) a *Zur Psychoanalyse der Kriegsneurosen*.

[17] Cf. mis observaciones en otro lugar (*Tres ensayos de teoría*

y la segunda, que el estado patológico de fiebre y dolores ejerce, mientras dura, un poderoso influjo sobre la distribución de la libido. Entonces, la violencia mecánica del trauma liberaría el *quantum* de excitación sexual, cuya acción traumática es debida a la falta de apronte angustiado; y, por otra parte, la herida física simultánea ligaría el exceso de excitación al reclamar una sobreinvestidura narcisista del órgano doliente.[18] También es cosa sabida (aunque no se la ha apreciado suficientemente en la teoría de la libido) que perturbaciones graves en la distribución libidinal, como las de una melancolía, son temporariamente canceladas por una enfermedad orgánica intercurrente; y más todavía: una *dementia praecox* plenamente desarrollada es capaz, bajo esa misma condición, de una remisión provisional de su estado.

sexual [*AE*, **7**, págs. 183-4]) sobre el efecto de los sacudimientos mecánicos y los viajes en ferrocarril.

18 Véase mi trabajo «Introducción del narcisismo» (1914*c*) [*AE*, **14**, págs. 80-1].

V

La falta de una protección antiestímulo que resguarde al estrato cortical receptor de estímulos de las excitaciones de adentro debe tener esta consecuencia: tales trasferencias de estímulo adquieren la mayor importancia económica y a menudo dan ocasión a perturbaciones económicas equiparables a las neurosis traumáticas. Las fuentes más proficuas de esa excitación interna son las llamadas «pulsiones» del organismo: los representantes {*Repräsentant*} de todas las fuerzas eficaces que provienen del interior del cuerpo y se trasfieren al aparato anímico; es este el elemento más importante y oscuro de la investigación psicológica.

Quizá no hallemos demasiado atrevido suponer que las mociones que parten de las pulsiones no obedecen al tipo del proceso nervioso ligado, sino al del proceso libremente móvil que esfuerza en pos de la descarga. Lo mejor que sabemos acerca de este último proviene del estudio del trabajo del sueño, el cual nos permitió descubrir que los procesos que se despliegan en los sistemas inconcientes son radicalmente diversos de los que ocurren en los sistemas (pre)concientes; que en el inconciente las investiduras pueden trasferirse, desplazarse y condensarse de manera completa y fácil, lo cual, de acontecer con un material preconciente, sólo podría arrojar resultados incorrectos: es lo que engendra las conocidas peculiaridades del sueño manifiesto después que los restos diurnos preconcientes fueron elaborados de acuerdo con las leyes del inconciente. He llamado «proceso psíquico primario» a la modalidad de estos procesos que ocurren en el inconciente, a diferencia del proceso secundario, que rige nuestra vida normal de vigilia. Puesto que todas las mociones pulsionales afectan a los sistemas inconcientes, difícilmente sea una novedad decir que obedecen al proceso psíquico primario; y por otra parte, de ahí a identificar al proceso psíquico primario con la investidura libremente móvil, y al proceso secundario con las alteraciones de la investidura ligada o tónica de Breuer,[1] no hay más que un pequeño paso. Entonces, la ta-

[1] Cf. *La interpretación de los sueños* (1900*a*), cap. VII [*AE*, **5**, págs. 578 y sigs., y Breuer y Freud (1895), *AE*, **2**, págs. 204-14.]

rea de los estratos superiores del aparato anímico sería ligar la excitación de las pulsiones que entra en operación en el proceso primario. El fracaso de esta ligazón provocaría una perturbación análoga a la neurosis traumática; sólo tras una ligazón lograda podría establecerse el imperio irrestricto del principio de placer (y de su modificación en el principio de realidad). Pero, hasta ese momento, el aparato anímico tendría la tarea previa de dominar o ligar la excitación, desde luego que no en oposición al principio de placer, pero independientemente de él y en parte sin tomarlo en cuenta.

Las exteriorizaciones de una compulsión de repetición que hemos descrito en las tempranas actividades de la vida anímica infantil, así como en las vivencias de la cura psicoanalítica, muestran en alto grado un carácter pulsional * y, donde se encuentran en oposición al principio de placer, demoníaco. En el caso del juego infantil creemos advertir que el niño repite la vivencia displacentera, además, porque mediante su actividad consigue un dominio sobre la impresión intensa mucho más radical que el que era posible en el vivenciar meramente pasivo. Cada nueva repetición parece perfeccionar ese dominio procurado; pero ni aun la repetición de vivencias placenteras será bastante para el niño, quien se mostrará inflexible exigiendo la identidad de la impresión. Este rasgo de carácter está destinado a desaparecer más tarde. Un chiste escuchado por segunda vez no hará casi efecto, una representación teatral no producirá jamás la segunda vez la impresión que dejó la primera; y aun será difícil mover a un adulto a releer enseguida un libro que le ha gustado mucho. En todos los casos la novedad será condición del goce. El niño, en cambio, no cejará en pedir al adulto la repetición de un juego que este le enseñó o practicó con él, hasta que el adulto, fatigado, se rehúse; y si se le ha contado una linda historia, siempre querrá escuchar esa misma en lugar de una nueva, se mostrará inflexible en cuanto a la identidad de la repetición y corregirá toda variante en que el relator haya podido incurrir y con la cual quizá pretendía granjearse un nuevo mérito.[2] Nada de esto contradice al principio de placer; es palmario que la repetición, el reencuentro de la identidad, constituye por sí misma una fuente de placer.

* {«*Triebhaft*», aquí y al comienzo del párrafo siguiente. Es término de vieja raigambre en la literatura alemana desde fines del siglo XVIII; traduce lo «*impulsiv*», lo «*passioné*» de la Ilustración francesa: lo impulsivo, apasionado, irreflexivo; lo opuesto a la conducta racional y esclarecida.}

2 [Véanse algunas observaciones de Freud al respecto en su libro sobre el chiste (1905*c*), *AE*, **8**, págs. 123 y 214.]

En el analizado, en cambio, resulta claro que su compulsión a repetir en la trasferencia los episodios del período infantil de su vida se sitúa, en *todos* los sentidos, más allá del principio de placer. El enfermo se comporta en esto de una manera completamente infantil, y así nos enseña que las huellas mnémicas reprimidas de sus vivencias del tiempo primordial no subsisten en su interior en el estado ligado, y aun, en cierta medida, son insusceptibles del proceso secundario. A esta condición de no ligadas deben también su capacidad de formar, adhiriéndose a los restos diurnos, una fantasía de deseo que halla figuración en el sueño. Muy a menudo esta misma compulsión de repetición es para nosotros un estorbo terapéutico cuando, al final de la cura, nos empeñamos en conseguir el desasimiento completo del enfermo [respecto de su médico]; y cabe suponer que la oscura angustia de los no familiarizados con el análisis, que temen despertar algo que en su opinión sería mejor dejar dormido, es en el fondo miedo a la emergencia de esta compulsión demoníaca.

Ahora bien, ¿de qué modo se entrama lo pulsional con la compulsión de repetición? Aquí no puede menos que imponérsenos la idea de que estamos sobre la pista de un carácter universal de las pulsiones (no reconocido con claridad hasta ahora, o al menos no destacado expresamente)[3] y quizá de toda vida orgánica en general. *Una pulsión sería entonces un esfuerzo, inherente a lo orgánico vivo, de reproducción de un estado anterior* que lo vivo debió resignar bajo el influjo de fuerzas perturbadoras externas; sería una suerte de elasticidad orgánica o, si se quiere, la exteriorización de la inercia en la vida orgánica.[4]

Esta manera de concebir la pulsión nos suena extraña; en efecto, nos hemos habituado a ver en la pulsión el factor que esfuerza en el sentido del cambio y del desarrollo, y ahora nos vemos obligados a reconocer en ella justamente lo contrario, la expresión de la naturaleza *conservadora* del ser vivo. Por otra parte, enseguida nos vienen a la mente aquellos fenómenos de la vida animal que parecen corroborar el condicionamiento histórico de las pulsiones. Ciertos peces emprenden en la época del desove fatigosas migraciones a fin de depositar las huevas en determinadas aguas, muy alejadas de su lugar de residencia habitual; muchos biólogos interpretan que no hacen sino buscar las moradas anteriores de su especie, que en el curso del tiempo habían trocado por

[3] [Las últimas seis palabras fueron agregadas en 1921.]

[4] No dudo de que conjeturas semejantes acerca de la naturaleza de las pulsiones ya se han formulado repetidas veces.

otras. Lo mismo es aplicable —se cree— a los vuelos migratorios de las aves de paso. Ahora bien, una reflexión nos exime pronto de buscar nuevos ejemplos: en los fenómenos de la herencia y en los hechos de la embriología tenemos los máximos documentos de la compulsión de repetición en el mundo orgánico. Vemos que el germen de un animal vivo está obligado a repetir —si bien de modo fugaz y compendiado— las estructuras de todas las formas de que el animal desciende, en vez de alcanzar de golpe su conformación definitiva por el camino más corto; y como sólo en mínima parte podemos explicar ese comportamiento en términos mecánicos, no nos es lícito desechar la explicación histórica. De igual modo, está muy extendida en el reino animal una capacidad de reproducción * en virtud de la cual un órgano perdido se sustituye por la neoformación de otro que se le asemeja enteramente.

No puede dejar de considerarse aquí, es verdad, una sugerente objeción basada en la idea de que junto a las pulsiones conservadoras, que compelen a la repetición, hay otras que esfuerzan en el sentido de la creación y del progreso; más adelante la incorporaremos a nuestras reflexiones.[5] Pero antes no resistimos la tentación de seguir hasta sus últimas consecuencias la hipótesis de que todas las pulsiones quieren reproducir algo anterior. No importa si lo que de esto saliere tiene aire de «profundo» o suena a algo místico; por nuestra parte, nos sabemos bien libres del reproche de buscar semejante cosa. Nos afanamos por alcanzar los sobrios resultados de la investigación o de la reflexión basada en ella, y no procuramos que tengan otro carácter que el de la certeza.[6]

Pues bien; si todas las pulsiones orgánicas son conservadoras, adquiridas históricamente y dirigidas a la regresión, al restablecimiento de lo anterior, tendremos que anotar los éxitos del desarrollo orgánico en la cuenta de influjos externos, perturbadores y desviantes. Desde su comienzo mis-

* {«*Reproduktionsvermögen*»; no se confunda con «reproducción» («*Fortpflanzung*») en el sentido de multiplicación de la especie; cf. *supra*, pág. 18, la diferencia implícita entre «reproducir» y «recordar». «Repetición» compulsiva y «repetición» (recapitulación) del desarrollo filogenético, por un lado, y «reproducción» (sin mediación reflexiva en el recuerdo) con el señalado correlato en el reino animal: he ahí unos paralelismos terminológicos que el texto sugiere y hemos cuidado de conservar.}

[5] [Lo que sigue al punto y coma fue agregado en 1921.]

[6] [*Nota agregada* en 1925:] No se olvide que a continuación desarrollamos una argumentación extrema, la cual hallará restricción y enmienda cuando se tomen en cuenta las pulsiones sexuales.

mo, el ser vivo elemental no habría querido cambiar y, de mantenerse idénticas las condiciones, habría repetido siempre el mismo curso de vida. Más todavía: en último análisis, lo que habría dejado su impronta en la evolución de los organismos sería la historia evolutiva de nuestra Tierra y de sus relaciones con el Sol. Las pulsiones orgánicas conservadoras han recogido cada una de estas variaciones impuestas a su curso vital, preservándolas en la repetición; por ello esas fuerzas no pueden sino despertar la engañosa impresión de que aspiran al cambio y al progreso, cuando en verdad se empeñaban meramente por alcanzar una vieja meta a través de viejos y nuevos caminos. Hasta se podría indicar cuál es esta meta final de todo bregar orgánico. Contradiría la naturaleza conservadora de las pulsiones el que la meta de la vida fuera un estado nunca alcanzado antes. Ha de ser más bien un estado antiguo, inicial, que lo vivo abandonó una vez y al que aspira a regresar por todos los rodeos de la evolución. Si nos es lícito admitir como experiencia sin excepciones que todo lo vivo muere, regresa a lo inorgánico, por razones *internas*, no podemos decir otra cosa que esto: *La meta de toda vida es la muerte*; y, retrospectivamente: *Lo inanimado estuvo ahí antes que lo vivo.*

En algún momento, por una intervención de fuerzas que todavía nos resulta enteramente inimaginable, se suscitaron en la materia inanimada las propiedades de la vida. Quizá fue un proceso parecido, en cuanto a su arquetipo {*vorbildlich*}, a aquel otro que más tarde hizo surgir la conciencia en cierto estrato de la materia viva. La tensión así generada en el material hasta entonces inanimado pugnó después por nivelarse; así nació la primera pulsión, la de regresar a lo inanimado. En esa época, a la sustancia viva le resultaba todavía fácil morir; probablemente tenía que recorrer sólo un breve camino vital, cuya orientación estaba marcada por la estructura química de la joven vida. Durante largo tiempo, quizá, la sustancia viva fue recreada siempre de nuevo y murió con facilidad cada vez, hasta que decisivos influjos externos se alteraron de tal modo que forzaron a la sustancia aún sobreviviente a desviarse más y más respecto de su camino vital originario, y a dar unos rodeos más y más complicados, antes de alcanzar la meta de la muerte. Acaso son estos rodeos para llegar a la muerte, retenidos fielmente por las pulsiones conservadoras, los que hoy nos ofrecen el cuadro {*Bild*} de los fenómenos vitales. No podemos llegar a otras conjeturas acerca del origen y la meta de la vida si nos atenemos a la idea de la naturaleza exclusivamente conservadora de las pulsiones.

Tan extraño como estas conclusiones suena lo que se obtiene respecto de los grandes grupos de pulsiones que estatuimos tras los fenómenos vitales de los organismos. El estatuto de las pulsiones de autoconservación que suponemos en todo ser vivo presenta notable oposición con el presupuesto de que la vida pulsional en su conjunto sirve a la provocación de la muerte. Bajo esta luz, la importancia teórica de las pulsiones de autoconservación, de poder y de ser reconocido, cae por tierra; son pulsiones parciales destinadas a asegurar el camino hacia la muerte peculiar del organismo y a alejar otras posibilidades de regreso a lo inorgánico que no sean las inmanentes. Así se volatiliza ese enigmático afán del organismo, imposible de insertar en un orden de coherencia, por afirmarse a despecho del mundo entero. He aquí lo que resta: el organismo sólo quiere morir a su manera, también estos guardianes de la vida fueron originariamente alabarderos de la muerte. Así se engendra la paradoja de que el organismo vivo lucha con la máxima energía contra influencias (peligros) que podrían ayudarlo a alcanzar su meta vital por el camino más corto (por cortocircuito, digámoslo así); pero esta conducta es justamente lo característico de un bregar puramente pulsional, a diferencia de un bregar inteligente.[7]

Pero reflexionemos: ¡eso no puede ser así! Bajo una luz totalmente diversa se sitúan las pulsiones sexuales, para las cuales la doctrina de las neurosis ha reclamado un estatuto particular. No todos los organismos están expuestos a la compulsión externa que los empuja a un desarrollo cada vez más avanzado. Muchos han logrado conservarse hasta el presente en su estadio inferior; y hoy sobreviven, si no todos, al menos muchos seres que deben de ser semejantes a los estadios previos de los animales y las plantas superiores. Y de igual modo, no todos los organismos elementales que integran el cuerpo complejo de un ser vivo superior acompañan su camino íntegro de desarrollo hasta la muerte natural. Algunos de ellos (las células germinales) conservan probablemente la estructura originaria de la sustancia viva, y pasado cierto tiempo se sueltan del organismo total, cargados con todas las disposiciones pulsionales heredadas y las recién adquiridas. Quizá sean justamente estas dos propiedades las que les posibilitan su existencia autónoma. Puestos en condiciones favorables, empiezan a desarrollarse, vale decir, a repetir el juego a que deben su génesis; y el juego termina

[7] [En las ediciones anteriores a la de 1925 acompañaba a este pasaje la nota siguiente: «Más adelante se corrige esta concepción extrema de las pulsiones de autoconservación».]

en que de nuevo una parte de su sustancia prosigue el desarrollo hasta el final, mientras que otra, en calidad de nuevo resto germinal, vuelve a remontarse hasta el principio del desarrollo. Así, estas células germinales laboran en contra del fenecimiento de la sustancia viva y saben conquistarle lo que no puede menos que aparecérsenos como su inmortalidad potencial, aunque quizá sólo implique una prolongación del camino hasta la muerte. Nos resulta en extremo significativo el hecho de que es la fusión de la célula germinal con otra, semejante a ella y no obstante diversa, lo que la potencia para esta operación o, aún más, se la posibilita.

Las pulsiones que vigilan los destinos de estos organismos elementales que sobreviven al individuo, cuidan por su segura colocación {*Unterbringung*} mientras se encuentran inermes frente a los estímulos del mundo exterior, y provocan su encuentro con las otras células germinales, etc., constituyen el grupo de las pulsiones sexuales. Son conservadoras en el mismo sentido que las otras, en cuanto espejan estados anteriores de la sustancia viva; pero lo son en medida mayor, pues resultan particularmente resistentes a injerencias externas, y lo son además en otro sentido, pues conservan la vida por lapsos más largos.[8] Son las genuinas pulsiones de vida; dado que contrarían el propósito de las otras pulsiones (propósito que por medio de la función lleva a la muerte), se insinúa una oposición entre aquellas y estas, oposición cuya importancia fue tempranamente discernida por la doctrina de las neurosis. Hay como un ritmo titubeante en la vida de los organismos; uno de los grupos pulsionales se lanza, impetuoso, hacia adelante, para alcanzar lo más rápido posible la meta final de la vida; el otro, llegado a cierto lugar de este camino, se lanza hacia atrás para volver a retomarlo desde cierto punto y así prolongar la duración del trayecto. Ahora bien, es cierto que sexualidad y diferencia de los sexos no existían al comienzo de la vida; a pesar de ello, sigue en pie la posibilidad de que las pulsiones que después se llamarían sexuales entraran en actividad desde el comienzo mismo, en vez de empezar su trabajo contrario al juego de las «pulsiones yoicas» en un punto temporal más tardío.[9]

Pero hagamos un primer alto aquí, y preguntémonos si

[8] [*Nota agregada* en 1923:] ¡Y a pesar de ello son lo único que podemos aducir en favor de una tendencia interna al «progreso» y a la evolución ascendente! (Cf. *infra* [págs. 41-2].)

[9] [*Nota agregada* en 1925:] El contexto deja entender bien que aquí «pulsiones yoicas» es considerada una designación provisional, que retoma el primer bautismo que les dio el psicoanálisis. [Cf. *infra*, págs. 49-50 y 59*n*.]

todas estas especulaciones no carecen de fundamento. ¿En verdad no habrá, *prescindiendo de las pulsiones sexuales*,[10] otras pulsiones que las que pretenden restablecer un estado anterior? ¿Acaso no habrá otras que aspiren a algo todavía no alcanzado? Dentro del mundo orgánico no conozco ningún ejemplo cierto que contradiga la caracterización propuesta. Es seguro que en el reino animal y vegetal no se comprueba la existencia de una pulsión universal hacia el progreso evolutivo, por más que la orientación en ese sentido sigue siendo de hecho incuestionable. Pero, por una parte, muchas veces depende sólo de nuestra apreciación subjetiva el declarar que un estadio del desarrollo es superior a otro; y además, la ciencia de lo vivo nos muestra que una evolución en un punto muy a menudo se paga con una involución en otro, o se hace a expensas de este. Hay, también, buen número de formas animales cuyos estados juveniles nos hacen ver que su evolución cobró más bien un carácter regresivo. Tanto el progreso evolutivo como la involución podrían ser consecuencia de fuerzas externas que esfuerzan la adaptación, y en ambos casos el papel de las pulsiones podría circunscribirse a conservar, como fuente interna de placer, la alteración impuesta.[11]

A muchos de nosotros quizá nos resulte difícil renunciar a la creencia de que en el ser humano habita una pulsión de perfeccionamiento que lo ha llevado hasta su actual nivel de rendimiento espiritual y de sublimación ética, y que, es lícito esperarlo, velará por la trasformación del hombre en superhombre. Sólo que yo no creo en una pulsión interior de esa índole, y no veo ningún camino que permitiría preservar esa consoladora ilusión. Me parece que la evolución que ha tenido hasta hoy el ser humano no precisa de una explicación diversa que la de los animales, y el infatigable esfuerzo que se observa en una minoría de individuos humanos hacia un mayor perfeccionamiento puede comprenderse sin violencia como resultado de la represión de las pulsiones,*

10 [Estas cinco palabras aparecen en bastardillas en las ediciones de 1921 en adelante.]

11 Por otro camino, Ferenczi (1913*c*, pág. 137) llegó a la posibilidad de la misma concepción: «La aplicación consecuente de esta argumentación no puede menos que familiarizarnos con la idea de una tendencia a la perseveración, y alternativamente a la regresión, que gobierna también la vida orgánica; en cambio, la tendencia a la evolución ascendente, a la adaptación, etc., es animada sólo sobre la base de estímulos externos».

* {«*Triebverdrängung*», «esfuerzo» de desalojo o de suplantación de las pulsiones. Obsérvese, líneas antes, la mención de las fuerzas externas que «esfuerzan» («*drängen*») la adaptación; luego, el «es-

sobre la cual se edifica lo más valioso que hay en la cultura humana. La pulsión reprimida nunca cesa de aspirar a su satisfacción plena, que consistiría en la repetición de una vivencia primaria de satisfacción; todas las formaciones sustitutivas y reactivas, y todas las sublimaciones, son insuficientes para cancelar su tensión acuciante, y la diferencia entre el placer de satisfacción hallado y el pretendido engendra el factor pulsionante, que no admite aferrarse a ninguna de las situaciones establecidas, sino que, en las palabras del poeta, «acicatea, indomeñado, siempre hacia adelante».[12] El camino hacia atrás, hacia la satisfacción plena, en general es obstruido por las resistencias en virtud de las cuales las represiones se mantienen en pie; y entonces no queda más que avanzar por la otra dirección del desarrollo, todavía expedita, en verdad sin perspectivas de clausurar la marcha ni de alcanzar la meta. Los procesos que sobrevienen en el desarrollo de una fobia neurótica, que por cierto no es más que un intento de huida frente a una satisfacción pulsional, nos proporcionan el modelo de la génesis de esta aparente «pulsión de perfeccionamiento», que en modo alguno podemos atribuir a la totalidad de los individuos humanos. Sin duda que en todos preexisten sus condiciones dinámicas, pero las proporciones económicas parecen favorecer el fenómeno sólo en raros casos.

Apuntemos de pasada la posibilidad de que el afán del Eros por conjugar lo orgánico en unidades cada vez mayores haga las veces de sustituto de esa «pulsión de perfeccionamiento» que no podemos admitir. En unión con los efectos de la represión, ello contribuiría a explicar los fenómenos atribuidos a aquella.[13]

fuerzo» («*Drang*») de perfeccionamiento cultural de una minoría; y más adelante, el paralelismo entre la «pulsión» reprimida y el factor «pulsionante» que acicatea el perfeccionamiento. Cf. también *infra*, pág. 53.}

[12] Mefistófeles en *Fausto*, parte I [escena 4].

[13] [Este último párrafo, agregado en 1923, anticipa la descripción de Eros del próximo capítulo, págs. 49 y sigs.]

VI

La conclusión obtenida hasta este momento, que estatuye una tajante oposición entre las «pulsiones yoicas» y las pulsiones sexuales, y según la cual las primeras se esfuerzan en el sentido de la muerte y las segundas en el de la continuación de la vida, resultará sin duda insatisfactoria en muchos aspectos, aun para nosotros mismos. A esto se suma que en verdad sólo para las primeras podríamos reclamar el carácter conservador —o, mejor, regrediente— de la pulsión que correspondería a una compulsión de repetición. En efecto, de acuerdo con nuestros supuestos, las pulsiones yoicas provienen de la animación de la materia inanimada y quieren restablecer la condición de inanimado. En cambio, en cuanto a las pulsiones sexuales, es palmario que reproducen estados primitivos del ser vivo, pero la meta que se empeñan en alcanzar por todos los medios es la fusión de dos células germinales diferenciadas de una manera determinada. Si esta unión no se produce, la célula germinal muere como todos los otros elementos del organismo pluricelular. Sólo bajo esta condición puede la función genésica prolongar la vida y conferirle la apariencia de la inmortalidad. Ahora bien, ¿qué acontecimiento importante sobrevenido en el curso evolutivo de la sustancia viva es repetido por la reproducción genésica o su precursora, la copulación {*Kopulation*} entre dos protistas? [1] No sabemos decirlo, y por eso, si todo nuestro edificio conceptual hubiera de revelarse erróneo, lo sentiríamos como un alivio. Caería por tierra la oposición entre pulsiones yoicas (de muerte)[2] y pulsiones sexuales (de vida), y con ello también la compulsión de repetición perdería el significado que se le atribuye.

Volvamos, entonces, sobre uno de los supuestos que hemos insertado, con la esperanza de poder refutarlo enteramente. Hemos edificado ulteriores conclusiones sobre la premisa de que todo ser vivo tiene que morir por causas internas. Si

[1] [En lo que sigue, Freud parece emplear indistintamente los términos «protista» y «protozoo» para designar a los organismos unicelulares.]

[2] [Primera vez que apareció esta expresión en una obra publicada.]

adoptamos este supuesto tan al descuido, fue porque no nos pareció tal. Estamos habituados a pensar así, y nuestros poetas nos corroboran en ello. Quizá nos indujo a esto la consolación implícita en esa creencia. Si uno mismo está destinado a morir, y antes debe perder por la muerte a sus seres más queridos, preferirá estar sometido a una ley natural incontrastable, la sublime 'Ανάγκη {Necesidad}, y no a una contingencia que tal vez habría podido evitarse. Pero esta creencia en la legalidad interna del morir acaso no sea sino una de las ilusiones que hemos engendrado para «soportar las penas de la existencia».[3] Esa creencia no es, sin duda, originaria: los pueblos primitivos desconocen la idea de una «muerte natural»; atribuyen toda muerte que se produzca entre ellos a la influencia de un enemigo o de un espíritu maligno. Por eso debemos acudir sin falta a la ciencia biológica para someter a examen esta creencia.

Si lo hacemos, nos asombrará el poco acuerdo que reina entre los biólogos en cuanto al problema de la muerte natural; más aún: el concepto mismo de la muerte se les deshace entre las manos. El hecho de que al menos la vida de los animales superiores tiene cierta duración promedio aboga, desde luego, en favor de la muerte por causas internas, pero esta impresión vuelve a disiparse por la circunstancia de que ciertos grandes animales y árboles gigantescos alcanzan una edad muy elevada, que hasta ahora no ha podido estimarse. Según la grandiosa concepción de W. Fliess [1906], todos los fenómenos vitales de los organismos —incluida su muerte, desde luego— están sujetos al cumplimiento de ciertos plazos en los que se expresa la dependencia de dos sustancias vivas, una masculina y una femenina, respecto del año solar. No obstante, las observaciones acerca de la facilidad y la amplitud con que los influjos de fuerzas externas son capaces de alterar la emergencia temporal de las manifestaciones vitales (en particular del reino vegetal), anticipándolas o retardándolas, resisten su inserción dentro de las rígidas fórmulas de Fliess y hacen dudar, al menos, de que las leyes postuladas por él tengan predominio exclusivo.

Reviste máximo interés para nosotros el tratamiento que ha recibido el tema de la duración de la vida y de la muerte de los organismos en los trabajos de A. Weismann (1882, 1884, 1892, entre otros). A este investigador se debe la diferenciación de la sustancia viva en una mitad mortal y una inmortal. La mortal es el cuerpo en sentido estricto, el soma; sólo ella está sujeta a la muerte natural. Pero las células ger-

[3] [Schiller, *Die Braut von Messina*, acto I, escena 8.]

minales son *potentia* {en potencia} inmortales, en cuanto son capaces, bajo ciertas condiciones favorables, de desarrollarse en un nuevo individuo (dicho de otro modo: de rodearse con un nuevo soma).[4]

Lo que nos cautiva aquí es la inesperada analogía con nuestra concepción, desarrollada por caminos tan diferentes. Weismann, en un abordaje morfológico de la sustancia viva, discierne en ella un componente pronunciado hacia la muerte, el soma, el cuerpo excepto el material genésico y relativo a la herencia, y otro inmortal, justamente ese plasma germinal que sirve a la conservación de la especie, a la reproducción. Por nuestra parte, no hemos abordado la sustancia viva sino las fuerzas que actúan en ella, y nos vimos llevados a distinguir dos clases de pulsiones: las que pretenden conducir la vida a la muerte, y las otras, las pulsiones sexuales, que de continuo aspiran a la renovación de la vida, y la realizan. Esto suena a un corolario dinámico de la teoría morfológica de Weismann.

Pero la ilusión de un acuerdo significativo se disipa tan pronto nos enteramos del juicio de Weismann sobre el problema de la muerte. En efecto, él hace que la distinción entre soma mortal y plasma germinal inmortal valga sólo para los organismos pluricelulares; en cambio, en los animales unicelulares, individuo y célula de la reproducción son una y la misma cosa.[5] Por eso declara a estos últimos potencialmente inmortales; la muerte aparece únicamente entre los metazoos, los pluricelulares. Esta muerte de los seres vivos superiores es, sí, una muerte natural, producto de causas internas, pero no descansa en una propiedad originaria de la sustancia viva,[6] no puede entenderse como una necesidad absoluta, fundada en la naturaleza de la vida.[7] La muerte es más bien un mecanismo de conveniencia {*Zweckmässigkeit*}, un fenómeno de la adaptación a las condiciones vitales externas, porque desde el momento en que las células del cuerpo se dividieron en soma y en plasma germinal, una duración ilimitada de la vida individual habría pasado a ser un lujo carente de finalidad {*unzweckmässig*}. La emergencia de esta diferenciación en los pluricelulares hizo que la muerte deviniera posible y adecuada a fines. Desde entonces el soma de los seres vivos superiores perece por razones internas en períodos determinados, pero los protistas han permanecido inmortales. La reproducción, en cambio, no se introdujo sólo

[4] Weismann (1884).
[5] Weismann (1882, pág. 38).
[6] Weismann (1884, pág. 84).
[7] Weismann (1882, pág. 33).

con la muerte; más bien es una propiedad primordial de la materia viva, como el crecimiento del que procedió, y la vida se ha mantenido sin solución de continuidad desde que se inició sobre la Tierra.[8]

Con facilidad se advierte que la admisión de una muerte natural de los organismos superiores nos ayuda poco en nuestro tema. Si la muerte es una adquisición tardía del ser vivo, ya no puede hablarse de unas pulsiones de muerte que derivarían del comienzo de la vida sobre la Tierra. Y entonces, que los animales pluricelulares mueran por razones internas, sea a raíz de una diferenciación defectuosa o del carácter imperfecto de su metabolismo, carece de todo interés para el problema que nos ocupa. Por otra parte, esta concepción y derivación de la muerte es mucho más afín al pensamiento habitual de los hombres que el extraño supuesto de unas «pulsiones de muerte».

A mi juicio, la discusión a que dieron lugar las tesis de Weismann no resultó concluyente en ningún aspecto.[9] Muchos autores volvieron al punto de vista de Goette (1883), quien veía en la muerte la consecuencia directa de la reproducción. Hartmann no la caracteriza por la emergencia de un «cadáver», de una parte fenecida de la sustancia viva, sino que la define como el «cierre del desarrollo individual».[10] En este sentido también los protozoos son mortales: la muerte siempre coincide en ellos con la reproducción, pero en cierta medida queda velada por esta última, puesto que toda la sustancia del animal progenitor puede trasmitirse directamente a los individuos jóvenes, sus hijos.

El interés de la investigación se dirigió pronto a someter a prueba experimental la aseverada inmortalidad de la sustancia viva en los animales unicelulares. Un norteamericano, Woodruff, hizo un cultivo de un infusorio ciliado, conocido como «animalito con pantuflas», que se reproduce por división en dos individuos; lo siguió hasta la generación número 3.029, en que interrumpió el experimento, tomando cada vez uno de los productos de la partición y poniéndolo en agua renovada. Pues bien: ese último retoño del primer animalito con pantuflas estaba tan joven como su antepasado, sin signo ninguno de envejecimiento o degeneración; de tal modo, si las cifras alcanzadas son ya probatorias, parecería experimentalmente demostrable la inmortalidad de los protistas.[11]

[8] Weismann (1884, págs. 84-5).
[9] Cf. Hartmann (1906), Lipschütz (1914) y Doflein (1919).
[10] Hartmann (1906, pág. 29).
[11] Para esto y lo que sigue, véase Lipschütz (1914, págs. 26 y 52 y sigs.).

Otros investigadores han llegado a resultados diferentes. Maupas, Calkins y otros han hallado, en oposición a Woodruff, que también estos infusorios, tras cierto número de divisiones, se debilitan, disminuyen de tamaño, pierden una parte de su organización y finalmente mueren a menos que reciban ciertas influencias renovadoras. Sostienen entonces que, tras una fase de envejecimiento, los protozoos mueren, lo mismo que los animales superiores. Así contradicen las tesis de Weismann, para quien la muerte es una adquisición tardía de los organismos vivos.

Del conjunto de estas indagaciones hemos de extraer dos hechos que parecen ofrecernos un asidero firme. En primer lugar: Si los animalitos, en un momento en que todavía no muestran ningún signo de senectud, pueden fusionarse de a dos, «copular» —y volver a separarse trascurrido cierto lapso—, quedan a salvo de envejecer, se «rejuvenecen». Esta copulación es sin duda la precursora de la reproducción genésica de los animales superiores; todavía no tiene nada que ver con la multiplicación, se limita a la mezcla de las sustancias de los dos individuos (la *amphimixis* de Weismann). Ahora bien, la influencia renovadora de la copulación puede sustituirse también mediante determinadas estimulaciones: alteraciones en la composición del líquido nutritivo, aumento de la temperatura o sacudimientos. Recuérdese el famoso experimento de J. Loeb, quien merced a ciertos estímulos químicos forzó procesos de división en huevos de erizo de mar, procesos que normalmente sólo se producen tras la fecundación.

En segundo lugar: Es probable, empero, que los infusorios sean conducidos a una muerte natural por su propio proceso de vida; en efecto, la contradicción entre los resultados de Woodruff y los de otros investigadores se debe a que el primero puso cada generación nueva en un líquido nutritivo renovado. Cuando omitía hacerlo, observaba el mismo envejecimiento de las generaciones que los otros investigadores. Infirió que los animalitos resultaban dañados por los productos metabólicos que arrojaban al líquido circundante, y pudo demostrar entonces convincentemente que sólo los productos del metabolismo *propio* tenían este efecto, que conduce a la muerte de la generación. En efecto, en una solución sobresaturada con los productos de desecho de una especie lejanamente emparentada, florecían de manera notable estos mismos animalitos que, depositados en su propio líquido nutritivo, perecían con seguridad. Abandonado a sí mismo, entonces, el infusorio muere de muerte natural por la imperfecta eliminación de sus propios productos metabólicos; pero quizá todos los animales superiores mueran, en el fondo, por esa misma incapacidad.

Puede asaltarnos esta duda: ¿Es en definitiva atinado buscar en el estudio de los protozoos la respuesta al problema de la muerte natural? Acaso la organización primitiva de estos seres nos oculta importantes constelaciones que también en ellos se presentan pero que sólo en los animales superiores, donde se han procurado una expresión morfológica, pueden ser reconocidas. Si abandonamos el punto de vista morfológico a fin de adoptar el dinámico, puede resultarnos por completo indiferente que se demuestre o no la muerte natural de los protozoos. En ellos, la sustancia reconocida después como inmortal no se ha separado todavía en modo alguno de la sustancia mortal. Las fuerzas pulsionales que quieren trasportar la vida a la muerte podrían actuar también en ellos desde el comienzo, y no obstante, su efecto podría encontrarse tan oculto por las fuerzas de la conservación de la vida que su demostración directa se volviera muy difícil. Por otra parte, ya dijimos que las observaciones de los biólogos nos permiten suponer también en los protistas esa clase de procesos internos que conducen a la muerte. Pero aun si los protistas resultaran ser inmortales en el sentido de Weismann, su tesis de que la muerte es una adquisición tardía vale sólo para las exteriorizaciones manifiestas de la muerte y no habilita a hacer supuesto alguno en cuanto a los procesos que esfuerzan hacia ella.

No se ha cumplido nuestra expectativa de que la biología habría de desechar de plano el reconocimiento de la pulsión de muerte. Podemos seguir ocupándonos de su posibilidad si tenemos otros fundamentos para hacerlo. Comoquiera que fuese, la llamativa semejanza de la separación que traza Weismann entre soma y plasma germinal, y nuestra división entre pulsiones de muerte y pulsiones de vida, queda en pie y recupera su valor.

Detengámonos un poco en esta concepción eminentemente dualista de la vida pulsional. Según la teoría de Ewald Hering sobre la sustancia viva [1878, págs. 77 y sigs.], en ella discurren de continuo dos clases de procesos de orientación contrapuesta: uno de anabolismo —asimilatorio— y el otro de catabolismo —desasimilatorio—. ¿Osaremos discernir en estas dos orientaciones de los procesos vitales la actividad de nuestras dos mociones pulsionales, la pulsión de vida y la pulsión de muerte? Y hay otra cosa que no podemos disimular: inadvertidamente hemos arribado al puerto de la filosofía de Schopenhauer, para quien la muerte es el «genuino resultado» y, en esa medida, el fin de la vida,[12] mientras que la pulsión sexual es la encarnación de la voluntad de vivir.

Ensayemos, fríamente, dar un paso más. Es opinión general que la unión de numerosas células en una «sociedad» vital, el carácter pluricelular de los organismos, constituye un medio para la prolongación de su vida. Una célula ayuda a preservar la vida de las otras, y ese «Estado» celular puede pervivir aunque algunas de sus células mueran. Sabemos ya que la copulación, la fusión temporaria de dos seres unicelulares, provoca sobre ambos un efecto rejuvenecedor y de conservación de la vida. Siendo así, podría ensayarse trasferir a la relación recíproca entre las células la teoría de la libido elaborada por el psicoanálisis. Imaginaríamos entonces que las pulsiones de vida o sexuales, activas en cada célula, son las que toman por objeto a las otras células, neutralizando en parte sus pulsiones de muerte (vale decir, los procesos provocados por estas últimas) y manteniéndolas de ese modo en vida; al mismo tiempo, otras células procuran lo mismo a las primeras, y otras, todavía, se sacrifican a sí mismas en el ejercicio de esta función libidinosa. En cuanto a las células germinales, se comportarían de manera absolutamente «narcisista», según la designación que solemos usar en la doctrina de las neurosis cuando un individuo total retiene su libido en el interior del yo y no desembolsa nada de ella en investiduras de objeto. Las células germinales han menester de su libido —la actividad de sus pulsiones de vida— para sí mismas, en calidad de reserva, con miras a su posterior actividad, de grandiosa dimensión anabólica. Quizás habría que declarar narcisistas, en este mismo sentido, a las células de los neoplasmas malignos que destruyen al organismo; en efecto, la patología está preparada para considerar congénitos sus gérmenes y atribuirles propiedades embrionales.[13] De tal suerte, la libido de nuestras pulsiones sexuales coincidiría con el Eros de los poetas y filósofos, el Eros que cohesiona todo lo viviente.

En este punto se nos ofrece la ocasión de abarcar panorámicamente el lento desarrollo de nuestra teoría de la libido. Al comienzo, el análisis de las neurosis de trasferencia nos compelió a establecer la oposición entre las «pulsiones sexuales», que están dirigidas al objeto, y otras pulsiones, que discernimos de manera muy insatisfactoria y provisionalmen-

[12] Schopenhauer (1851*a*) [*Sämtliche Werke*, ed. por Hübscher, 1938, **5**, pág. 236)].

[13] [La última oración fue agregada en 1921.]

te llamamos «pulsiones yoicas».[14] Entre ellas debimos reconocer, en primera línea, pulsiones que sirven a la autoconservación del individuo. No pudo averiguarse nada más en cuanto a otras distinciones necesarias. Para echar las bases de una psicología correcta, ningún otro conocimiento habría sido tan importante como una intelección aproximada de la naturaleza común y las eventuales particularidades de las pulsiones. Pero en ningún campo de la psicología se andaba tan a tientas. Cada uno establecía a su antojo cierto número de pulsiones o «pulsiones básicas», y después las administraba como hacían los antiguos filósofos naturalistas griegos con sus cuatro elementos: agua, tierra, fuego y aire. El psicoanálisis, que no podía prescindir de alguna hipótesis acerca de las pulsiones, se atuvo al comienzo a la diferenciación popular cuyo paradigma es la frase «por hambre y por amor».* Así, al menos, no incurría en una nueva arbitrariedad. Y ello permitió avanzar un buen trecho en el análisis de las psiconeurosis. El concepto de «sexualidad» —y con él, el de pulsión sexual— no pudo menos que extenderse a muchas cosas que no se subordinaban a la función de reproducción, lo que provocó gran escándalo en una sociedad rígida, respetable o meramente hipócrita.

El paso siguiente se dio cuando el psicoanálisis pudo tantear de más cerca al yo psicológico, del cual al comienzo sólo había tenido noticia como instancia represora, censuradora y habilitada para erigir vallas protectoras y formaciones reactivas. Espíritus críticos y otros de amplias miras habían objetado desde tiempo antes, es cierto, que el concepto de libido se restringiese a la energía de las pulsiones sexuales dirigidas al objeto. Pero omitieron comunicar de dónde les llegaba su mejor intelección, y no atinaron a derivar de ella algo utilizable para el análisis. Ahora bien, llamó la atención de la observación psicoanalítica, en su cuidadoso avance, la regularidad con que la libido era quitada del objeto y dirigida al yo (introversión); y, estudiando el desarrollo libidinal del niño en sus fases más tempranas, llegó a la intelección de que el yo era el reservorio {*Reservoir*} genuino y originario de la libido,[15] la cual sólo desde ahí se extendía al objeto. El

14 [Como, por ejemplo, en el trabajo sobre la perturbación psicógena de la visión (1910*i*).]

* {Aparentemente, Freud alude aquí a una frase de Schiller; cf. *infra*, pág. 250.}

15 [Esta idea fue formulada cabalmente por Freud en la sección I de su trabajo sobre el narcisismo (1914*c*). Véase, sin embargo, su corrección posterior de este enunciado en *El yo y el ello* (1923*b*), *AE*, **19**, pág. 32, *n*. 7, donde describe al *ello* como «el gran reservorio de la libido».]

yo pasó a formar parte de los objetos sexuales, y enseguida se discernió en él al más encumbrado de ellos. La libido fue llamada narcisista cuando así permanecía dentro del yo.[16] Desde luego, esta libido narcisista era también una exteriorización de fuerzas de pulsiones sexuales en sentido analítico, pero era preciso identificarla con las «pulsiones de autoconservación» admitidas desde el comienzo mismo. De este modo, la oposición originaria entre pulsiones yoicas y pulsiones sexuales se volvía insuficiente. Una parte de las pulsiones yoicas fue reconocida como libidinosa; en el interior del yo actuaban —junto a otras, probablemente— también pulsiones sexuales. Y a pesar de ello, se está autorizado a decir que la vieja fórmula según la cual la psiconeurosis consiste en un conflicto entre pulsiones yoicas y pulsiones sexuales no contiene nada que hoy deba desestimarse. Sencillamente, la diferencia entre ambas variedades de pulsiones, que en el origen se había entendido con alguna inflexión cualitativa, ahora debía definirse de otro modo, a saber, *tópico*. La neurosis de trasferencia, en particular, el genuino objeto de estudio del psicoanálisis, seguía siendo el resultado de un conflicto entre el yo y la investidura libidinosa de objeto.

Tanto más nos vemos obligados a destacar el carácter libidinoso de las pulsiones de autoconservación ahora, desde que osamos dar otro paso: discernir la pulsión sexual como el Eros que todo lo conserva, y derivar la libido narcisista del yo a partir de los aportes libidinales con que las células del soma se adhieren unas a otras. Pues bien; de pronto nos enfrentamos con este problema: Si también las pulsiones de autoconservación son de naturaleza libidinosa, acaso no tengamos otras pulsiones que las libidinosas. Al menos, no se ven otras. Pero entonces es preciso dar la razón a los críticos que desde el comienzo sospecharon que el psicoanálisis lo explicaba *todo* por la sexualidad, o a los innovadores como Jung, quien no ha mucho se resolvió a usar «libido» con la acepción de «fuerza pulsional» en general. ¿Acaso no es así?

Para empezar, este resultado no estaba en nuestras intenciones. Más bien hemos partido de una tajante separación entre pulsiones yoicas = pulsiones de muerte, y pulsiones sexuales = pulsiones de vida. Estábamos ya dispuestos [cf. págs. 38-9] a computar las supuestas pulsiones de autoconservación del yo entre las pulsiones de muerte, de lo cual posteriormente nos abstuvimos, corrigiéndonos. Nuestra concepción fue desde el comienzo *dualista*, y lo es de manera todavía más tajante hoy, cuando hemos dejado de llamar a

[16] Véase mi trabajo sobre el narcisismo (1914*c*) [sección I].

los opuestos pulsiones yoicas y pulsiones sexuales, para darles el nombre de pulsiones de vida y pulsiones de muerte. En cambio, la teoría de la libido de Jung es *monista*; el hecho de que llamara «libido» a su única fuerza pulsional tuvo que sembrar confusión, pero no debe influirnos más.[17] Conjeturamos que en el interior del yo actúan pulsiones diversas de las de autoconservación libidinosas; sólo que deberíamos poder indicarlas. Es de lamentar que nos resulte harto difícil hacerlo, por el atraso en que se encuentra el análisis del yo. Acaso las pulsiones libidinosas del yo estén enlazadas de una manera particular [18] con esas otras pulsiones yoicas que todavía desconocemos. Aun antes de discernir claramente el narcisismo, el psicoanálisis conjeturaba que las «pulsiones yoicas» han atraído hacia sí componentes libidinosos. Pero estas son posibilidades muy inciertas, y es difícil que nuestros oponentes las tomen en cuenta. Sigue siendo fastidioso que el análisis hasta ahora sólo nos haya permitido pesquisar pulsiones [yoicas] libidinosas. Mas no por ello avalaríamos la inferencia de que no hay otras.

Dada la oscuridad que hoy envuelve a la doctrina de las pulsiones, no haríamos bien desechando ocurrencias que nos prometieran esclarecimiento. Hemos partido de la gran oposición entre pulsiones de vida y pulsiones de muerte. El propio amor de objeto nos enseña una segunda polaridad de esta clase, la que media entre amor (ternura) y odio (agresión). ¡Si consiguiéramos poner en relación recíproca estas dos polaridades, reconducir la una a la otra! Desde siempre hemos reconocido un componente sádico en la pulsión sexual;[19] según sabemos, puede volverse autónomo y gobernar, en calidad de perversión, la aspiración sexual íntegra de la persona. Y aun se destaca, como pulsión parcial dominante, en una de las que he llamado «organizaciones pregenitales». Ahora bien, ¿cómo podríamos derivar del Eros conservador de la vida la pulsión sádica, que apunta a dañar el objeto? ¿No cabe suponer que ese sadismo es en verdad una pulsión de muerte apartada del yo por el esfuerzo y la influencia de la libido narcisista, de modo que sale a la luz sólo en el objeto? Después entra al servicio de la función sexual; en el estadio de organización oral de la libido, el apoderamiento amoroso coincide todavía con la aniquilación del objeto; más tarde la

[17] [Las dos oraciones precedentes fueron agregadas en 1921.]

[18] [En la primera edición había este agregado, que luego se eliminó: «—por "entrelazamiento" pulsional, para emplear un término de Adler [1908]—».]

[19] Ya fue así en la primera edición de *Tres ensayos de teoría sexual*, de 1905 [*AE*, **7**, págs. 143 y sigs.]

pulsión sádica se separa y cobra a la postre, en la etapa del primado genital regido por el fin de la reproducción, la función de dominar al objeto sexual en la medida en que lo exige la ejecución del acto genésico. Y aun podría decirse que el sadismo esforzado a salir {*herausdrängen*} del yo ha enseñado el camino a los componentes libidinosos de la pulsión sexual, que, en pos de él, se esfuerzan en dar caza {*nachdrängen*} al objeto. Donde el sadismo originario no ha experimentado ningún atemperamiento ni fusión {*Verschmelzung*}, queda establecida la conocida ambivalencia amor-odio de la vida amorosa.[20]

Si es lícito hacer un supuesto así, se habría cumplido el requisito de indicar un ejemplo de pulsión de muerte (es verdad que desplazada {descentrada}). Sólo que esta concepción está alejadísima de toda evidencia, y produce una impresión directamente mística. Cae sobre nosotros la sospecha de que habríamos buscado a toda costa un expediente para salir de un estado de gran perplejidad. Pero nos asiste el derecho de invocar que un supuesto así no es nuevo, que ya lo hicimos una vez antes, cuando no podía ni hablarse de perplejidad. Observaciones clínicas nos impusieron en su tiempo esta concepción: el masoquismo, la pulsión parcial complementaria del sadismo, ha de entenderse como una reversión {*Rückwendung*} del sadismo hacia el yo propio.[21] Ahora bien, una vuelta {*Wendung*} de la pulsión desde el objeto hacia el yo no es en principio otra cosa que la vuelta desde el yo hacia el objeto que aquí se nos plantea como algo nuevo. El masoquismo, la vuelta de la pulsión hacia el yo propio, sería entonces, en realidad, un retroceso a una fase anterior de aquella, una regresión. La exposición que hicimos del masoquismo en aquella época necesitaría ser enmendada en un punto, por demasiado excluyente: podría haber también un masoquismo primario, cosa que en aquel lugar quise poner en entredicho.[22]

[20] [Un anticipo del examen de la «mezcla» pulsional realizado en *El yo y el ello* (1923*b*), *AE*, **19**, págs. 41-3.]

[21] Véanse mis *Tres ensayos* (1905*d*) [*AE*, **7**, pág. 144] y «Pulsiones y destinos de pulsión» (1915*c*).

[22] Sabina Spielrein, en un trabajo sustancioso y rico en ideas (1912), aunque por desdicha no del todo comprensible para mí, ha anticipado un buen fragmento de esta especulación. Designa allí al componente sádico de la pulsión sexual como «destructivo». Y por otra parte, A. Stärke (1914) intentó identificar el concepto mismo de libido con el concepto de *impulsión hacia la muerte*, que es preciso suponer en la teoría biológica. (Cf. también Rank, 1907.) Todos estos empeños, lo mismo que el del texto, son testimonios de un esfuerzo, que todavía no ha cuajado, por obtener claridad en la doctrina de las pulsiones. — [Un posterior examen de la pulsión

Pero volvamos a las pulsiones sexuales conservadoras de la vida. Ya la investigación de los protistas nos enseñó que la fusión de dos individuos sin división subsiguiente a su separación, o sea la copulación, produce un efecto fortalecedor y rejuvenecedor sobre ambos, vueltos a desasir.[23] En las sucesivas generaciones no muestran fenómeno alguno degenerativo, y parecen capacitados para resistir más tiempo los deterioros de su propio metabolismo. Opino que esta particular observación puede tomarse como modelo también del efecto que produce la unión genésica. Pero, ¿de qué manera la fusión de dos células poco diferenciadas provoca semejante renovación de la vida? El experimento consistente en sustituir la copulación, en el caso de los protozoos, por estímulos químicos y aun mecánicos permite dar una segura respuesta: Sobreviene por el aporte de nuevas magnitudes de estímulo. Ahora bien, esto armoniza con el supuesto de que el proceso vital del individuo lleva por razones internas a la nivelación de tensiones químicas, esto es, a la muerte, mientras que la unión con una sustancia viva que conforme un individuo diferente aumenta estas tensiones, introduce nuevas *diferencias vitales*, por así decir, que después tienen que ser de-vividas {*ableben*}. En lo referente a estas diferencias tienen que existir, desde luego, uno o más óptimos. Y puesto que hemos discernido como la tendencia dominante de la vida anímica, y quizá de la vida nerviosa en general, la de rebajar, mantener constante, suprimir la tensión interna de estímulo (el *principio de Nirvana*, según la terminología de Barbara Low [1920, pág. 73]), de lo cual es expresión el principio de placer,[24] ese constituye uno de nuestros más fuertes motivos para creer en la existencia de pulsiones de muerte.

No obstante, seguimos sintiendo como un notable escollo para nuestra argumentación que no podamos pesquisar, justamente respecto de la pulsión sexual, aquel carácter de compulsión de repetición que nos puso sobre la pista de las pulsiones de muerte. Es cierto que en el ámbito de los procesos evolutivos embrionarios sobreabundan tales fenómenos de repetición, y que las dos células germinales de la reproducción genésica y su historia vital no son, a su vez, sino repeticiones de los principios de la vida orgánica; pero lo esencial en los procesos en cuya base opera la pulsión sexual es la

destructiva por parte del propio Freud ocupa el cap. VI de *El malestar en la cultura* (1930*a*).]

[23] Cf. el informe de Lipschütz (1914) citado *supra*, pág. 46, *n*. 11.

[24] [Cf. *supra*, págs. 7 y sigs. El tema en su conjunto es reconsiderado en «El problema económico del masoquismo» (1924*c*).]

fusión de dos cuerpos celulares. Sólo en virtud de ella se asegura en los seres vivos superiores la inmortalidad de la sustancia viva.

Con otras palabras: debemos procurarnos información sobre el origen de la reproducción genésica y de las pulsiones sexuales en general, tarea esta frente a la cual un profano no puede menos que retroceder, y que los propios investigadores especializados no han podido resolver hasta hoy. Por eso, de todas las indicaciones y opiniones encontradas destacaremos, en apretada síntesis, lo que admite enlazarse con nuestra argumentación.

Hay una concepción que despoja al problema de la reproducción de su secreto encanto, presentándola como un fenómeno parcial del crecimiento (multiplicación por división, por renuevo, por gemiparidad). En un espíritu sobriamente darwinista podría concebirse así la génesis de la reproducción por células germinales diferenciadas sexualmente: la ventaja de la *amphimixis*, lograda en cierto momento por la copulación casual de dos protistas, fue mantenida durante largo tiempo en la evolución y después se sacó partido de ella.[25] El «sexo» no sería entonces muy antiguo, y las pulsiones extraordinariamente violentas que quieren producir la unión sexual repetirían algo que una vez ocurrió por casualidad y después se afianzó por resultar ventajoso.

Lo mismo que a raíz de la muerte [cf. pág. 48], se plantea aquí el problema: ¿Acaso hay que suponer en los protistas sólo lo que muestran? ¿No puede conjeturarse que nacieron por primera vez en ellos fuerzas y procesos que sólo se volvieron visibles en los seres vivos superiores? La citada concepción de la sexualidad sirve de muy poco a nuestros propósitos. Se podría objetarle que presupone la existencia de pulsiones de vida que actúan ya en el ser vivo más simple; de lo contrario, en efecto, la copulación, que contrarresta el curso vital y dificulta la tarea de de-vivir {*ableben*}, no habría sido mantenida y desarrollada, sino evitada. Entonces, si no queremos abandonar la hipótesis de las pulsiones de muerte, hay que asociarlas desde el comienzo mismo con unas pulsiones de vida. Pero es preciso confesarlo: trabajamos ahí con una ecuación de dos incógnitas. Lo que hallamos en la

[25] No obstante, Weismann (1892) niega también esta ventaja: «La fecundación en manera alguna significa un rejuvenecimiento o renovación de la vida; ella no sería necesaria para la persistencia de la vida, no es más que *un dispositivo* que sirve para posibilitar *la mezcla de dos diversas tendencias hereditarias*». Empero, considera que un efecto de esa mezcla es cierto incremento de la variabilidad de los seres vivos.

ciencia acerca de la génesis de la sexualidad es tan poco que este problema puede compararse con un recinto oscuro donde no ha penetrado siquiera la vislumbre de una hipótesis. Es verdad que hallamos una hipótesis así en un sitio totalmente diverso, pero ella es de naturaleza tan fantástica —por cierto, más un mito que una explicación científica— que no me atrevería a mencionarla si no llenara justamente una condición cuyo cumplimiento anhelamos. Esa hipótesis deriva una pulsión *de la necesidad de restablecer un estado anterior.*

Me refiero, desde luego, a la teoría que Platón hace desarrollar en *El banquete* por Aristófanes, y que no sólo trata del origen de la pulsión sexual, sino de su más importante variación con respecto al objeto: «Antaño, en efecto, nuestra naturaleza no era idéntica a la que vemos hoy, sino de otra suerte. Sepan, en primer lugar, que la humanidad comprendía tres géneros, y no dos, macho y hembra, como hoy; no; existía además un tercero, que tenía a los otros dos reunidos (...) el andrógino...». Ahora bien, en estos seres humanos todo era doble: tenían, pues, cuatro manos y cuatro pies, dos rostros, genitales dobles, etc. Entonces Zeus se determinó a dividir a todos los seres humanos en dos partes «como se corta a los membrillos para hacer conserva. (...) El seccionamiento había desdoblado el ser natural. Entonces cada mitad, suspirando por su otra mitad, se le unía: se abrazaban con las manos, se enlazaban entre sí *anhelando fusionarse en un solo ser...*».[26]

[26] Traducción de U. v. Wilamowitz-Möllendorff (*Platon*, I, págs. 366-7). [*Agregado* en 1921:] Al profesor Heinrich Gomperz (de Viena) debo las indicaciones siguientes acerca del origen del mito platónico, que reproduzco en parte con sus propias palabras: Querría llamar la atención sobre el hecho de que la misma teoría, en lo esencial, ya se encuentra en los *Upanishad.* En efecto, hallamos el siguiente pasaje en los *Brihadâranyaka-upanishad*, 1, 4, 3 [traducción de Max-Müller, **2**, págs. 85-6], donde se describe el surgimiento del universo a partir del *Atman* (el Sí-mismo o Yo): «...Pero él [el *Atman* (el Sí-mismo o Yo)] no tenía ninguna alegría. Efectivamente, uno no tiene alegría alguna cuando está solo. Por eso anhelaba un segundo. Y era él tan grande como una mujer y un hombre enlazados. Y dividió en dos partes este Sí-mismo suyo: de ahí nacieron marido y mujer. Por eso este cuerpo es en el Sí-mismo, por así decir, una mitad separada, como lo dijo Yajñavalkya. Por eso este espacio vacío, aquí, es llenado por la mujer».

El *Brihadâranyaka-upanishad* es el más antiguo de todos los *Upanishad,* y ningún investigador competente lo sitúa después del año 800 a. C., aproximadamente. Oponiéndome a la opinión dominante, yo no daría de plano una respuesta negativa a la pregunta de si Platón pudo retomar esta idea hindú, siquiera en forma mediata; en efecto, no puede cuestionarse semejante posibilidad respecto de la doctrina de la trasmigración de las almas. Pero aun si se estableciera

¿Aventuraremos, siguiendo la indicación del filósofo poeta, la hipótesis de que la sustancia viva fue desgarrada, a raíz de su animación, en pequeñas partículas que desde entonces aspiran a reunirse por medio de las pulsiones sexuales? ¿Y que estas pulsiones, en las que persiste la afinidad química de la materia inanimada, superan poco a poco, a lo largo del reino de los protistas, las dificultades que opone a esta aspiración un medio cargado de estímulos que hacen peligrar la vida, medio que obliga a la formación de un estrato cortical protector? ¿Que estas partículas de sustancia viva dispersadas alcanzan así el estado pluricelular y finalmente trasfieren a las células germinales, en concentración suprema, la pulsión a la reunión? Este es, creo, el punto en que debemos interrumpir.

No, empero, sin agregar algunas palabras de reflexión crítica. Podría preguntárseme si yo mismo estoy convencido de las hipótesis desarrolladas aquí, y hasta dónde lo estoy. Mi respuesta sería: ni yo mismo estoy convencido, ni pido a los demás que crean en ellas. Me parece que nada tiene que hacer aquí el factor afectivo del convencimiento. Es plenamente lícito entregarse a una argumentación, perseguirla hasta donde lleve, sólo por curiosidad científica o, si se quiere, como un *advocatus diaboli* que no por eso ha entregado su alma al diablo. No desconozco que el tercer paso de la doctrina de las pulsiones, este que emprendo aquí, no puede reclamar la misma certeza que los dos anteriores, a saber, la ampliación del concepto de sexualidad y la tesis del narcisismo. Esas innovaciones eran trasposiciones directas de la observación a la teoría; no adolecían de fuentes de error mayores que las inevitables en tales casos. La afirmación del carácter *regresivo* de las pulsiones descansa también, es cierto, en un material observado, a saber, los hechos de la compulsión de repetición. Sólo que quizá he sobrestimado su importancia. Comoquiera que fuese, sólo es posible llevar hasta el final esta idea combinando varias veces, en sucesión, lo fáctico con lo meramente excogitado, lo cual nos aleja mucho de la observación. Se sabe que el resultado final será tanto menos

esa dependencia (por intermedio de los pitagóricos), la coincidencia conceptual difícilmente perdería significación. En efecto, Platón no habría hecho suya esta idea que la tradición oriental pudo aportarle, y menos aún le habría concedido un lugar de tanta importancia, si a su juicio no contenía un núcleo de verdad.

En un metódico ensayo consagrado a la exploración de esta idea en el período *anterior* a Platón, Ziegler (1913) la hace remontar a representaciones babilónicas.

[Freud ya había aludido al mito platónico en sus *Tres ensayos* (1905*d*), *AE*, **7**, pág. 124.]

confiable cuantas más veces se haga eso mientras se edifica una teoría, pero el grado de incerteza no es indicable. Puede que se haya llegado a puerto felizmente, o que poco a poco se haya caído en el error. Para tales trabajos, no confío mucho en la llamada intuición; lo que de ella he visto, me parece más bien el logro de una cierta imparcialidad del intelecto. Sólo que, por desdicha, rara vez se es imparcial cuando se trata de las cosas últimas, de los grandes problemas de la ciencia y de la vida. Creo que cada cual está dominado por preferencias hondamente arraigadas en su interioridad, que, sin que se lo advierta, son las que se ponen por obra cuando se especula. Habiendo razones tan buenas para la desconfianza, no se puede adoptar sino una fría benevolencia hacia los resultados del propio esfuerzo conceptual. Sólo me apresuro a agregar que semejante autocrítica en modo alguno obliga a una particular tolerancia hacia las opiniones divergentes. Se puede refutar intransigentemente teorías que resultan contradichas desde los primeros pasos que uno da en el análisis de la observación, y a pesar de ello se puede saber que la corrección de las que uno mismo sustenta es sólo provisional.

Al juzgar nuestra especulación acerca de las pulsiones de vida y de muerte, nos inquietará poco que aparezcan en ella procesos tan extraños e inimaginables como que una pulsión sea esforzada a salir fuera por otra, o que se vuelva del yo al objeto, y cosas parecidas. Esto sólo se debe a que nos vemos precisados a trabajar con los términos científicos, esto es, con el lenguaje figurado {de imágenes} propio de la psicología (más correctamente: de la psicología de las profundidades). De otro modo no podríamos ni describir los fenómenos correspondientes; más aún: ni siquiera los habríamos percibido. Es probable que los defectos de nuestra descripción desaparecieran si en lugar de los términos psicológicos pudiéramos usar ya los fisiológicos o químicos. Pero en verdad también estos pertenecen a un lenguaje figurado, aunque nos es familiar desde hace más tiempo y es, quizá, más simple.

Por otro lado, advirtamos bien que la incerteza de nuestra especulación se vio aumentada en alto grado por la necesidad de tomar préstamos a la ciencia biológica. La biología es verdaderamente un reino de posibilidades ilimitadas; tenemos que esperar de ella los esclarecimientos más sorprendentes y no podemos columbrar las respuestas que decenios más adelante dará a los interrogantes que le planteamos. Quizá las dé tales que derrumben todo nuestro artificial edificio de hipótesis. Pero si es así, podría preguntarse: ¿Para qué tomarse trabajos como los consignados en esta sección, y por qué comunicarlos además? Pues bien, es sólo que no puedo negar que algunas de las analogías, enlaces y nexos apuntados en ella me parecieron dignos de consideración.[27]

[27] Agreguemos aquí algunas palabras destinadas a esclarecer nuestra terminología, que en el curso de estas elucidaciones ha tenido un cierto desarrollo. Supimos qué eran las «pulsiones» sexuales por su relación con los sexos y con la función de reproducción. Y después conservamos ese nombre cuando los resultados del psicoanálisis nos obligaron a aflojar el nexo de esas pulsiones con la reproducción. Con la tesis de la libido narcisista y la extensión del concepto de libido a la célula individual, la pulsión sexual se nos convirtió en Eros, que procura esforzar las partes de la sustancia viva unas hacia otras y cohesionarlas; y las comúnmente llamadas pulsiones sexuales aparecieron como la parte de este Eros vuelta hacia el objeto. Según la especulación, este Eros actúa desde el comienzo de la vida y, como «pulsión de vida», entra en oposición con la «pulsión de muerte», nacida por la animación de lo inorgánico. La especulación busca entonces resolver el enigma de la vida mediante la hipótesis de estas dos pulsiones que luchan entre sí desde los orígenes. [*Agregado* en 1921:] Menos abarcable es quizás el cambio experimentado por el concepto de «pulsiones yoicas». Originariamente llamamos así a todas aquellas orientaciones pulsionales que nos resultaban menos conocidas, que podían diferenciarse de las pulsiones sexuales dirigidas al objeto; pusimos las pulsiones yoicas en oposición a las pulsiones sexuales, cuya expresión es la libido. Más tarde entramos en el análisis del yo y discernimos que también una parte de las «pulsiones yoicas» es de naturaleza libidinosa y ha tomado por objeto al yo propio. Estas pulsiones de autoconservación narcisistas debieron computarse, entonces, entre las pulsiones sexuales libidinosas. La oposición entre pulsiones yoicas y pulsiones sexuales se convirtió en la que media entre pulsiones yoicas y pulsiones de objeto, ambas de naturaleza libidinosa. Pero en su lugar surgió una nueva oposición entre pulsiones libidinosas (yoicas y de objeto) y otras que han de estatuirse en el interior del yo y quizá puedan pesquisarse en las pulsiones de destrucción. La especulación convirtió esta oposición en la que media entre pulsiones de vida (Eros) y pulsiones de muerte.

VII

Si realmente es un carácter tan general de las pulsiones el de querer restablecer un estado anterior, no podemos asombrarnos de que en la vida anímica tantos procesos se consumen con independencia del principio de placer. Acaso este carácter se comunica a toda pulsión parcial: en estas, se trataría de recobrar una determinada estación de la vía de desarrollo. Pero de que el principio de placer aún no haya recibido poder alguno sobre todo eso, no se sigue que todo eso haya de estar en oposición a él; y sigue irresuelta la tarea de determinar la relación de los procesos pulsionales de repetición con el imperio del principio de placer.

Hemos discernido como una de las más tempranas e importantes funciones del aparato anímico la de «ligar» las mociones pulsionales que le llegan, sustituir el proceso primario que gobierna en ellas por el proceso secundario, trasmudar su energía de investidura libremente móvil en investidura predominantemente quiescente (tónica). En el curso de esta trasposición no es posible advertir el desarrollo de displacer, mas no por ello se deroga el principio de placer. La trasposición acontece más bien al servicio del principio de placer; la ligazón es un acto preparatorio que introduce y asegura el imperio del principio de placer.

Separemos función y tendencia de manera más tajante que hasta ahora. El principio de placer es entonces una tendencia que está al servicio de una función: la de hacer que el aparato anímico quede exento de excitación, o la de mantener en él constante, o en el nivel mínimo posible, el monto de la excitación. Todavía no podemos decidirnos con certeza por ninguna de estas versiones, pero notamos que la función así definida participaría de la aspiración más universal de todo lo vivo a volver atrás, hasta el reposo del mundo inorgánico. Todos hemos experimentado que el máximo placer asequible a nosotros, el del acto sexual, va unido a la momentánea extinción de una excitación extremada. Ahora bien, la ligazón de la moción pulsional sería una función preparatoria destinada a acomodar la excitación para luego tramitarla definitivamente en el placer de descarga.

Dentro de este mismo orden de consideraciones, nos preguntamos si las sensaciones de placer y displacer pueden ser producidas de igual manera por los procesos excitatorios ligados y los no ligados. Pues parece fuera de toda duda que los procesos no ligados, los procesos primarios, provocan sensaciones mucho más intensas en ambos sentidos que los ligados, los del proceso secundario. Además, los procesos primarios son los más tempranos en el tiempo; al comienzo de la vida anímica no hay otros, y podemos inferir que si el principio de placer no actuase ya en ellos, nunca habría podido instaurarse para los posteriores. Llegamos así a un resultado nada simple en el fondo: el afán de placer se exterioriza al comienzo de la vida anímica con mayor intensidad que más tarde, pero no tan irrestrictamente; se ve forzado a admitir frecuentes rupturas. En épocas de mayor madurez, el imperio del principio de placer está mucho más asegurado, pero él mismo no ha podido sustraerse al domeñamiento más que las otras pulsiones. Comoquiera que fuese, aquello que en el proceso excitatorio hace nacer las sensaciones de placer y displacer tiene que estar presente en el proceso secundario lo mismo que en el primario.

Este sería el punto en que habría que iniciar otros estudios. Nuestra conciencia nos trasmite desde adentro no sólo las sensaciones de placer y displacer, sino también las de una peculiar tensión que, a su vez, puede ser placentera o displacentera. Ahora bien, ¿hemos de entender que por medio de estas sensaciones diferenciamos los procesos de la energía ligada y los de la no ligada, o la sensación de tensión ha de referirse a la magnitud absoluta, eventualmente al nivel de la investidura, mientras que la serie placer-displacer apunta al cambio de las magnitudes de investidura dentro de la unidad de tiempo? [1] También tiene que llamarnos la atención que las pulsiones de vida tengan muchísimo más que ver con nuestra percepción interna; en efecto, se presentan como revoltosas, sin cesar aportan tensiones cuya tramitación es sentida como placer, mientras que las pulsiones de muerte parecen realizar su trabajo en forma inadvertida. El principio de placer parece estar directamente al servicio de las pulsiones de muerte; es verdad que también monta guardia con relación a los estímulos de afuera, apreciados como peligros por las dos clases de pulsiones, pero muy en particular con relación a los incrementos de estímulo procedentes de adentro, que apuntan a dificultar la tarea de vivir. Aquí se anudan otros problemas,

IMP.

[1] [Cf. *supra*, págs. 7-8. Estas cuestiones ya habían sido abordadas por Freud en el «Proyecto de psicología» (1950*a*), *AE*, **1**, por ejemplo en págs. 356 y 416-8.]

innumerables, a los que todavía no es posible responder. Pero debemos ser pacientes y esperar que la investigación cuente con otros medios y tenga otras ocasiones. También hay que estar preparados para abandonar un camino que se siguió por un tiempo, si no parece llevar a nada bueno. Sólo los creyentes que piden a la ciencia un sustituto del catecismo abandonado echarán en cara al investigador que remodele o aun rehaga sus puntos de vista. En cuanto a lo demás, un poeta (Rückert) nos consuela por la lentitud con que progresa nuestro conocimiento científico:

> «Lo que no puede tomarse volando
> hay que alcanzarlo cojeando.
> . . . .
> La Escritura dice: cojear no es pecado».[2]

[2] [Ultimos versos de «Die beiden Gulden», versión de uno de los *Macamas* {cuadros literarios} de Abu Hariri {escritor y filólogo árabe}, efectuada por Rückert. Freud citó estos versos, asimismo, en su carta a Fliess del 20 de octubre de 1895 (Freud, 1950*a*, Carta 32).]

Psicología de las masas y análisis del yo
(1921)

Nota introductoria

Massenpsychologie und Ich-Analyse

Ediciones en alemán

1921 Leipzig, Viena y Zurich: Internationaler Psychoanalytischer Verlag, iii + 140 págs.
1923 2ª ed. La misma editorial, iv + 120 págs.
1925 *GS*, **6**, págs. 261-349.
1931 *Theoretische Schriften*, págs. 248-337.
1940 *GW*, **13**, págs. 71-161.
1974 *SA*, **9**, págs. 61-134.

Traducciones en castellano *

1924 *Psicología de las masas y análisis del yo*. *BN* (17 vols.), **9**, págs. 3-105. Traducción de Luis López-Ballesteros.
1943 Igual título. *EA*, **9**, págs. 7-104. El mismo traductor.
1948 Igual título. *BN* (2 vols.), **1**, págs. 1141-80. El mismo traductor.
1953 Igual título. *SR*, **9**, págs. 7-90. El mismo traductor.
1967 Igual título. *BN* (3 vols.), **1**, págs. 1127-66. El mismo traductor.
1974 Igual título. *BN* (9 vols.), **7**, págs. 2563-610. El mismo traductor.

En la primera edición alemana, algunos párrafos del texto principal de la obra fueron impresos en un tipo de letra más pequeño. Siguiendo instrucciones de Freud, cuando traduje esta obra al inglés {en 1922} convertí esos párrafos en notas de pie de página. Esta misma conversión se efectuó en todas las ediciones alemanas subsiguientes, salvo el caso mencionado *infra*, pág. 91, *n*. 4. En las ediciones posteriores a la primera Freud introdujo leves modificaciones y agregados.

* {Cf. la «Advertencia sobre la edición en castellano», *supra*, pág. xi y *n*. 6.}

Por las cartas de Freud sabemos que se le ocurrió por primera vez la «simple idea» de explicar la psicología de las masas en la primavera de 1919. En esa época no produjo nada al respecto, pero en febrero de 1920 ya estaba trabajando en el tema y en agosto de ese año tenía escrito un primer borrador. No obstante, no comenzó a darle su forma definitiva sino hasta febrero de 1921. El libro quedó terminado antes de fines de marzo y se publicó tres o cuatro meses más tarde.

Hay escasa conexión directa entre la presente obra y *Más allá del principio de placer* (1920*g*), que la precedió muy de cerca. Las ilaciones de pensamiento que Freud retoma aquí derivan más bien del cuarto de los ensayos de *Tótem y tabú* (1912-13), así como de su trabajo sobre el narcisismo (1914*c*) —en cuyo último párrafo se plantean, muy compendiadas, muchas de las cuestiones que aquí se examinan— y de «Duelo y melancolía» (1917*e*). Asimismo, Freud vuelve en esta oportunidad al hipnotismo y la sugestión, temas que ya habían atraído su interés en la temprana época de sus estudios con Charcot en 1885-86.[1]

El título del presente libro nos está diciendo que su importancia apunta en dos distintas direcciones. Por un lado, explica la psicología de las masas sobre la base de los cambios que tienen lugar en la psicología de la mente individual; por el otro, lleva un paso más allá la investigación de Freud sobre la anatomía estructural de la psique, que había sido prefigurada en *Más allá del principio de placer* (1920*g*) y que fue desarrollada más cabalmente en *El yo y el ello* (1923*b*).

James Strachey

[1] En mi «Introducción» a los trabajos de Freud sobre el hipnotismo y la sugestión (*AE*, **1**, págs. 69-75) se hallarán consideraciones sobre este punto y una bibliografía completa. — Digamos al pasar que el acertijo sobre San Cristóbal que aparece *infra*, pág. 85, ya había sido citado por Freud treinta años atrás, en su reseña (1889*a*) del libro de Forel (1889*b*) sobre el hipnotismo, *AE*, **1**, pág. 110.

I. Introducción

La oposición entre psicología individual y psicología social o de las masas,[1] que a primera vista quizá nos parezca muy sustancial, pierde buena parte de su nitidez si se la considera más a fondo. Es verdad que la psicología individual se ciñe al ser humano singular y estudia los caminos por los cuales busca alcanzar la satisfacción de sus mociones pulsionales. Pero sólo rara vez, bajo determinadas condiciones de excepción, puede prescindir de los vínculos de este individuo con otros. En la vida anímica del individuo, el otro cuenta, con total regularidad, como modelo, como objeto, como auxiliar y como enemigo, y por eso desde el comienzo mismo la psicología individual es simultáneamente psicología social en este sentido más lato, pero enteramente legítimo.

La relación del individuo con sus padres y hermanos, con su objeto de amor, con su maestro y con su médico, vale decir, todos los vínculos que han sido hasta ahora indagados preferentemente por el psicoanálisis, tienen derecho a reclamar que se los considere fenómenos sociales. Así, entran en oposición con ciertos otros procesos, que hemos llamado *narcisistas*, en los cuales la satisfacción pulsional se sustrae del influjo de otras personas o renuncia a estas. Por lo tanto, la oposición entre actos anímicos sociales y narcisistas —*autistas*, diría quizá Bleuler [1912]— cae íntegramente dentro del campo de la psicología individual y no habilita a divorciar esta última de una psicología social o de las masas.

En todas las relaciones mencionadas, con los padres y hermanos, con la persona amada, el amigo, el maestro y el médico, el individuo experimenta el influjo de una persona única o un número muy pequeño de ellas, cada una de las cuales ha adquirido una enorme importancia para él. Ahora bien, cuando se habla de psicología social o de las masas, se suele prescindir de estos vínculos y distinguir como objeto de la indagación la influencia simultánea ejercida sobre el

[1] [«*Masse*»: Freud traduce con esta palabra tanto el término «*group*» empleado por McDougall como «*foule*», de Le Bon.] {A su vez, McDougall tradujo al inglés el término de Le Bon como «*crowd*»; cf. *infra*, pág. 79.}

individuo por un gran número de personas con quienes está ligado por algo, al par que en muchos aspectos pueden serle ajenas. Por tanto, la psicología de las masas trata del individuo como miembro de un linaje, de un pueblo, de una casta, de un estamento, de una institución, o como integrante de una multitud organizada en forma de masa durante cierto lapso y para determinado fin. Una vez desgarrado lo que naturalmente constituía un nexo único, parecería indicado considerar los fenómenos que se muestran bajo estas particulares condiciones como exteriorizaciones de una pulsión especial, ya no reconducible a otra: la pulsión social —*herd instinct*, *group mind*— que en otras situaciones no se expresaría. Pero podríamos sin duda objetar: nos parece difícil que deba adjudicarse al factor numérico una importancia tan grande, hasta el punto de que fuera capaz de suscitar por sí solo en la vida anímica una pulsión nueva, inactiva en toda otra circunstancia. Por eso nos inclinaremos más bien en favor de otras dos posibilidades: que la pulsión social acaso no sea originaria e irreducible y que los comienzos de su formación puedan hallarse en un círculo estrecho, como el de la familia.

La psicología de las masas, aunque sólo se encuentra en sus comienzos, incluye un cúmulo todavía inabarcable de problemas particulares y plantea al investigador innumerables tareas, que hoy ni siquiera están bien deslindadas. El mero agrupamiento de las diversas formas de constitución de masas, así como la descripción de los fenómenos psíquicos exteriorizados por ellas, reclaman un considerable despliegue de observación y de empeño expositivo, y ya han dado origen a una rica bibliografía. Quien compare este pequeño librito con el campo íntegro de la psicología de las masas tendrá derecho a sospechar, sin más, que aquí sólo pueden tratarse unos pocos puntos de tan vasta materia. Y así es: se abordan sólo algunas cuestiones en que la investigación de lo profundo, propia del psicoanálisis, cobra un interés particular.

II. Le Bon y su descripción del alma de las masas

Para comenzar, creo más oportuno que dar una definición, hacer referencia al campo de fenómenos, y extraer de él algunos hechos particularmente llamativos y característicos que puedan servir de asideros a la indagación. Obtendremos ambas cosas citando un libro que con justicia se ha hecho famoso, el de Le Bon, *Psicología de las masas*.[1]

Aclarémonos de nuevo el problema: Si la psicología, que explora las disposiciones, mociones pulsionales, motivos, propósitos de un individuo hasta llegar a sus acciones y a los vínculos que mantiene con sus allegados, hubiera dado solución cabal a sus enigmas haciendo trasparentes todos estos nexos, se encontraría de pronto frente a una nueva tarea que se erguiría, irresuelta, frente a ella. Tendría que explicar el hecho sorprendente de que ese individuo a quien había llegado a comprender siente, piensa y actúa de manera enteramente diversa de la que se esperaba cuando se encuentra bajo una determinada condición: su inclusión en una multitud que ha adquirido la propiedad de una «masa psicológica». ¿Qué es entonces una «masa», qué le presta la capacidad de influir tan decisivamente sobre la vida anímica del individuo, y en qué consiste la alteración anímica que impone a este último?

Responder esas tres preguntas es la tarea de una psicología teórica de las masas. Lo mejor, evidentemente, es partir de la tercera. Lo que brinda el material a la psicología de las masas es, en efecto, la observación de la reacción alterada del individuo; y todo intento de explicación presupone describir lo que ha de explicarse.

Dejo ahora la palabra a Le Bon. Dice:

«He aquí el rasgo más notable de una masa psicológica: cualesquiera que sean los individuos que la componen y por diversos o semejantes que puedan ser su modo de vida, sus ocupaciones, su carácter o su inteligencia, el mero hecho de

[1] Traducido al alemán por el doctor Rudolf Eisler, 2ª ed., 1912. [Original en francés, *Psychologie des foules*, 1895.]

hallarse trastormados en una masa los dota de una especie de alma colectiva en virtud de la cual sienten, piensan y actúan de manera enteramente distinta de como sentiría, pensaría y actuaría cada uno de ellos en forma aislada. Hay ideas y sentimientos que sólo emergen o se convierten en actos en los individuos ligados en masas. La masa psicológica es un ente provisional que consta de elementos heterogéneos; estos se han unido entre sí durante un cierto lapso, tal como las células del organismo forman, mediante su unión, un nuevo ser que muestra propiedades muy diferentes que sus células aisladas» (pág. 13 [de la traducción al alemán]).

Tomándonos la libertad de jalonar la exposición de Le Bon mediante nuestras glosas, hagamos notar en este punto: Si los individuos dentro de la masa están ligados en una unidad, tiene que haber algo que los una, y este medio de unión podría ser justamente lo característico de la masa. Empero, Le Bon no da respuesta a esta cuestión; entra a considerar directamente la alteración del individuo dentro de la masa, y la describe con expresiones que concuerdan bien con las premisas básicas de nuestra psicología profunda.

«Es fácil verificar la gran diferencia que existe entre un individuo perteneciente a una masa y un individuo aislado, pero es más difícil descubrir las causas de esa diferencia.

»Para llegar al menos a entreverlas es preciso recordar ante todo la comprobación hecha por la psicología moderna, a saber, que los fenómenos inconcientes desempeñan un papel preponderante no sólo en la vida orgánica, sino también en el funcionamiento de la inteligencia. La vida conciente del espíritu representa sólo una mínima parte comparada con la vida inconciente. El analítico más fino, el observador más penetrante, no llega nunca a descubrir más que un pequeño número de los motivos [in]concientes [2] que determinan su conducta. Nuestros actos concientes derivan de un sustrato inconciente creado en lo fundamental por influencias hereditarias. Este sustrato incluye las innumerables huellas ancestrales que constituyen el alma de la raza. Tras las causas confesadas de nuestros actos están sin duda las causas secretas que no confesamos, pero tras estas hay todavía muchas otras más secretas que ni conocemos. La mayoría de nuestras acciones cotidianas son efecto de motivos ocultos, que escapan a nuestro conocimiento» (*ibid.*, pág. 14).

[2] [Como se apuntaba en una nota al pie de la edición de 1940 de las *GW*, el texto francés reza «*inconscients*»; en la versión alemana citada por Freud se lee, en cambio, «*bewusster*» («concientes»).]

En la masa, opina Le Bon, desaparecen las adquisiciones de los individuos y, por tanto, su peculiaridad. Aflora el inconciente racial, lo heterogéneo se hunde en lo homogéneo. Diríamos que la superestructura psíquica desarrollada tan diversamente en los distintos individuos es desmontada, despotenciada, y se pone al desnudo (se vuelve operante) el fundamento inconciente, uniforme en todos ellos.

Así se engendraría un carácter promedio en los individuos de la masa. Pero Le Bon halla que también muestran nuevas propiedades que no habían poseído hasta entonces, y busca la razón de ello en diferentes factores.

«La primera de estas causas consiste en que dentro de la masa el individuo adquiere, por el solo hecho del número, un sentimiento de poder invencible que le permite entregarse a instintos que, de estar solo, habría sujetado forzosamente. Y tendrá tanto menos motivo para controlarse cuanto que, por ser la masa anónima, y por ende irresponsable, desaparece totalmente el sentimiento de la responsabilidad que frena de continuo a los individuos» (*ibid.*, pág. 15).

Desde nuestro punto de vista, no nos hace falta atribuir mucho valor a la emergencia de nuevas propiedades. Nos bastaría con decir que el individuo, al entrar en la masa, queda sometido a condiciones que le permiten echar por tierra las represiones de sus mociones pulsionales inconcientes. Las propiedades en apariencia nuevas que entonces se muestran son, justamente, las exteriorizaciones de eso inconciente que sin duda contiene, como disposición [constitucional], toda la maldad del alma humana; en estas circunstancias, la desaparición de la conciencia moral o del sentimiento de responsabilidad no ofrece dificultad alguna para nuestra concepción. Hace ya mucho afirmamos que el núcleo de la llamada conciencia moral es la «angustia social».[3]

«Una segunda causa, el contagio, contribuye igualmente a hacer que en las masas se exterioricen rasgos especiales y,

[3] [Véase «De guerra y muerte» (1915*b*), *AE*, **14**, págs. 281-2.] — Cierta diferencia entre la concepción de Le Bon y la nuestra viene determinada por el hecho de que su concepto de lo inconciente no coincide en todos sus puntos con el adoptado por el psicoanálisis. El inconciente de Le Bon contiene principalmente los rasgos más profundos del alma de la raza, algo que en verdad el psicoanálisis individual no considera. No desconocemos, por cierto, que el núcleo del yo (el ello, como lo he llamado más tarde), al que pertenece la «herencia arcaica» del alma humana, es inconciente, pero además distinguimos lo «reprimido inconciente», surgido de una parte de esta herencia. Este concepto de lo reprimido falta en Le Bon.

al mismo tiempo, a marcar la orientación de estos. El contagio es un fenómeno fácil de comprobar, pero inexplicable; es preciso contarlo entre los fenómenos de índole hipnótica que pronto estudiaremos. En la multitud, todo sentimiento y todo acto son contagiosos, y en grado tan alto que el individuo sacrifica muy fácilmente su interés personal al interés colectivo. Esta aptitud es enteramente contraria a su naturaleza, y el ser humano sólo es capaz de ella cuando integra una masa» (*ibid.*, pág. 16).

Más adelante, fundándonos en esa tesis, formularemos una importante conjetura.

3º

«Una tercera causa, por cierto la más importante, determina en los individuos de una masa particulares propiedades, muy opuestas a veces a las del individuo aislado. Me refiero a la sugestionabilidad, de la cual, por lo demás, el mencionado contagio es sólo un efecto.

»Para la comprensión de este fenómeno vienen a cuento ciertos descubrimientos recientes de la fisiología. Hoy sabemos que, por diversos procedimientos, un ser humano puede ser puesto en un estado tal que, tras perder por entero su personalidad conciente, obedezca a todas las sugestiones de quien le ha quitado aquella y cometa los actos más contrarios a su carácter y costumbres. Ahora bien, observaciones muy cuidadosas parecen demostrar que el individuo inmerso durante cierto lapso en una masa activa muy pronto se encuentra —por efluvios que emanan de aquella o por alguna otra causa desconocida— en un estado singular, muy próximo a la fascinación en que cae el hipnotizado bajo la influencia del hipnotizador. (. . .) La personalidad conciente ha desaparecido por completo, la voluntad y el discernimiento quedan abolidos. Sentimientos y pensamientos se orientan en la dirección que les imprime el hipnotizador.

»Tal es aproximadamente el estado del individuo perteneciente a una masa psicológica. No tiene ya conciencia de sus actos. En él, lo mismo que en el hipnotizado, al par que ciertas aptitudes se encuentran neutralizadas, otras pueden elevarse hasta un grado extremo de exaltación. Bajo la influencia de una sugestión, un impulso irresistible lo llevará a ejecutar ciertos actos. Y este impulso es todavía más irrefrenable en las masas que en el hipnotizado, porque siendo la sugestión idéntica para todos los individuos que la componen, se acrecienta por la reciprocidad» (*ibid.*, pág. 16).

«Los principales rasgos del individuo integrante de la masa son, entonces: la desaparición de la personalidad conciente, de los sentimientos e ideas en el mismo sentido por sugestión y contagio, y la tendencia a trasformar inmediatamente en actos las ideas sugeridas. El individuo deja de ser él mismo; se ha convertido en un autómata carente de voluntad» (*ibid.*, pág. 17).

He citado tan por extenso a Le Bon porque quería demostrar que afirma realmente —y no lo aduce con mero propósito comparativo— el carácter hipnótico del estado del individuo dentro de la masa. No nos proponemos contradecirlo; sólo pondremos de relieve que las dos causas de alteración del individuo en la masa citadas en último término, el contagio y la sugestionabilidad acrecentada, evidentemente no se encuentran en pie de igualdad, ya que el contagio ha de ser también una exteriorización de la sugestionabilidad. Tampoco nos parecen nítidamente separados, en el texto de Le Bon, los efectos de ambos factores. Acaso la mejor interpretación de sus tesis consista en referir el contagio al efecto que los miembros singulares de la masa ejercen unos sobre otros, mientras que los fenómenos de sugestión discernibles en la masa —equiparados por Le Bon al influjo hipnótico— remitirían a otra fuente. Pero, ¿a cuál? No puede sino parecernos una sensible omisión que Le Bon no mencione una de las piezas principales de esta comparación, a saber, la persona que haría las veces del hipnotizador en el caso de la masa. Comoquiera que fuese, él distingue de este influjo de fascinación, que deja en la sombra, el efecto de contagio que los individuos ejercen unos sobre otros y por el cual se refuerza la sugestión originaria.

Resta todavía un punto de vista importante para formular un juicio sobre el individuo de la masa: «Además, por el mero hecho de pertenecer a una masa organizada, el ser humano desciende varios escalones en la escala de la civilización. Aislado, era quizás un individuo culto; en la masa es un bárbaro, vale decir, una criatura que actúa por instinto. Posee la espontaneidad, la violencia, el salvajismo y también el entusiasmo y el heroísmo de los seres primitivos» (*ibid.*, pág. 17). Le Bon se detiene particularmente en la merma de rendimiento intelectual experimentada por el individuo a raíz de su fusión en la masa.[4]

[4] Cf. el dístico de Schiller [«G. G.», uno de los «Sprüche» (aforismos)]:

> «Cada cual, si se lo ve solo, es pasablemente listo y sabio;
> cuando están *in corpore*, os parecerán unos asnos».

Dejemos ahora a los individuos y atendamos a la descripción del alma de las masas tal como Le Bon la bosqueja. No hay en ella rasgo alguno cuya deducción y ubicación ofrecieran dificultades al psicoanalista. El propio Le Bon nos indica el camino apuntando la coincidencia con la vida anímica de los primitivos y de los niños (*ibid.*, pág. 19).

La masa es impulsiva, voluble y excitable. Es guiada casi con exclusividad por lo inconciente.[5] Los impulsos a que obedece pueden ser, según las circunstancias, nobles o crueles, heroicos o cobardes; pero, en cualquier caso, son tan imperiosos que nunca se impone lo personal, ni siquiera el interés de la autoconservación (*ibid.*, pág. 20). Nada en ella es premeditado. Si apetece las cosas con pasión, nunca es por mucho tiempo; es incapaz de una voluntad perseverante. No soporta dilación entre su apetito y la realización de lo apetecido. Abriga un sentimiento de omnipotencia; el concepto de lo imposible desaparece para el individuo inmerso en la masa.[6]

La masa es extraordinariamente influible y crédula; es acrítica, lo improbable no existe para ella. Piensa por imágenes que se evocan asociativamente unas a otras, tal como sobrevienen al individuo en los estados del libre fantaseo; ninguna instancia racional mide su acuerdo con la realidad. Los sentimientos de la masa son siempre muy simples y exaltados. Por eso no conoce la duda ni la incerteza.[7]

Pasa pronto a los extremos, la sospecha formulada se le convierte enseguida en certidumbre incontrastable, un germen de antipatía deviene odio salvaje (*ibid.*, pág. 32).[8]

[5] «Inconciente» es correctamente empleado aquí por Le Bon en el sentido descriptivo, toda vez que no tiene el particular significado de lo «reprimido».

[6] Cf. el tercer ensayo de *Tótem y tabú* (1912-13) [*AE*, **13**, págs. 88 y sigs.].

[7] En la interpretación de los sueños, a los que en verdad debemos nuestro mejor conocimiento de la vida anímica inconciente, obedecemos a esta regla técnica: prescindimos de toda duda o incerteza que aparezcan en el relato del sueño, y tratamos a cada elemento del sueño manifiesto como igualmente certificado. Atribuimos las dudas e incertezas a la influencia de la censura a que está sometido el trabajo del sueño, y suponemos que los pensamientos oníricos primarios no conocen la duda ni la incerteza como operaciones críticas. En calidad de contenido pueden, desde luego, como cualquier otra cosa, preexistir entre los restos diurnos que conducen al sueño. (Véase *La interpretación de los sueños* (1900*a*) [*AE*, **5**, pág. 511].)

[8] Idéntica intensificación extrema y desmedida de todas las mociones afectivas es inherente también a la afectividad del niño, y se reencuentra en la vida onírica, donde, merced al aislamiento {*Isolierung*} de las mociones afectivas singulares que predomina en el inconciente, un ligero enojo del día se expresa como deseo de muerte contra la persona culpable, o una leve tentación se convierte en la

Inclinada ella misma a todos los extremos, la masa sólo es excitada por estímulos desmedidos. Quien quiera influirla no necesita presentarle argumentos lógicos; tiene que pintarle las imágenes más vivas, exagerar y repetir siempre lo mismo.

Puesto que la masa no abriga dudas sobre lo verdadero o lo falso, y al mismo tiempo tiene la conciencia de su gran fuerza, es tan intolerante como obediente ante la autoridad. Respeta la fuerza, y sólo en escasa medida se deja influir por las buenas maneras, que considera signo de debilidad. Lo que pide de sus héroes es fortaleza, y aun violencia. Quiere ser dominada y sometida, y temer a sus amos. Totalmente conservadora en el fondo, siente profunda aversión hacia las novedades y progresos, y una veneración sin límites por la tradición (*ibid.*, pág. 37).

Para juzgar correctamente la moralidad de las masas es preciso tener en cuenta que al reunirse los individuos de la masa desaparecen todas las inhibiciones y son llamados a una libre satisfacción pulsional todos los instintos crueles, brutales, destructivos, que dormitan en el individuo como relictos del tiempo primordial. Pero, bajo el influjo de la sugestión, las masas son capaces también de elevadas muestras de abnegación, desinterés, consagración a un ideal. Mientras que en el individuo aislado la ventaja personal es a menudo el móvil exclusivo, rara vez predomina en las masas. Puede hablarse de una moralización del individuo por la masa (*ibid.*, pág. 39). Mientras que el rendimiento intelectual de la masa es siempre muy inferior al del individuo, su conducta ética puede tanto sobrepasar con creces ese nivel como quedar muy por debajo de él.

Otros rasgos de la caracterización de Le Bon echan viva luz sobre la licitud de identificar el alma de las masas con el alma de los primitivos. En las masas, las ideas opuestas pueden coexistir y tolerarse sin que su contradicción lógica dé por resultado un conflicto. Pero lo mismo ocurre en la vida anímica inconciente de los individuos, de los niños y de los neuróticos, como el psicoanálisis lo ha demostrado hace tiempo.[9]

impulsora de una acción criminal figurada en el sueño. Hay una linda observación del doctor Hanns Sachs sobre este hecho: «Eso que el sueño nos hizo notorio en materia de relaciones con el presente (realidad), queremos después rebuscarlo también en la conciencia, y no tenemos derecho a asombrarnos si lo enorme que vimos bajo la lente de aumento del análisis lo reencontramos después como un infusorio microscópico». (*La interpretación de los sueños* (1900*a*) [*AE*, **5**, págs. 607-8; cf. Sachs (1912, pág. 569)].)

[9] En el niño pequeño, por ejemplo, durante largo tiempo coexisten actitudes afectivas ambivalentes hacia quienes lo rodean, sin que

Además, la masa está sujeta al poder verdaderamente mágico de las palabras; estas provocan las más temibles tormentas en el alma de las masas, y pueden también apaciguarla (*ibid.*, pág. 74). «De nada vale oponer la razón y los argumentos a ciertas palabras y fórmulas. Se las pronuncia con unción ante las masas, y al punto los rostros cobran una expresión respetuosa y las cabezas se inclinan. Muchos las consideran fuerzas naturales o poderes sobrenaturales» (*ibid.*, pág. 75). No hace falta sino recordar el tabú de los nombres entre los primitivos, los poderes mágicos que atribuyen a nombres y palabras.[10]

Y por último: Las masas nunca conocieron la sed de la verdad. Piden ilusiones, a las que no pueden renunciar. Lo irreal siempre prevalece sobre lo real, lo irreal las influye casi con la misma fuerza que lo real. Su visible tendencia es no hacer distingo alguno entre ambos (*ibid.*, pág. 47).

Por nuestra parte, hemos demostrado que este predominio de la vida de la fantasía y de la ilusión sustentada por el deseo incumplido comanda la psicología de las neurosis. Hallamos que para los neuróticos no vale la realidad objetiva, corriente, sino la realidad psíquica. Un síntoma histérico se funda en una fantasía, y no en la repetición de un vivenciar real; la conciencia de culpa, en la neurosis obsesiva, se funda en el hecho de un mal designio que nunca llegó a ejecutarse. Así pues, lo mismo que en el sueño y en la hipnosis, en la

una de ellas perturbe la expresión de su contraria. Si después finalmente se llega al conflicto entre ambas, tiene el siguiente trámite: el niño cambia de vía el objeto, desplaza una de las mociones ambivalentes sobre un objeto sustitutivo. También en la historia genética de la neurosis de un adulto podemos averiguar que una moción sofocada se continuó, a menudo por largo tiempo, en fantasías inconcientes o aun concientes —cuyo contenido, desde luego, contrariaba directamente a una aspiración dominante—, sin que esa oposición tuviera por resultado una intervención del yo contra lo desestimado por él. La fantasía se tolera durante todo un período, hasta que de pronto, por lo común a consecuencia de su investidura afectiva, estalla el conflicto entre ella y el yo, con todas sus consecuencias.

En el proceso de desarrollo del niño en adulto, sobreviene en general una *integración* cada vez más amplia de la personalidad, una síntesis de las diversas mociones pulsionales y aspiraciones de meta que han crecido en ella independientemente unas de otras. Hace tiempo conocemos el proceso análogo en el ámbito de la vida sexual: la síntesis de todas las pulsiones sexuales en la organización genital definitiva. (*Tres ensayos de teoría sexual* (1905*d*) [*AE*, **7**, pág. 189].) Por lo demás, múltiples ejemplos (como el del naturalista que sigue creyendo en la Biblia) muestran que la unificación del yo puede experimentar las mismas perturbaciones que la de la libido. — [*Agregado* en 1923:] Las diversas posibilidades de una posterior descomposición del yo constituyen un capítulo particular de la psicopatología.

[10] Véase *Tótem y tabú* (1912-13) [*AE*, **13**, págs. 60-3].

actividad anímica de la masa el examen de realidad retrocede frente a la intensidad de las mociones de deseo afectivamente investidas.

Lo que Le Bon dice acerca del conductor de las masas es menos exhaustivo y no deja traslucir tan claramente la ley de los fenómenos. En su opinión, tan pronto como unos seres vivos se encuentran reunidos en cierto número, se trate de un rebaño de animales o de una multitud humana, se ponen instintivamente bajo la autoridad de un jefe (*ibid.*, pág. 86). La masa es un rebaño obediente que nunca podría vivir sin señor. Tiene tal sed de obedecer que se subordina instintivamente a cualquiera que se designe su señor.

Si la necesidad de la masa solicita un conductor, este tiene que corresponderle con ciertas propiedades personales. Para suscitar la creencia de la masa, él mismo tiene que estar fascinado por una intensa creencia (en una idea); debe poseer una voluntad poderosa, imponente, que la masa sin voluntad le acepta. Le Bon enumera después las diversas clases de conductores y los medios por los cuales influyen sobre la masa. En general, entiende que los conductores adquieren su predicamento por las ideas que los fanatizan a ellos mismos.

Por otra parte, atribuye tanto a esas ideas como a los conductores un poder misterioso, irresistible, que denomina «prestigio». El prestigio es una suerte de imperio que ejerce sobre nosotros un individuo, una obra o una idea. Paraliza por completo nuestra capacidad de crítica y nos llena de asombro y respeto. A su juicio, provocaría un sentimiento semejante al de la fascinación en la hipnosis (*ibid.*, pág. 96).

Le Bon distingue entre prestigio adquirido o artificial y prestigio personal. El primero es el que el nombre, la riqueza, la posición social prestan a las personas, y la tradición presta a las opiniones, obras de arte, etc. En todos los casos dicho prestigio se remonta al pasado, por lo cual nos ayudará poco a comprender aquel enigmático influjo. El prestigio personal adhiere a pocas personas, que en virtud de él se convierten en conductores, y hace que todos les obedezcan como por obra de un ensalmo magnético. No obstante, todo prestigio depende también del éxito, y se pierde por el fracaso (*ibid.*, pág. 103).

Se tiene la impresión de que las consideraciones de Le Bon sobre el papel del conductor y el prestigio no están a la altura de su brillante descripción del alma de las masas.

III. Otras apreciaciones de la vida anímica colectiva

La exposición de Le Bon, por su insistencia en la vida anímica inconciente, coincide en muchos puntos con nuestra propia psicología; por eso nos servimos de ella a manera de introducción. Pero ahora debemos agregar que ninguna de las tesis de este autor aporta nada verdaderamente nuevo. Todo lo que afirma sobre las exteriorizaciones del alma de las masas en el sentido de su desprecio y vilipendio ya había sido dicho por otros con igual precisión y hostilidad; pensadores, estadistas y poetas lo han venido repitiendo en idénticos términos desde la bibliografía más antigua.[1] Las dos tesis que contienen las opiniones más importantes de Le Bon (la inhibición colectiva del rendimiento intelectual y el aumento de la afectividad en la masa) habían sido formuladas poco antes por Sighele.[2] En el fondo, sólo restan dos puntos de vista como propios de Le Bon: el del inconciente y la comparación con la vida anímica de los primitivos (también estos puntos, desde luego, fueron señalados muchas veces antes de él).

Pero hay algo más: la descripción y apreciación del alma de las masas, tal como las formulan Le Bon y los otros, en manera alguna han quedado exentas de objeción. Sin duda, todos los fenómenos antes descritos del alma de las masas han sido correctamente observados; pero también es posible individualizar otras exteriorizaciones de la formación de masa, opuestas por completo a aquellas, y de las cuales se deriva por fuerza una estimación mucho más alta del alma de las masas.

También Le Bon estaba dispuesto a admitir que, en ciertas circunstancias, la eticidad de las masas puede ser más alta que la de los individuos que la componen, y que sólo las colectividades son capaces de un altruismo y una consagración elevados: «Mientras en el individuo aislado la ventaja personal es a menudo el móvil exclusivo, rara vez predomina en las masas» (1895 [traducción al alemán], pág. 38). Otros señalan que es la sociedad la que prescribe al indivi-

[1] Cf. texto y bibliografía en B. Kraskovic (1915).
[2] Cf. Walter Moede (1915).

duo las normas de la ética, mientras que él mismo suele defraudar en algún aspecto esas elevadas exigencias. Apuntan también que en estados excepcionales se produce en una colectividad el fenómeno del entusiasmo, que ha posibilitado los más grandiosos logros de las masas.

Con relación al rendimiento intelectual, no obstante, es un hecho que las grandes conquistas del pensamiento, los descubrimientos importantes y la solución de problemas sólo son posibles para el individuo que trabaja solitario. Pero también el alma de las masas es capaz de geniales creaciones espirituales, como lo prueban, en primer lugar, el lenguaje mismo, y además las canciones tradicionales, el folklore, etc. Por otra parte, no se sabe cuánto deben el pensador o el creador literario individuales a la masa dentro de la cual viven; acaso no hagan sino consumar un trabajo anímico realizado simultáneamente por los demás.

En vista de estas contradicciones totales, parece que la labor de la psicología de las masas no daría fruto alguno. Pero es fácil hallar un camino más promisorio. Es probable que bajo el nombre de «masas» se hayan reunido formaciones muy diversas, que deberían separarse. Las indicaciones de Sighele, Le Bon y otros se refieren a masas efímeras que se aglomeran por la reunión de individuos de diversos tipos con miras a un interés pasajero. Es innegable que las pinturas de estos autores se han visto influidas por los caracteres de las masas revolucionarias, en particular las de la gran Revolución Francesa. Las afirmaciones opuestas provienen de la apreciación de aquellas masas o asociaciones estables a que los seres humanos consagran su vida y que se encarnan en las instituciones de la sociedad. Las masas de la primera variedad son con respecto a las de la segunda, por así decir, como las olas breves, pero altas, del mar con respecto a las mareas.

McDougall, quien en su libro *The Group Mind* (1920*a*) parte de la misma contradicción a que aludíamos, halla su solución en el factor de la organización. En el caso más simple —dice—, la masa (*group*) no posee organización alguna, o la tiene ínfima. Designa «multitud» (*crowd*) a una masa así. Pero admite que difícilmente se reúne una multitud de seres humanos sin que se formen al menos los rudimentos de una organización, y que justamente en estas masas simples es posible individualizar con particular facilidad muchos hechos básicos de la psicología colectiva (*ibid.*, pág. 22). La condición que se requiere para que los miembros de una multitud de seres humanos agrupados por casualidad formen algo semejante a una masa en sentido psicológico es que esos individuos tengan algo en común, un interés común por un objeto, pareja orientación afectiva dentro de cierta situación y (tentado estoy de decir: «en consecuencia») cierto grado de capacidad para influirse recíprocamente («*some degree of reciprocal influence between the members of the group*», *ibid.*, pág. 23). Mientras más fuertes sean estas relaciones de comunidad («*this mental homogeneity*»), con tanto mayor facilidad se forma a partir de los individuos una masa psicológica, y tanto más llamativas son las manifestaciones de un «alma de la masa».

Ahora bien, el fenómeno más notable —y al mismo tiempo el más importante— de la formación de masa es el incremento de la afectividad que provoca en cada individuo («*exaltation or intensification of emotion*», *ibid.*, pág. 24). Puede afirmarse, a juicio de McDougall, que los afectos de los hombres difícilmente alcanzan bajo otras condiciones la intensidad a que pueden llegar dentro de una masa; y en verdad es una sensación gozosa para sus miembros entregarse así, sin barreras, a sus pasiones, y de ese modo confundirse en la masa, perder el sentimiento de su individualidad. McDougall explica este «ser-arrastrado» del individuo por lo que llama el «*principle of direct induction of emotion by way of the primitive sympathetic response*» (*ibid.*, pág. 25), vale decir, el contagio de sentimientos que ya conocemos.* El hecho es que los signos percibidos de un estado afectivo son aptos para provocar automáticamente el mismo afecto en quien los percibe. Y esta compulsión {*Zwang*} automática se vuelve tanto más fuerte cuantas más son las personas en que se nota simultáneamente el mismo afecto. Entonces se acalla la crítica del individuo, y él se deja deslizar hacia idéntico afecto. Pero con ello aumenta la excitación de esos otros que habían influido sobre él, y de tal suerte se acrecienta, por inducción recíproca, la carga afectiva {*Affektladung*} de los individuos. Es innegable: opera ahí algo así como una compulsión a hacer lo mismo que los otros, a ponerse en consonancia con los muchos. Las mociones afectivas más groseras y simples son las que tienen las mayores probabilidades de difundirse de tal modo en una masa (*ibid.*, pág. 39).

Este mecanismo del incremento del afecto es favorecido

* {Como ya se habrá comprobado, Freud no traduce a McDougall sino que lo parafrasea; aquí la traducción literal sería: «el principio de inducción directa de la emoción por vía de la respuesta primitiva de simpatía».}

aún por algunas otras influencias que parten de la masa. Esta impresiona a los individuos como un poder irrestricto y un peligro insalvable. Por un momento remplaza a la sociedad humana global, que es la portadora de la autoridad, cuyos castigos se temen y por amor de la cual * uno se ha impuesto tantas inhibiciones. Evidentemente, es peligroso entrar en contradicción con ella; uno se siente seguro siguiendo el ejemplo de los demás y, llegado el caso, «aullando con la manada». En obediencia a la nueva autoridad es lícito rescindir la anterior «conciencia moral» y entregarse a los halagos de la ganancia de placer que uno de seguro alcanzará cancelando sus inhibiciones. En definitiva, no es tan asombroso, pues, que los individuos de la masa hagan o aprueben cosas a las que habrían dado la espalda en su vida ordinaria, y hasta podemos abrigar la esperanza de despejar así parte del oscuro problema que suele abarcarse con la enigmática palabra «sugestión».

Tampoco McDougall cuestiona la tesis de la inhibición colectiva de la inteligencia dentro de la masa (*ibid.*, pág. 41). Dice que las inteligencias inferiores hacen descender a su nivel a las superiores. El quehacer de estas últimas resulta inhibido porque el incremento de la afectividad crea en general condiciones desfavorables para un trabajo mental correcto; además, porque los individuos son amedrentados por la masa y su trabajo de pensamiento no es libre, y porque en cada cual merma la conciencia de la responsabilidad por sus obras.

El juicio global de McDougall sobre el rendimiento psíquico de una masa simple, «no organizada», no es más amable que el de Le Bon. Una masa tal es: extremadamente excitable, impulsiva, apasionada, veleidosa, inconsecuente, irresoluta y al mismo tiempo inclinada a acciones extremas, accesible sólo a las pasiones más groseras y los sentimientos más simples, extraordinariamente sugestionable, aturdida en sus reflexiones, violenta en sus juicios, receptiva sólo para los razonamientos y argumentos más elementales e incompletos, fácil de conducir y de amedrentar, sin conciencia de sí, respeto por sí ni sentimiento de responsabilidad, pero pronta a dejarse arrastrar por la conciencia de su fuerza a toda clase de desaguisados, que sólo esperaríamos de un poder absoluto e irresponsable. Por tanto, se porta más bien como un niño malcriado o como un salvaje apasionado y desenfrenado en una situación que le fuera extraña; en los casos

* {Acerca de este giro, véase nuestra nota de pág. 88.}

peores, la conducta de la masa se asemeja más a la de una manada de animales salvajes que a la de los seres humanos (*ibid.*, pág. 45).

Puesto que McDougall opone la conducta de las masas altamente organizadas a la aquí descrita, sentimos una particular urgencia en averiguar en qué consiste esa organización y cuáles son los factores que la producen. El autor enumera cinco de estas «*principal conditions*» para que la vida anímica de la masa se eleve de nivel.

La primera condición básica es cierto grado de continuidad en la persistencia de la masa. Puede ser material o formal; la primera, cuando las mismas personas permanecen un tiempo prolongado en la masa, y la segunda, cuando dentro de la masa se desarrollan ciertas posiciones que pueden asignarse a personas que se releven unas a otras.

La segunda condición es que se haya creado en los individuos de la masa una determinada representación acerca de la naturaleza, función, operaciones y exigencias de aquella, de suerte que de ahí pueda derivarse para ellos un vínculo afectivo con la masa en su conjunto.

La tercera es que la masa esté en relación con otras formaciones de masa semejantes a ella pero divergentes en muchos puntos. Por ejemplo, que rivalice con estas.

La cuarta, que la masa posea tradiciones, usos e instituciones, en particular los que se refieren a la relación de sus miembros entre sí.

La quinta, que dentro de la masa exista una articulación, expresada en la especialización y diferenciación de las operaciones que corresponden al individuo.

Según McDougall, cuando se cumplen estas condiciones quedan canceladas las desventajas psíquicas de la formación de masa. El modo de protegerse de la merma colectiva de la inteligencia es sustraer de la masa la solución de las tareas intelectuales y reservarla a algunos individuos que forman parte de ella.

A nuestro parecer, la condición que McDougall llama «organización» de la masa puede describirse más justificadamente de otro modo. La tarea consiste en procurar a la masa las mismas propiedades que eran características del individuo y se le borraron por la formación de masa. En efecto, el individuo poseía —fuera de la masa primitiva— su continuidad, su conciencia de sí, sus tradiciones y usos, su trabajo e inserción particulares, y se mantenía separado de otros con quienes rivalizaba. Esta especificidad es la que había perdido por un tiempo a raíz de su ingreso en la masa no «organizada». Y si de tal modo reconocemos que la meta es dotar a la masa con los atributos del individuo, nos viene a la memoria una sustanciosa observación de W. Trotter,[3] quien discierne en la inclinación a formar masa una continuación biológica del carácter pluricelular de todos los organismos superiores.[4]

[3] Véase *Instincts of the Herd in Peace and War* (1916). [Cf. *infra*, págs. 112 y sigs.]

[4] [*Nota agregada* en 1923:] En oposición a una crítica [al presente trabajo] de Hans Kelsen (1922), en lo demás comprensiva y aguda, no puedo admitir que el hecho de dotar al «alma de la masa» con una organización implique hipostasiarla, vale decir, reconocerle una existencia independiente de los procesos anímicos que se despliegan en el individuo.

IV. Sugestión y libido

Hemos partido del hecho básico de que en una masa el individuo experimenta, por influencia de ella, una alteración a menudo profunda de su actividad anímica. Su afectividad se acrecienta extraordinariamente, su rendimiento intelectual sufre una notable merma. Es evidente que ambos procesos apuntan a una nivelación con los otros individuos de la masa, resultado este que sólo puede alcanzarse por la cancelación de las inhibiciones pulsionales propias de cada individuo y por la renuncia a las inclinaciones que él se ha plasmado. Se nos dijo que estos elementos, con frecuencia indeseados, pueden contrarrestarse, al menos en parte, mediante una «organización» más elevada de las masas, pero ello no puso en entredicho el hecho básico de la psicología de las masas: las dos tesis del incremento del afecto y de la inhibición del pensamiento en la masa primitiva. Ahora nuestro interés consiste en hallar la explicación psicológica de ese cambio anímico que los individuos sufren en la masa.

Factores racionales como el ya mencionado amedrentamiento de los individuos, vale decir, la acción de su pulsión de autoconservación, no agotan, es evidente, los fenómenos observables. La explicación alternativa que nos ofrecen los autores que escriben sobre sociología y psicología de las masas es siempre la misma, aunque bajo nombres variables: la palabra ensalmadora «*sugestión*». Tarde [1890] la llama *imitación*, pero debemos coincidir con un autor que nos previene que la imitación cae bajo el concepto de la sugestión y es justamente una consecuencia de ella (Brugeilles, 1913). Le Bon reconduce todo lo extraño de los fenómenos sociales a dos factores: a la sugestión recíproca de los individuos y al prestigio del conductor. Pero el prestigio, a su vez, no se exterioriza sino por su efecto, que es provocar sugestión. En McDougall podríamos tener por un momento la impresión de que su principio de la «inducción primaria de afecto» excusa la hipótesis de la sugestión. Pero una ulterior reflexión nos hará comprender que este principio no enuncia nada distinto de las conocidas tesis sobre la «imitación» o el «contagio»; el único matiz diferencial es su decidida insistencia en el factor afectivo. Es cierto que existe en nosotros una tendencia a caer en determinado estado afectivo cuando percibimos sus signos en otro. Pero, ¿cuántas veces la resistimos con éxito, rechazamos el afecto y reaccionamos de manera totalmente opuesta? Y entonces, ¿por qué cedemos regularmente a ese contagio cuando formamos parte de la masa? Habría que decir, también aquí, que es el influjo sugestivo de la masa el que nos fuerza a obedecer a esa tendencia imitativa e induce en nosotros el afecto. Por lo demás, tampoco McDougall elude la sugestión; como los otros, nos dice: las masas se distinguen por una particular sugestionabilidad.

Esto nos predispone a admitir el enunciado de que la sugestión (más correctamente: la sugestionabilidad) sería un fenómeno primordial no susceptible de ulterior reducción, un hecho básico de la vida anímica de los seres humanos. Por tal la tiene en efecto Bernheim, de cuyo arte asombroso fui testigo en 1889. Pero, bien lo recuerdo, ya en esa época sentí una sorda hostilidad hacia esa tiranía de la sugestión. Si un enfermo no se mostraba obediente, le espetaban: «¿Qué hace usted, pues? *Vous vous contre-suggestionnez!*». Me dije entonces que eso era una manifiesta injusticia y un acto de violencia. Sin duda alguna, el sujeto tenía derecho a contrasugestionarse cuando se intentaba someterlo con sugestiones. Por eso más tarde mi resistencia tomó el sesgo de una rebelión frente al hecho de que la sugestión, que lo explicaba todo, se sustrajera ella misma a la explicación.[1] Respecto de ella repetí el viejo acertijo jocoso:[2]

Cristóbal sostenía a Cristo,
Cristo sostenía al mundo entero;
así pues, díganme, en ese tiempo,
¿dónde apoyaba el pie Cristóbal?

Christophorus Christum, sed Christus sustulit orbem:
Constiterit pedibus dic ubi Christophorus?

Ahora que vuelvo a abordar el enigma de la sugestión después de haber permanecido alejado de él durante treinta años,** hallo que no ha variado en nada. (Para esta afirma-

1 [Véanse, por ejemplo, algunas puntualizaciones en el historial clínico del pequeño Hans (1909*b*), *AE*, **10**, pág. 85.]

2 Konrad Richter, «Der deutsche St. Christoph», *Acta Germanica*, Berlín, 1896, **5**. [Freud ya la había citado en su reseña (1889*a*) del libro de Forel (1889*b*). Cf. mi «Nota introductoria», *supra*, pág. 66*n*.]

** {Probablemente se refiera al artículo «Tratamiento psíquico (tratamiento del alma)» (1890*a*). Véase la «Introducción» de Strachey a los «Trabajos sobre hipnotismo y sugestión», *AE*, **1**, pág. 70.}

ción puedo prescindir de una única excepción, que justamente atestigua la influencia del psicoanálisis.) Veo un particular empeño por formular de manera correcta el concepto de la sugestión, vale decir, por fijar convencionalmente el uso del término (v. gr., McDougall, 1920*b*); y en verdad, ello no es superfluo, pues la palabra afronta un uso cada vez más difundido en una acepción lata, y pronto designará un influjo cualquiera, como en la lengua inglesa, donde «*to suggest*» y «*suggestion*» equivalen a las expresiones alemanas «*nahelegen*» {«insinuar»} o «*Anregung*» {«incitación»}. Pero no se dio esclarecimiento alguno sobre la naturaleza de la sugestión, esto es, las condiciones bajo las cuales se producen influjos sin una base lógica suficiente. No esquivaría la tarea de corroborar este aserto examinando la bibliografía de estos últimos treinta años, pero me abstengo de ello porque sé que en mis cercanías se prepara una detallada investigación que se ha propuesto, justamente, demostrarlo.[3]

En lugar de ello intentaré aplicar al esclarecimiento de la psicología de las masas el concepto de *libido*, que tan buenos servicios nos ha prestado en el estudio de las psiconeurosis.

Libido es una expresión tomada de la doctrina de la afectividad. Llamamos así a la energía, considerada como magnitud cuantitativa —aunque por ahora no medible—, de aquellas pulsiones que tienen que ver con todo lo que puede sintetizarse como «amor». El núcleo de lo que designamos «amor» lo forma, desde luego, lo que comúnmente llamamos así y cantan los poetas, el amor cuya meta es la unión sexual. Pero no apartamos de ello lo otro que participa de ese mismo nombre: por un lado, el amor a sí mismo, por el otro, el amor filial y el amor a los hijos, la amistad y el amor a la humanidad; tampoco la consagración a objetos concretos y a ideas abstractas. Podemos hacerlo justificadamente, pues la indagación psicoanalítica nos ha enseñado que todas esas aspiraciones son la expresión de las mismas mociones pulsionales que entre los sexos esfuerzan en el sentido {*hindrängen*} de la unión sexual; en otras constelaciones, es verdad, son esforzadas a apartarse {*abdrängen*} de esta meta sexual o se les suspende su consecución, pero siempre conservan lo bastante de su naturaleza originaria como para que su identidad siga siendo reconocible (sacrificio de sí, búsqueda de aproximación).

Por eso opinamos que en la palabra «amor», con sus múltiples acepciones, el lenguaje ha creado una síntesis enteramente justificada, y no podemos hacer nada mejor que to-

[3] [*Nota agregada* en 1925:] Por desdicha, este trabajo no se ha llevado a cabo.

marla por base también de nuestras elucidaciones y exposiciones científicas. Cuando se decidió a hacerlo, el psicoanálisis desató una tormenta de indignación, como si se hubiera hecho culpable de una alocada novedad. Pero su concepción «ampliada» del amor no es una creación novedosa. Por su origen, su operación y su vínculo con la vida sexual, el «*Eros*» del filósofo Platón se corresponde totalmente con la fuerza amorosa {*Liebeskraft*}, la libido del psicoanálisis, según lo han expuesto en detalle Nachmansohn (1915) y Pfister (1921); y cuando el apóstol Pablo, en su famosa epístola a los Corintios, apreciaba al amor por sobre todo lo demás, lo entendía sin duda en este mismo sentido «ampliado»,[4] lo que nos enseña que los hombres no siempre toman en serio a sus grandes pensadores, aunque presuntamente los admiren mucho.

Ahora bien, en el psicoanálisis estas pulsiones de amor son llamadas *a potiori*, y en virtud de su origen, pulsiones sexuales. La mayoría de los hombres «cultos» han sentido este bautismo como un ultraje; su venganza fue fulminar contra el psicoanálisis el reproche de «pansexualismo». Quien tenga a la sexualidad por algo vergonzoso y denigrante para la naturaleza humana es libre de servirse de las expresiones más encumbradas de «Eros» y «erotismo». Yo mismo habría podido hacerlo desde el comienzo, ahorrándome muchas impugnaciones. Pero no quise porque prefiero evitar concesiones a la cobardía. Nunca se sabe adónde se irá a parar por ese camino; primero uno cede en las palabras y después, poco a poco, en la cosa misma. No puedo hallar motivo alguno para avergonzarse de la sexualidad; la palabra griega «eros», con la que se quiere mitigar el desdoro, en definitiva no es sino la traducción de nuestra palabra alemana «*Liebe*» {amor}; por último, el que puede esperar no necesita hacer concesiones.

Ensayemos, entonces, con esta premisa: vínculos de amor (o, expresado de manera más neutra, lazos sentimentales) constituyen también la esencia del alma de las masas. Recordemos que los autores no hablan de semejante cosa. Lo que correspondería a tales vínculos está oculto, evidentemente, tras la pantalla, tras el biombo, de la sugestión. Para empezar, nuestra expectativa se basa en dos reflexiones someras.

[4] «Si yo hablo lenguas humanas y angélicas, y no tengo caridad {amor}, vengo a ser como metal que resuena, o címbalo que retiñe» {*1 Corintios*, 13:1. En la versión de Casiodoro de Reina publicada por Sociedades Bíblicas Unidas se lee «caridad», al igual que en la *Biblia de Jerusalén,* donde en nota al pie se agrega: «A diferencia del amor pasional y egoísta, la caridad (*agapé*) es un amor de benevolencia que quiere el bien ajeno».}

La primera, que evidentemente la masa se mantiene cohesionada en virtud de algún poder. ¿Y a qué poder podría adscribirse ese logro más que al Eros, que lo cohesiona todo en el mundo?[5] En segundo lugar, si el individuo resigna su peculiaridad en la masa y se deja sugerir por los otros, recibimos la impresión de que lo hace porque siente la necesidad de estar de acuerdo con ellos, y no de oponérseles; quizás, entonces, «por amor de ellos».* [6]

[5] [Cf. *Más allá del principio de placer* (1920*g*), *supra*, pág. 49.]

* {«*Ihnen zuliebe*»: Es Freud mismo quien entrecomilla este giro, sugiriendo, además de su interpretación usual («por causa de»), otra en que se otorgue pleno valor a la palabra «amor» (o sea, que el individuo lo hace «movido por el amor».}

[6] [Ideas semejantes a las expresadas en los tres últimos párrafos se hallarán en el «Prólogo» a la cuarta edición de los *Tres ensayos de teoría sexual* (1905*d*), *AE*, **7**, pág. 121, que fue redactado más o menos por la misma época que la presente obra.]

V. Dos masas artificiales: Iglesia y ejército

Recordemos, de la morfología de las masas, que pueden distinguirse muy diferentes clases de masas y orientaciones opuestas en su conformación. Hay masas muy efímeras, y las hay en extremo duraderas; homogéneas, que constan de individuos de la misma clase, y no homogéneas; masas naturales y artificiales, que para su cohesión requieren, además, una compulsión externa; masas primitivas y articuladas, altamente organizadas. Pero por razones todavía no inteligibles para el lector, querríamos atribuir particular valor a un distingo que en los autores ha recibido poca atención; me refiero a la diferencia entre masas sin conductor y con él. Y en total oposición a lo que es habitual, nuestra indagación no escogerá como punto de partida una formación de masa relativamente simple, sino masas de alto grado de organización, duraderas, artificiales. Los ejemplos más interesantes de tales formaciones son la Iglesia —la comunidad de los creyentes— y el ejército.

Iglesia y ejército son masas artificiales, vale decir, se emplea cierta compulsión externa para prevenir su disolución [1] e impedir alteraciones de su estructura. Por regla general, no se pregunta al individuo si quiere ingresar en una masa de esa índole, ni se lo deja librado a su arbitrio; y el intento de separación suele estorbarse o penarse rigurosamente, o se lo sujeta a condiciones muy determinadas. El averiguar por qué estas asociaciones necesitan de garantías tan particulares es por completo ajeno a nuestro presente interés. Sólo nos atrae una circunstancia: en estas masas de alto grado de organización, y que se protegen de su disolución del modo antedicho, se disciernen muy nítidamente ciertos nexos que en otras están mucho más encubiertos.

En la Iglesia (con ventaja podemos tomar a la Iglesia católica como paradigma), lo mismo que en el ejército, y por diferentes que ambos sean en lo demás, rige idéntico espejismo (ilusión), a saber: hay un jefe —Cristo en la Iglesia

[1] [*Nota agregada* en 1923:] En las masas parecen coincidir, o al menos mantener una relación íntima, las propiedades «estable» y «artificial».

católica, el general en el ejército— que ama por igual a todos los individuos de la masa. De esta ilusión depende todo; si se la deja disipar, al punto se descomponen, permitiéndolo la compulsión externa, tanto Iglesia como ejército. Cristo formula expresamente este amor igual para todos: «De cierto os digo que cuanto hicisteis a uno de estos mis hermanos pequeñitos, a Mí lo hicisteis». Respecto de cada individuo de la masa creyente, El se sitúa como un bondadoso hermano mayor; es para ellos un sustituto del padre. Todas las exigencias que se dirigen a los individuos derivan de este amor de Cristo. Un sesgo democrático anima a la Iglesia, justamente porque todos son iguales ante Cristo, todos tienen idéntica participación en su amor. No sin profunda razón se invoca la similitud de la comunidad cristiana con una familia, y los creyentes se llaman hermanos en Cristo, vale decir, hermanos por el amor que Cristo les tiene. No hay duda de que la ligazón {*Bindung*} de cada individuo con Cristo es también la causa de la ligazón que los une a todos. Algo parecido vale en el caso del ejército. Este se diferencia estructuralmente de la Iglesia por el hecho de que consiste en una jerarquía de tales masas. Cada capitán es el general en jefe y padre de su compañía, y cada suboficial, el de su sección. Una jerarquía similar se ha desarrollado también en la Iglesia, es cierto, pero no desempeña en ella este mismo papel económico,[2] puesto que es lícito atribuir a Cristo un mayor saber sobre los individuos y un cuidado mayor por ellos que al general en jefe humano.

Puede objetarse con justicia que esta concepción de la estructura libidinosa de los ejércitos se desentiende de las ideas de Patria, Gloria Nacional y otras, tan importantes para su cohesión. La respuesta sería que constituyen un caso diverso de ligazón de masas, ya no tan simple, y como lo muestran los ejemplos de grandes conductores militares —César, Wallenstein, Napoleón—, tales ideas no son indispensables para la pervivencia de un ejército. Más adelante nos referiremos brevemente a la posible sustitución del conductor por una idea rectora y a los vínculos entre ambos. El descuido de este factor libidinoso en el ejército, por más que no sea el único eficaz, parece constituir no sólo un error teórico, sino un peligro práctico. El militarismo prusiano, tan «apsicológico» como la ciencia alemana, quizá debió sufrirlo en la Gran Guerra. En efecto, en las neurosis de guerra que desgarraban al ejército alemán pudo discernirse en buena parte unas protestas del individuo contra el

[2] [Vale decir, en la distribución cuantitativa de las fuerzas psíquicas involucradas.]

papel que se le adjudicaba en el ejército; y de acuerdo con las comunicaciones de E. Simmel (1918), es lícito afirmar que el trato falto de amor que el hombre común recibía de sus superiores se contó entre los principales motivos de contracción de neurosis. De haberse apreciado mejor esta exigencia libidinal, es probable que las fantásticas promesas de los catorce puntos del presidente norteamericano * no hubieran sido creídas tan fácilmente, y aquel grandioso instrumento no se les habría deshecho entre las manos a los artífices alemanes de la guerra.[3]

Notemos que en estas dos masas artificiales cada individuo tiene una doble ligazón libidinosa: con el conductor (Cristo, general en jefe) y con los otros individuos de la masa. Tendremos que reservar para más tarde el averiguar el comportamiento recíproco de estas ligazones, si son de igual índole y valor, y el modo en que se debería describirlas. Pero desde ahora nos atrevemos a hacer un ligero reproche a los autores por no haber apreciado suficientemente la importancia del conductor para la psicología de las masas, mientras que a nosotros la elección del primer objeto de investigación nos ha puesto en una situación más favorable. Nos está pareciendo que vamos por el camino correcto, que permitiría esclarecer el principal fenómeno de la psicología de las masas: la falta de libertad del individuo dentro de ellas. Si todo individuo está sujeto a una ligazón afectiva tan amplia en dos direcciones, no nos resultará difícil derivar de ese nexo la alteración y la restricción observadas en su personalidad.

Otro indicio de lo mismo, a saber, que la esencia de una masa consistiría en las ligazones libidinosas existentes en ella, nos lo proporciona también el fenómeno del pánico, que puede estudiarse mejor en las masas militares. El pánico se genera cuando una masa de esta clase se descompone. Lo caracteriza el hecho de que ya no se presta oídos a orden alguna del jefe, y cada uno cuida por sí sin miramiento por los otros. Los lazos recíprocos han cesado, y se libera una angustia enorme, sin sentido. Otra vez se insinúa aquí, desde luego, la objeción de que ocurre más bien a la inversa: la angustia crece hasta un punto en que prevalece sobre todos

* [Los «catorce puntos» que el presidente Woodrow Wilson propuso como base para el armisticio que puso término a la Primera Guerra Mundial.}

3 [Por indicación de Freud este párrafo apareció como nota al pie en la traducción inglesa de 1922. No obstante, en todas las ediciones en alemán, anteriores y posteriores a dicha fecha, forma parte del texto. Cf. mi «Nota introductoria», *supra*, pág. 65.]

los miramientos y lazos. Y en efecto, McDougall (1920*a*, pág. 24) usó el caso del pánico (el no militar, por otra parte) como paradigma del aumento del afecto por contagio («*primary induction*»), en que él insiste. Pero este tipo de explicación racionalista falla aquí por completo. Lo que hay que explicar es por qué la angustia se hizo tan gigantesca. El tamaño del peligro no puede ser el culpable, pues el mismo ejército que ahora es presa del pánico pudo haber soportado incólume peligros similares y aun mayores; y justamente es propio de la naturaleza del pánico no guardar relación con el peligro que amenaza, y estallar muchas veces a raíz de las ocasiones más nimias. Cuando los individuos, dominados por la angustia pánica, se ponen a cuidar de ellos solos, atestiguan comprender que han cesado las ligazones afectivas que hasta entonces les rebajaban el peligro. Ahora que lo enfrentan solos, lo aprecian en más. Lo que sucede es que la angustia pánica supone el aflojamiento de la estructura libidinosa de la masa y esta reacciona justificadamente ante él, y no a la inversa (que los vínculos libidinosos de la masa se extingan por la angustia frente al peligro).

Estas observaciones en modo alguno contradicen la tesis de que la angustia crece enormemente en la masa por inducción (contagio). La concepción de McDougall es totalmente certera cuando hay un gran peligro real y la masa carece de fuertes ligazones afectivas; estas condiciones se cumplen, por ejemplo, si estalla un incendio en un teatro o en un local de diversión. El ejemplo instructivo, aplicable a nuestro fin, es el ya mencionado de un cuerpo de ejército que cae presa del pánico en un momento en que el peligro no ha sobrepasado la medida habitual, que ya fue a menudo bien tolerada. No es lícito esperar que el uso de la palabra «pánico» esté fijado de manera precisa y unívoca. Muchas veces se designa con ella cualquier angustia de masas, otras también la angustia de un individuo que rebasa toda medida; con frecuencia parece reservarse el nombre para el caso en que la ocasión no justifica el estallido de angustia. Si le damos la acepción de «angustia de masas», podemos establecer una vasta analogía. En un individuo, la angustia será provocada por la magnitud del peligro o por la ausencia de ligazones afectivas (investiduras libidinales); esto es lo que ocurre en la angustia neurótica.[4] De igual modo, el pánico nace por el aumento del peligro que afecta a todos, o por el cese de

[4] Véase la 25ª de mis *Conferencias de introducción al psicoanálisis* (1916-17). [Véase también, sin embargo, *Inhibición, síntoma y angustia* (1926*d*), *AE*, **20**, págs. 150-2.]

las ligazones afectivas que cohesionaban a la masa; y este último caso es análogo a la angustia neurótica.[5]

Si, como hace McDougall (1920*a*), se describe al pánico como una de las operaciones más perfiladas de la «*group mind*», se llega a una paradoja: esta alma de la masa se suprime a sí misma en una de sus exteriorizaciones más llamativas. No hay duda posible: el pánico significa la descomposición de la masa; trae por consecuencia el cese de todos los miramientos recíprocos que normalmente se tienen los individuos de la masa.

La ocasión típica de un estallido de pánico se asemeja mucho a la manera como la figura Nestroy en su parodia del drama de Hebbel sobre Judit y Holofernes. Grita un soldado: «¡El general ha perdido la cabeza!», y de inmediato todos los asirios se dan a la fuga. La pérdida, en cualquier sentido, del conductor, el no saber a qué atenerse sobre él, basta para que se produzca el estallido de pánico, aunque el peligro siga siendo el mismo; como regla, al desaparecer la ligazón de los miembros de la masa con su conductor desaparecen las ligazones entre ellos, y la masa se pulveriza como una lágrima de Batavia * a la que se le rompe la punta.

La descomposición de una masa religiosa no es tan fácil de observar. Hace poco me cayó en las manos una novela inglesa de inspiración católica y recomendada por el obispo de Londres, *When it was Dark*,[6] que pinta hábilmente y, según creo, de manera acertada una posibilidad así y sus consecuencias. La novela refiere, como cosa del presente, que una conjuración de enemigos de Cristo y de la fe cristiana consigue que se amañe un sepulcro en Jerusalén, en cuya inscripción José de Arimatea confiesa que, movido por la piedad, él retiró secretamente de su sepulcro el cuerpo de Cristo al tercer día de sepultado y lo hizo depositar en este otro. Así se invalidan la ascensión de Cristo y su naturaleza divina, y como consecuencia de este descubrimiento arqueológico se conmueve la cultura europea y se produce un extraordinario aumento de todas las violencias y crímenes, que sólo cesan al revelarse el complot de los falsarios.

Lo que sale a la luz, a raíz de esa descomposición de la masa religiosa supuesta en la novela, no es angustia, para la

[5] Véase sobre esto el ensayo sustancioso, algo fantástico, de Bëla von Felszeghy, «Panik und Pankomplex» (1920).

* {Gota de cristal fundido que en contacto con el agua fría se templa y toma forma ovoide, pero si se le quiebra la punta se reduce a polvo con una ligera explosión.}

[6] [Libro de «Guy Thorne» (seudónimo de C. Ranger Gull) publicado en 1903 con gran éxito de venta.]

cual no hay ocasión; son impulsos despiadados y hostiles hacia otras personas, a los que el amor de Cristo, igual para todos, había impedido exteriorizarse antes.[7] Pero aun durante el Reinado de Cristo estaban fuera de este lazo quienes no pertenecían a la comunidad de creyentes, quienes no lo amaban y no eran amados por El; por eso una religión, aunque se llame la religión del amor, no puede dejar de ser dura y sin amor hacia quienes no pertenecen a ella. En el fondo, cada religión es de amor por todos aquellos a quienes abraza, y está pronta a la crueldad y la intolerancia hacia quienes no son sus miembros. Por mucho que personalmente nos pese, no podemos reprochárselo con demasiada severidad a los fieles; a los incrédulos e indiferentes las cosas les resultan mucho más fáciles, psicológicamente, en este punto. Si hoy esta intolerancia no se muestra tan violenta y cruel como en siglos pasados, difícilmente pueda inferirse de ello una dulcificación en las costumbres de los seres humanos. La causa ha de buscarse, mucho más, en el innegable debilitamiento de los sentimientos religiosos y de los lazos libidinosos que dependen de ellos. Si otro lazo de masas remplaza al religioso, como parece haberlo conseguido hoy el lazo socialista, se manifestará la misma intolerancia hacia los extraños que en la época de las luchas religiosas; y si alguna vez las diferencias en materia de concepción científica pudieran alcanzar parecido predicamento para las masas, también respecto de esta motivación se repetiría idéntico resultado.

[7] Véase sobre esto la explicación de fenómenos parecidos tras la abolición de la autoridad paternal del soberano en P. Federn, *Die vaterlose Gesellschaft* (1919).

VI. Otras tareas y orientaciones de trabajo

Hemos investigado hasta ahora dos masas artificiales, y hallamos que están gobernadas por lazos afectivos de dos clases. Uno, la ligazón con el conductor, parece —al menos para las masas consideradas— más influyente que el otro, la ligazón de los individuos entre sí.

Nos quedaría aún mucho que investigar y describir en cuanto a la morfología de las masas. Habría que partir de la comprobación de que una multitud de seres humanos no es una masa hasta que no se establecen en ella los mencionados lazos, pero debería admitirse que en cualquier multitud se manifiesta con harta facilidad la tendencia a la formación de una masa psicológica. Habría que prestar atención a las masas de diversas clases, más o menos permanentes, que surgen de manera espontánea, así como estudiar las condiciones de su génesis y su descomposición. Sobre todo, habría que ocuparse de la diferencia entre las masas que poseen un conductor y las que no lo tienen. Averiguar si las masas con conductor son las más originarias y completas, y si en las otras el conductor puede ser sustituido por una idea, algo abstracto, respecto de lo cual las masas religiosas, con su jefatura invisible, constituirían la transición; si ese sustituto podría ser proporcionado por una tendencia compartida, un deseo del que una multitud pudiera participar. Eso abstracto podría encarnarse a su vez de manera más o menos completa en la persona de un conductor secundario, por así decir; en tal caso, del vínculo entre idea y conductor resultarían interesantes variedades. El conductor o la idea conductora podrían volverse también, digamos, negativos; el odio a determinada persona o institución podría producir igual efecto unitivo y generar parecidas ligazones afectivas que la dependencia positiva. Cabe preguntarse, además, si el conductor es realmente indispensable para la esencia de la masa, y cosas por el estilo.

Pero todas estas cuestiones, acaso tratadas en parte en la bibliografía sobre psicología de las masas, no podrían desviar nuestro interés de los problemas psicológicos básicos que la estructura de una masa nos ofrece. Lo primero que nos cautiva es una reflexión que promete demostrarnos, por el camino más corto, que son ligazones libidinales las que caracterizan a una masa.

Consideremos el modo en que los seres humanos en general se comportan afectivamente entre sí. Según el famoso símil de Schopenhauer sobre los puercoespines que se congelaban, ninguno soporta una aproximación demasiado íntima de los otros.[1]

De acuerdo con el testimonio del psicoanálisis, casi toda relación afectiva íntima y prolongada entre dos personas —matrimonio, amistad, relaciones entre padres e hijos—[2] contiene un sedimento de sentimientos de desautorización y de hostilidad que sólo en virtud de la represión no es percibido.[3] Está menos encubierto en las cofradías, donde cada miembro disputa con los otros y cada subordinado murmura de su superior. Y esto mismo acontece cuando los hombres se reúnen en unidades mayores. Toda vez que dos familias se alían por matrimonio, cada una se juzga la mejor o la más aristocrática, a expensas de la otra. Dos ciudades vecinas tratarán de perjudicarse mutuamente en la competencia; todo pequeño cantón desprecia a los demás. Pueblos emparentados se repelen, los alemanes del Sur no soportan a los del Norte, los ingleses abominan de los escoceses, los españoles desdeñan a los portugueses.[4] Y cuando las diferencias son mayores, no nos asombra que el resultado sea una aversión difícil de superar: los galos contra los germanos, los arios contra los semitas, los blancos contra los pueblos de color.

Cuando la hostilidad apunta a personas a quienes empero se ama, llamamos a esto «sentimiento de ambivalencia», y nos lo explicamos, de una manera que sin duda es demasiado

[1] «Un helado día de invierno, los miembros de la sociedad de puercoespines se apretujaron para prestarse calor y no morir de frío. Pero pronto sintieron las púas de los otros, y debieron tomar distancias. Cuando la necesidad de calentarse los hizo volver a arrimarse, se repitió aquel segundo mal, y así se vieron llevados y traídos entre ambas desgracias, hasta que encontraron un distanciamiento moderado que les permitía pasarlo lo mejor posible». (*Parerga und Paralipomena*, parte II, 31, «Gleichnisse und Parabeln» {Símiles y parábolas} [Schopenhauer, 1851*c*].)

[2] Quizá con la única excepción del vínculo de la madre con el hijo varón, que, fundado en el narcisismo, no es perturbado por una posterior rivalidad y es reforzado por un amago de elección sexual de objeto.

[3] [En la primera edición (1921), esta frase decía: «De acuerdo con el testimonio del psicoanálisis, casi toda relación afectiva íntima deja como secuela (. . .) un sedimento de sentimientos de desautorización y de hostilidad, que sólo puede eliminarse por represión».]

[4] [Cf. «El narcisismo de las pequeñas diferencias», cap. V de *El malestar en la cultura* (1930*a*).]

racionalista, por las múltiples ocasiones que unos vínculos tan íntimos proporcionan justamente a los conflictos de intereses. En las aversiones y repulsas a extraños con quienes se tiene trato podemos discernir la expresión de un amor de sí, de un narcisismo, que aspira a su autoconservación y se comporta como si toda divergencia respecto de sus plasmaciones individuales implicase una crítica a ellas y una exhortación a remodelarlas. No sabemos por qué habría de tenerse tan gran sensibilidad frente a estas particularidades de la diferenciación; pero es innegable que en estas conductas de los seres humanos se da a conocer una predisposición al odio, una agresividad cuyo origen es desconocido y que se querría atribuir a un carácter elemental.[5]

Pero toda esta intolerancia desaparece, de manera temporaria o duradera, por la formación de masa y en la masa. Mientras esta perdura o en la extensión que abarca, los individuos se comportan como si fueran homogéneos; toleran la especificidad del otro, se consideran como su igual y no sienten repulsión alguna hacia él. De acuerdo con nuestros puntos de vista teóricos, una restricción así del narcisismo sólo puede ser producida por este factor: una ligazón libidinosa con otras personas. El amor por sí mismo no encuentra más barrera que el amor por lo ajeno, el amor por objetos.[6] En este punto se preguntará si la comunidad de intereses no tiene que llevar, en sí y por sí, y sin contribución libidinosa alguna, a la tolerancia del otro y la consideración por él. Responderemos a esta objeción diciendo que de ese modo ni siquiera se produce una restricción duradera del narcisismo, pues aquella tolerancia no dura más tiempo que la ventaja inmediata que se extrae de la colaboración del otro. Comoquiera que fuese, el valor práctico de esta disputa disminuye si se repara en que, según lo ha mostrado la experiencia, en la cooperación se establecen por regla general lazos libidinosos entre los compañeros, lazos que prolongan y fijan la relación entre ellos mucho más allá de lo meramente ventajoso. En las relaciones sociales entre los hombres ocurre lo mismo que la investigación psicoanalítica tiene averiguado para la vía de desarrollo de la libido individual. Esta se apuntala en la satisfacción de las grandes necesidades vitales, y escoge como sus primeros objetos a las

[5] En un estudio publicado hace poco, *Más allá del principio de placer* (1920*g*) [*supra*, págs. 51 y sigs.], he intentado enlazar la polaridad de amar y odiar con la hipótesis de una oposición entre pulsiones de vida y de muerte, admitiendo que las pulsiones sexuales son los subrogados más puros de las primeras, de las pulsiones de vida.
[6] Véase mi trabajo sobre el narcisismo (1914*c*).

personas que participan en dicho desarrollo.[7] Y en el de la humanidad toda, al igual que en el del individuo, solamente el amor ha actuado como factor de cultura en el sentido de una vuelta del egoísmo en altruismo. Sin duda, ello es válido tanto para el amor sexual por la mujer, con todas las obligaciones que impone respetar lo que es caro a ella, cuanto para el amor desexualizado hacia el prójimo varón, amor homosexual sublimado que tiene su punto de arranque en el trabajo común.

Por tanto, si en la masa aparecen restricciones del amor propio narcisista que no tienen efecto fuera de ella, he ahí un indicio concluyente de que la esencia de la formación de masa consiste en ligazones libidinosas recíprocas de nuevo tipo entre sus miembros.

Ahora una pregunta se impone, acuciante, a nuestro interés: ¿Cuál es la índole de esas ligazones existentes en el interior de la masa? En la doctrina psicoanalítica de las neurosis nos hemos ocupado hasta ahora casi exclusivamente de la ligazón que establecen con sus objetos aquellas pulsiones de amor que persiguen todavía metas sexuales directas. Es manifiesto que en la masa no puede tratarse de esta clase de metas. Aquí nos encontramos con pulsiones de amor que, sin actuar por eso de manera menos enérgica, están desviadas de sus metas originarias. Ahora bien, ya dentro del marco de la ordinaria investidura sexual de objeto, hemos notado fenómenos que corresponden a un desvío de la pulsión respecto de su meta sexual. Los hemos descrito como «grados de enamoramiento», reconociendo que conllevan un cierto perjuicio para el yo. Ahora dedicaremos mayor atención a estos fenómenos del enamoramiento, con la fundada expectativa de hallar en ellos relaciones trasferibles a los lazos interiores de las masas. Nos gustaría saber, además, si este tipo de investidura de objeto, tal como lo conocemos por la vida sexual, constituye el único modo de ligazón afectiva con otra persona, o si han de tomarse en cuenta también otros mecanismos de esa clase. De hecho, por el psicoanálisis averiguamos que existen todavía otros mecanismos de ligazón afectiva: las llamadas *identificaciones*;[8] son procesos insuficientemente conocidos, difíciles de exponer, cuya indagación nos alejará un buen rato del tema de la psicología de las masas.

7 [Cf. *Tres ensayos* (1905*d*), *AE*, **7**, págs. 202-3.]

8 [Freud había examinado la identificación, aunque en forma menos exhaustiva, en *La interpretación de los sueños* (1900*a*), *AE*, **4**, págs. 167-8, y en «Duelo y melancolía» (1917*e*). Ya se había rozado el tema en la correspondencia con Fliess, por ejemplo en el Manuscrito N del 31 de mayo de 1897 (Freud, 1950*a*), *AE*, **1**, págs. 296-8.]

VII. La identificación

El psicoanálisis conoce la identificación como la más temprana exteriorización de una ligazón afectiva con otra persona. Desempeña un papel en la prehistoria del complejo de Edipo. El varoncito manifiesta un particular interés hacia su padre; querría crecer y ser como él, hacer sus veces en todos los terrenos. Digamos, simplemente: toma al padre como su ideal. Esta conducta nada tiene que ver con una actitud pasiva o femenina hacia el padre (y hacia el varón en general); al contrario, es masculina por excelencia. Se concilia muy bien con el complejo de Edipo, al que contribuye a preparar.

Contemporáneamente a esta identificación con el padre, y quizás antes, el varoncito emprende una cabal investidura de objeto de la madre según el tipo del apuntalamiento [anaclítico].[1] Muestra entonces dos lazos psicológicamente diversos: con la madre, una directa investidura sexual de objeto; con el padre, una identificación que lo toma por modelo. Ambos coexisten un tiempo, sin influirse ni perturbarse entre sí. Pero la unificación de la vida anímica avanza sin cesar, y a consecuencia de ella ambos lazos confluyen a la postre, y por esa confluencia nace el complejo de Edipo normal. El pequeño nota que el padre le significa un estorbo junto a la madre; su identificación con él cobra entonces una tonalidad hostil, y pasa a ser idéntica al deseo de sustituir al padre también junto a la madre. Desde el comienzo mismo, la identificación es ambivalente; puede darse vuelta hacia la expresión de la ternura o hacia el deseo de eliminación. Se comporta como un retoño de la primera fase, *oral*, de la organización libidinal, en la que el objeto anhelado y apreciado se incorpora por devoración y así se aniquila como tal. El caníbal, como es sabido, permanece en esta posición; le gusta {ama} devorar a su enemigo, y no devora a aquellos de los que no puede gustar de algún modo.[2]

Más tarde es fácil perder de vista el destino de esta iden-

[1] [Cf. la sección II de «Introducción del narcisismo» (1914*c*).]
[2] Cf. mis *Tres ensayos* (1905*d*) [*AE*, **7**, pág. 180] y Abraham (1916).

tificación con el padre. Puede ocurrir después que el complejo de Edipo experimente una inversión, que se tome por objeto al padre en una actitud femenina, un objeto del cual las pulsiones sexuales directas esperan su satisfacción; en tal caso, la identificación con el padre se convierte en la precursora de la ligazón de objeto que recae sobre él. Lo mismo vale para la niña, con las correspondientes sustituciones.[3]

Es fácil expresar en una fórmula el distingo entre una identificación de este tipo con el padre y una elección de objeto que recaiga sobre él. En el primer caso el padre es lo que uno querría *ser*; en el segundo, lo que uno querría *tener*. La diferencia depende, entonces, de que la ligazón recaiga en el sujeto o en el objeto del yo. La primera ligazón ya es posible, por tanto, antes de toda elección sexual de objeto. En lo metapsicológico es más difícil presentar esta diferencia gráficamente. Sólo se discierne que la identificación aspira a configurar el yo propio a semejanza del otro, tomado como «modelo».

Dilucidemos la identificación en unos nexos más complejos, en el caso de una formación neurótica de síntoma. Supongamos ahora que una niña pequeña reciba el mismo síntoma de sufrimiento que su madre; por ejemplo, la misma tos martirizadora. Ello puede ocurrir por diversas vías. La identificación puede ser la misma que la del complejo de Edipo, que implica una voluntad hostil de sustituir a la madre, y el síntoma expresa el amor de objeto por el padre; realiza la sustitución de la madre bajo el influjo de la conciencia de culpa: «Has querido ser tu madre, ahora lo eres al menos en el sufrimiento». He ahí el mecanismo completo de la formación histérica de síntoma. O bien el síntoma puede ser el mismo que el de la persona amada («Dora»,[4] por ejemplo, imitaba la tos de su padre); en tal caso no tendríamos más alternativa que describir así el estado de cosas: *La identificación remplaza a la elección de objeto; la elección de objeto ha regresado hasta la identificación.* Dijimos que la identificación es la forma primera, y la más originaria, del lazo afectivo; bajo las constelaciones de la formación de síntoma, vale decir, de la represión y el predominio de los mecanismos del inconciente, sucede a menudo que la elección de objeto vuelva a la identificación, o sea, que el yo tome sobre sí las propiedades del objeto. Es digno de notarse que

[3] [El complejo de Edipo «completo», incluyendo sus formas «positiva» y «negativa», fue examinado por Freud en el cap. III de *El yo y el ello* (1923*b*).]

[4] En mi «Fragmento de análisis de un caso de histeria» (1905*e*) [*AE*, **7**, pág. 72].

en estas identificaciones el yo copia {*Kopieren*} en un caso a la persona no amada, y en el otro a la persona amada. Y tampoco puede dejar de llamarnos la atención que, en los dos, la identificación es parcial, limitada en grado sumo, pues toma prestado un único rasgo de la persona objeto.

Hay un tercer caso de formación de síntoma, particularmente frecuente e importante, en que la identificación prescinde por completo de la relación de objeto con la persona copiada. Por ejemplo, si una muchacha recibió en el pensionado una carta de su amado secreto, la carta despertó sus celos y ella reaccionó con un ataque histérico, algunas de sus amigas, que saben del asunto, pescarán este ataque, como suele decirse, por la vía de la infección psíquica. El mecanismo es el de la identificación sobre la base de poder o querer ponerse en la misma situación. Las otras querrían tener también una relación secreta, y bajo el influjo del sentimiento de culpa aceptan también el sufrimiento aparejado. Sería erróneo afirmar que se apropian del síntoma por empatía. Al contrario, la empatía nace sólo de la identificación, y la prueba de ello es que tal infección o imitación se establece también en circunstancias en que cabe suponer entre las dos personas una simpatía preexistente todavía menor que la habitual entre amigas de pensionado. Uno de los «yo» ha percibido en el otro una importante analogía en un punto (en nuestro caso, el mismo apronte afectivo); luego crea una identificación en este punto, e influida por la situación patógena esta identificación se desplaza al síntoma que el primer «yo» ha producido. La identificación por el síntoma pasa a ser así el indicio de un punto de coincidencia entre los dos «yo», que debe mantenerse reprimido.

Podemos sintetizar del siguiente modo lo que hemos aprendido de estas tres fuentes: en primer lugar, la identificación es la forma más originaria de ligazón afectiva con un objeto; en segundo lugar, pasa a sustituir a una ligazón libidinosa de objeto por la vía regresiva, mediante introyección del objeto en el yo, por así decir; y, en tercer lugar, puede nacer a raíz de cualquier comunidad que llegue a percibirse en una persona que no es objeto de las pulsiones sexuales. Mientras más significativa sea esa comunidad, tanto más exitosa podrá ser la identificación parcial y, así, corresponder al comienzo de una nueva ligazón.

Ya columbramos que la ligazón recíproca entre los individuos de la masa tiene la naturaleza de una identificación de esa clase (mediante una importante comunidad afectiva), y podemos conjeturar que esa comunidad reside en el modo de la ligazón con el conductor. Otra vislumbre nos dirá que estamos muy lejos de haber agotado el problema de la identificación; en efecto, nos enfrentamos con el proceso que la psicología llama «empatía» [*Einfühlung*] y que desempeña la parte principal en nuestra comprensión del yo ajeno, el de las otras personas. Pero aquí nos ceñiremos a las consecuencias afectivas inmediatas de la identificación, y omitiremos considerar su significado para nuestra vida intelectual.

La investigación psicoanalítica, que ocasionalmente ya ha abordado los difíciles problemas que plantean las psicosis, pudo mostrarnos la identificación también en algunos otros casos que no nos resultan comprensibles sin más. Trataré en detalle dos de ellos, a fin de poder utilizarlos como material para nuestras ulteriores reflexiones.

La génesis de la homosexualidad masculina es, en una gran serie de casos, la siguiente:[5] El joven ha estado fijado a su madre, en el sentido del complejo de Edipo, durante un tiempo y con una intensidad inusualmente grandes. Por fin, al completarse el proceso de la pubertad, llega el momento de permutar a la madre por otro objeto sexual. Sobreviene entonces una vuelta {*Wendung*} repentina; el joven no abandona a su madre, sino que se identifica con ella; se trasmuda en ella y ahora busca objetos que puedan sustituirle al yo de él, a quienes él pueda amar y cuidar como lo experimentó de su madre. He ahí un proceso frecuente, que puede corroborarse cuantas veces se quiera, y desde luego con entera independencia de cualquier hipótesis que se haga acerca de la fuerza pulsional orgánica y de los motivos de esa mudanza repentina. Llamativa en esta identificación es su amplitud: trasmuda al yo respecto de un componente en extremo importante (el carácter sexual), según el modelo de lo que hasta ese momento era el objeto. Con ello el objeto mismo es resignado; aquí no entramos a considerar si lo es por completo, o sólo en el sentido de que permanece conservado en el inconciente. Por lo demás, la identificación con el objeto resignado o perdido, en sustitución de él, y la introyección de este objeto en el yo no constituyen ninguna novedad para nosotros. A veces un proceso de este tipo puede observarse directamente en el niño pequeño. Hace poco se publicó en *Internationale Zeitschrift für Psychoanalyse* una de estas observaciones: un niño, desesperado

[5] [Cf. el cap. III del estudio de Freud sobre Leonardo da Vinci (1910*c*). Para otros mecanismos en la génesis de la homosexualidad, cf. «Sobre la psicogénesis de un caso de homosexualidad femenina» (1920*a*), *infra*, pág. 151, y «Sobre algunos mecanismos neuróticos en los celos, la paranoia y la homosexualidad» (1922*b*), *infra*, págs. 224-5.]

por la pérdida de su gatito, declaró paladinamente que él mismo era ahora el gatito, empezó a caminar en cuatro patas, no quiso sentarse más a la mesa para comer, etc.[6]

El análisis de la melancolía,[7] afección que cuenta entre sus ocasionamientos más llamativos la pérdida real o afectiva del objeto amado, nos ha proporcionado otro ejemplo de esa introyección del objeto. Rasgo principal de estos casos es la cruel denigración de sí del yo, unida a una implacable autocrítica y unos amargos autorreproches. Por los análisis se ha podido averiguar que esta apreciación y estos reproches en el fondo se aplican al objeto y constituyen la venganza del yo sobre él. Como he dicho en otro lugar, la sombra del objeto ha caído sobre el yo.[8] La introyección del objeto es aquí de una evidencia innegable.

Ahora bien, estas melancolías nos muestran además otra cosa que puede llegar a ser importante para nuestras ulteriores consideraciones. Nos muestran al yo dividido, descompuesto en dos fragmentos, uno de los cuales arroja su furia sobre el otro. Este otro fragmento es el alterado por introyección, que incluye al objeto perdido. Pero tampoco desconocemos al fragmento que se comporta tan cruelmente. Incluye a la conciencia moral, una instancia crítica del yo, que también en épocas normales se le ha contrapuesto críticamente, sólo que nunca de manera tan implacable e injusta. Ya en ocasiones anteriores[9] nos vimos llevados a adoptar el supuesto de que en nuestro yo se desarrolla una instancia así, que se separa del resto del yo y puede entrar en conflicto con él. La llamamos el «ideal del yo», y le atribuimos las funciones de la observación de sí, la conciencia moral, la censura onírica y el ejercicio de la principal influencia en la represión. Dijimos que era la herencia del narcisismo originario, en el que el yo infantil se contentaba a sí mismo. Poco a poco toma, de los influjos del medio, las exigencias que este plantea al yo y a las que el yo no siempre puede allanarse, de manera que el ser humano, toda vez que no puede contentarse consigo en su yo, puede hallar su satisfacción en el ideal del yo, diferenciado a partir de aquel. Establecimos, además, que en el delirio de observación se vuelve patente la descomposición de esa instancia, y así descubre su origen, que son las influencias de las autorida-

[6] Marcuszewicz (1920).

[7] [Freud emplea habitualmente el término «melancolía» para designar lo que ahora se describiría como «depresión».]

[8] Cf. «Duelo y melancolía» (1917*e*) [*AE*, **14**, pág. 246].

[9] En mi trabajo sobre el narcisismo (1914*c*) y en «Duelo y melancolía» (1917*e*) [*AE*, **14**, págs. 92 y 246-7].

des, sobre todo de los padres.[10] Ahora bien, no dejamos de consignar entonces que la medida del distanciamiento entre este ideal del yo y el yo actual es muy variable según los individuos, en muchos de los cuales esta diferenciación interior del yo no ha avanzado mucho respecto del niño.

Pero antes de que podamos aplicar este material a la comprensión de la organización libidinosa de una masa debemos tomar en cuenta algunas otras relaciones recíprocas entre objeto y yo.[11]

[10] Sección III de mi trabajo sobre el narcisismo (1914*c*).

[11] Sabemos muy bien que con estos ejemplos tomados de la patología no hemos agotado la esencia de la identificación, y por tanto hemos dejado una parte intacta en el enigma de la formación de masa. En este punto debería intervenir un análisis psicológico mucho más radical y abarcador. Hay un camino que lleva desde la identificación, pasando por la imitación, a la empatía, vale decir, a la comprensión del mecanismo que nos posibilita, en general, adoptar una actitud frente a la vida anímica de otro. Queda mucho por esclarecer también en cuanto a las exteriorizaciones de una identificación existente. Tiene como consecuencia, entre otras, que se restrinja la agresión hacia la persona con la que uno se ha identificado, se la perdone y se la ayude. El estudio de identificaciones como las que se encuentran, por ejemplo, en la base de la comunidad clánica proporcionó a Robertson Smith este sorprendente resultado: descansan en el reconocimiento de una sustancia común [poseída por los miembros del clan] (*Kinship and Marriage*, 1885), y por tanto pueden ser creadas por un banquete compartido. Este rasgo permite enlazar una identificación de esta clase con la historia primordial de la familia humana, tal como yo la construí en *Tótem y tabú* (1912-13).

VIII. Enamoramiento e hipnosis

El lenguaje usual es fiel, hasta en sus caprichos, a alguna realidad. Es así como llama «amor» a vínculos afectivos muy diversos que también nosotros reuniríamos en la teoría bajo el título sintético de amor; pero después le entra la duda de si ese amor es el genuino, el correcto, el verdadero, y señala entonces toda una gradación de posibilidades dentro del fenómeno del amor. Tampoco nos resulta difícil pesquisarla en la observación.

En una serie de casos, el enamoramiento no es más que una investidura de objeto de parte de las pulsiones sexuales con el fin de alcanzar la satisfacción sexual directa, lograda la cual se extingue; es lo que se llama amor sensual, común. Pero, como es sabido, la situación libidinosa rara vez es tan simple. La certidumbre de que la necesidad que acababa de extinguirse volvería a despertar tiene que haber sido el motivo inmediato de que se volcase al objeto sexual una investidura permanente y se lo «amase» aun en los intervalos, cuando el apetito estaba ausente.

La notable historia de desarrollo por la que atraviesa la vida amorosa de los seres humanos viene a agregar un segundo factor. En la primera fase, casi siempre concluida ya a los cinco años, el niño había encontrado un primer objeto de amor en uno de sus progenitores; en él se habían reunido todas sus pulsiones sexuales que pedían satisfacción. La represión que después sobrevino obligó a renunciar a la mayoría de estas metas sexuales infantiles y dejó como secuela una profunda modificación de las relaciones con los padres. En lo sucesivo el niño permaneció ligado a ellos, pero con pulsiones que es preciso llamar «de meta inhibida». Los sentimientos que en adelante alberga hacia esas personas amadas reciben la designación de «tiernos». Es sabido que las anteriores aspiraciones «sensuales» se conservan en el inconciente con mayor o menor intensidad, de manera que, en cierto sentido, la corriente originaria persiste en toda su plenitud.[1]

[1] Cf. mis *Tres ensayos* (1905*d*) [*AE*, **7**, pág. 182].

Es notorio que con la pubertad se inician nuevas aspiraciones, muy intensas, dirigidas a metas directamente sexuales. En casos desfavorables permanecen divorciadas, en calidad de corriente sensual, de las orientaciones «tiernas» del sentimiento, que persisten. Entonces se está frente a un cuadro cuyas dos variantes ciertas corrientes literarias son tan proclives a idealizar. El hombre se inclina a embelesarse por mujeres a quienes venera, que empero no le estimulan al intercambio amoroso; y sólo es potente con otras mujeres, a quienes no «ama», a quienes menosprecia o aun desprecia.[2] Pero es más común que el adolescente logre cierto grado de síntesis entre el amor no sensual, celestial, y el sensual, terreno; en tal caso, su relación con el objeto sexual se caracteriza por la cooperación entre pulsiones no inhibidas y pulsiones de meta inhibida. Y gracias a la contribución de las pulsiones tiernas, de meta inhibida, puede medirse el grado del enamoramiento por oposición al anhelo simplemente sensual.

En el marco de este enamoramiento, nos ha llamado la atención desde el comienzo el fenómeno de la sobrestimación sexual: el hecho de que el objeto amado goza de cierta exención de la crítica, sus cualidades son mucho más estimadas que en las personas a quienes no se ama o que en ese mismo objeto en la época en que no era amado. A raíz de una represión o posposición de las aspiraciones sensuales, eficaz en alguna medida, se produce este espejismo: se ama sensualmente al objeto sólo en virtud de sus excelencias anímicas; y lo cierto es que ocurre lo contrario, a saber, únicamente la complacencia sensual pudo conferir al objeto tales excelencias.

El afán que aquí falsea al juicio es el de la *idealización*. Pero esto nos permite orientarnos mejor; discernimos que el objeto es tratado como el yo propio, y por tanto en el enamoramiento afluye al objeto una medida mayor de libido narcisista.[3] Y aun en muchas formas de la elección amorosa salta a la vista que el objeto sirve para sustituir un ideal del yo propio, no alcanzado. Se ama en virtud de perfecciones a que se ha aspirado para el yo propio y que ahora a uno le gustaría procurarse, para satisfacer su narcisismo, por este rodeo.

Si la sobrestimación sexual y el enamoramiento aumentan, la interpretación del cuadro se vuelve cada vez más inequí-

[2] Cf. «Sobre la más generalizada degradación de la vida amorosa» (1912*d*).

[3] [Cf. «Introducción del narcisismo» (1914*c*), *AE*, **14**, pág. 91.]

voca. En tal caso, las aspiraciones que esfuerzan hacia una satisfacción sexual directa pueden ser enteramente esforzadas hacia atrás, como por regla general ocurre en el entusiasmo amoroso del jovencito; el yo resigna cada vez más todo reclamo, se vuelve más modesto, al par que el objeto se hace más grandioso y valioso; al final llega a poseer todo el amor de sí mismo del yo, y la consecuencia natural es el autosacrificio de este. El objeto, por así decir, ha devorado al yo. Rasgos de humillación, restricción del narcisismo, perjuicio de sí, están presentes en todos los casos de enamoramiento; en los extremos, no hacen más que intensificarse y, por el relegamiento de las pretensiones sensuales, ejercen una dominación exclusiva.

Esto ocurre con particular facilidad en el caso de un amor desdichado, inalcanzable; en efecto, toda satisfacción sexual rebaja la sobrestimación sexual. Contemporáneamente a esta «entrega» del yo al objeto, que ya no se distingue más de la entrega sublimada a una idea abstracta, fallan por entero las funciones que recaen sobre el ideal del yo. Calla la crítica, que es ejercida por esta instancia; todo lo que el objeto hace y pide es justo e intachable. La conciencia moral no se aplica a nada de lo que acontece en favor del objeto; en la ceguera del amor, uno se convierte en criminal sin remordimientos. La situación puede resumirse cabalmente en una fórmula: *El objeto se ha puesto en el lugar del ideal del yo.*

Ahora es fácil describir la diferencia entre la identificación y el enamoramiento en sus expresiones más acusadas, que se llaman fascinación y servidumbre enamorada.[4] En la primera, el yo se ha enriquecido con las propiedades del objeto, lo ha «introyectado», según una expresión de Ferenczi [1909]. En el segundo, se ha empobrecido, se ha entregado al objeto, le ha concedido el lugar de su ingrediente más importante. Empero, tras una reflexión más atenta advertimos que exponiendo así las cosas caemos en el espejismo de unos opuestos que no existen. Desde el punto de vista económico no se trata de enriquecimiento o empobrecimiento; también puede describirse el enamoramiento extremo diciendo que el yo se ha introyectado el objeto. Quizás otro distingo sea, más bien, el esencial. En el caso de la identificación, el objeto se ha perdido o ha sido resignado; después se lo vuelve a erigir en el interior del yo, y el yo se altera parcialmente según el modelo del objeto perdido. En el otro

[4] [La «servidumbre enamorada» había sido examinada por Freud en «El tabú de la virginidad» (1918*a*), *AE*, **11**, págs. 189-90.]

caso el objeto se ha mantenido y es sobreinvestido como tal por el yo a sus expensas. Pero también contra esto se eleva un reparo. Admitiendo que la identificación presupone la resignación de la investidura de objeto, ¿no puede haber identificación conservándose aquel? Ya antes de entrar en el examen de este espinoso problema, vislumbramos que la esencia de este estado de cosas está contenida en otra alternativa, a saber: *que el objeto se ponga en el lugar del yo o en el del ideal del yo.*

El trecho que separa el enamoramiento de la hipnosis no es, evidentemente, muy grande. Las coincidencias son llamativas. La misma sumisión humillada, igual obediencia y falta de crítica hacia el hipnotizador como hacia el objeto amado.[5] La misma absorción de la propia iniciativa; no hay duda: el hipnotizador ha ocupado el lugar del ideal del yo. Sólo que en la hipnosis todas las constelaciones son más nítidas y acusadas, de suerte que sería más adecuado elucidar el enamoramiento partiendo de la hipnosis que no a la inversa. El hipnotizador es el objeto único: no se repara en ningún otro además de él. Lo que él pide y asevera es vivenciado oníricamente por el yo; esto nos advierte que hemos descuidado mencionar, entre las funciones del ideal del yo, el ejercicio del examen de realidad.[6] No es asombroso que el yo tenga por real una percepción si la instancia psíquica encargada del examen de realidad aboga en favor de esta última. Además, la total ausencia de aspiraciones de meta sexual no inhibida contribuye a que los fenómenos adquieran extrema pureza. El vínculo hipnótico es una entrega enamorada irrestricta que excluye toda satisfacción sexual, mientras que en el enamoramiento esta última se pospone sólo de manera temporaria, y permanece en el trasfondo como meta posible para más tarde.

Ahora bien, por otra parte podemos decir —si se admite la expresión— que el vínculo hipnótico es una formación de masa de dos. La hipnosis no es un buen objeto de comparación para la formación de masa porque es, más bien, idéntica a esta. De la compleja ensambladura de la masa ella aísla un elemento: el comportamiento del individuo de la masa

[5] [Esto ya se había señalado en una nota al pie de *Tres ensayos* (1905*d*), *AE*, **7**, pág. 137, y en «Tratamiento psíquico (tratamiento del alma)» (1890*a*), *AE*, **1**, pág. 127.]

[6] Cf. «Complemento metapsicológico a la doctrina de los sueños» (1917*d*). — [*Agregado* en 1923:] No obstante, parece admisible dudar de la legitimidad de esta atribución, que requiere un examen más profundo. [Cf. *El yo y el ello* (1923*b*), *AE*, **19**, pág. 30, *n*. 2, donde la función es atribuida definidamente al yo.]

frente al conductor. Esta restricción del número diferencia a la hipnosis de la formación de masa, así como la ausencia de aspiración directamente sexual la separa del enamoramiento. En esa medida, ocupa una posición intermedia entre ambos.

Es interesante ver que justamente las aspiraciones sexuales de meta inhibida logren crear ligazones tan duraderas entre los seres humanos. Pero esto se explica con facilidad por el hecho de que no son susceptibles de una satisfacción plena, mientras que las aspiraciones sexuales no inhibidas experimentan, por obra de la descarga, una extraordinaria disminución toda vez que alcanzan su meta. El amor sensual está destinado a extinguirse con la satisfacción; para perdurar tiene que encontrarse mezclado desde el comienzo con componentes puramente tiernos, vale decir, de meta inhibida, o sufrir un cambio en ese sentido.

La hipnosis nos resolvería de plano el enigma de la constitución libidinosa de una masa si no contuviera rasgos que hasta ahora se han sustraído de un esclarecimiento acorde a la *ratio*, en cuanto estado de enamoramiento que excluye aspiraciones directamente sexuales. En ella hay todavía mucho de incomprendido, que habría de reconocerse como místico. Contiene un suplemento de parálisis que proviene de la relación entre una persona de mayor poder y una impotente, desamparada, lo cual acaso nos remite a la hipnosis por terror en los animales. Ni el modo en que es producida ni su relación con el dormir resultan claros; y el hecho enigmático de que ciertas personas son aptas para ella, mientras que otras se muestran por completo refractarias, apunta a un factor todavía desconocido entreverado en ella y que quizá posibilita la pureza de las actitudes libidinales que envuelve. Digno de notarse es también que a menudo la conciencia moral de la persona hipnotizada puede mostrarse refractaria, aunque en lo demás preste una total obediencia sugestiva. Pero esto quizá se deba a que en la hipnosis, tal como se la practica casi siempre, puede estar vigente el saber de que se trata sólo de un juego, de una reproducción falaz de otra situación cuya importancia vital es mucho mayor.

Ahora bien, las elucidaciones anteriores nos han preparado acabadamente para indicar la fórmula de la constitución libidinosa de una masa; al menos, de una masa del tipo considerado hasta aquí, vale decir, que tiene un conductor y no ha podido adquirir secundariamente, por un exceso de «organización», las propiedades de un individuo. *Una masa primaria de esta índole es una multitud de individuos que han puesto un objeto, uno y el mismo, en el lugar de su ideal del yo, a consecuencia de lo cual se han identificado entre sí en su yo.* Esta condición admite representación gráfica:

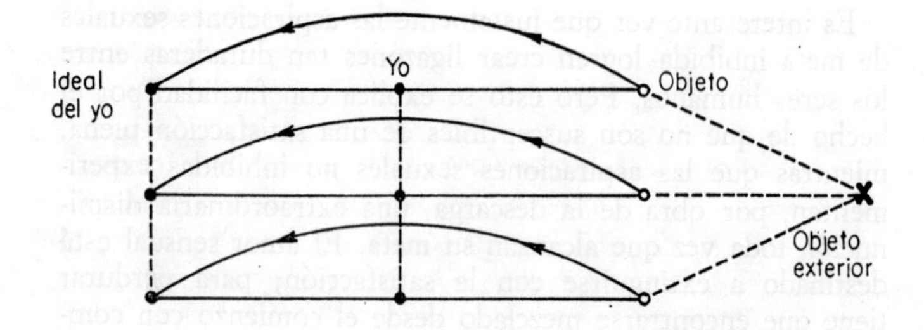

IX. El instinto gregario

Por poco tiempo gozaremos de la ilusión de haber resuelto con esta fórmula el enigma de la masa. No podrá menos que desasosegarnos el advertir enseguida que no hemos hecho, en lo esencial, sino remitirnos al enigma de la hipnosis, que presenta tantos aspectos todavía no solucionados. Y ahora otra objeción nos señala el camino por recorrer.

Tenemos derecho a decirnos que las extensas ligazones afectivas que discernimos en la masa bastan por sí solas para explicar uno de sus caracteres: la falta de autonomía y de iniciativa en el individuo, la uniformidad de su reacción con la de todos los otros, su rebajamiento a individuo-masa, por así decir. Pero, si la consideramos como un todo, la masa exhibe algo más: los rasgos de debilitamiento de la actividad intelectual, desinhibición de los afectos, incapacidad de moderarse y de diferir la acción, tendencia a trasgredir todas las barreras en la exteriorización de los sentimientos y a su total descarga en la acción; estos rasgos y otros semejantes, que hallamos pintados de manera tan plástica en Le Bon, presentan un cuadro inequívoco de regresión de la actividad anímica a un estadio anterior, como no nos sorprende hallar entre los salvajes o los niños. Una regresión de esta índole pertenece de manera particular a la esencia de las masas comunes, mientras que, según sabemos, en las de alta organización, artificiales, se la puede detener en buena medida.

Así recibimos la impresión de un estado en que la moción afectiva del individuo y su acto intelectual personal son demasiado débiles para hacerse valer por sí solos, viéndose obligados a aguardar su potenciación por la repetición uniforme de parte de los otros. Esto nos trae a la memoria cuántos fenómenos de dependencia de esta índole forman parte de la constitución normal de la sociedad humana, cuán poca originalidad y valentía personal hallamos en ella, cuán dominados están los individuos por aquellas actitudes de un alma de las masas que se presentan como propiedades de la raza, prejuicios del estamento, opinión pública, etc.

Y el enigma del influjo sugestivo aumenta para nosotros si concedemos que no sólo puede ejercerlo el conductor, sino cualquier individuo sobre otro; y nos reprochamos haber destacado de manera unilateral el vínculo con el conductor, omitiendo indebidamente el otro factor, el de la sugestión recíproca.

Llamados de tal suerte a la prudencia, nos inclinaremos a obedecer a otra voz que nos promete una explicación sobre bases más simples. La tomo del inteligente libro de W. Trotter (1916) sobre el instinto gregario, en el que sólo lamento que no se haya sustraído del todo de las antipatías desencadenadas por la última Gran Guerra.

Los fenómenos anímicos que se han descrito en la masa los deriva Trotter de un instinto gregario («*gregariousness*»), innato en el hombre como en otras especies animales. Esta proclividad gregaria es, desde el punto de vista biológico, una analogía y por así decir una prosecución del carácter pluricelular; en los términos de la teoría de la libido, es otra expresión de la tendencia de todos los seres vivos de la misma especie, tendencia que arranca de la libido, a formar unidades cada vez más amplias.[1] El individuo se siente incompleto («*incomplete*») cuando está solo. Ya la angustia del niño pequeño sería una exteriorización de este instinto gregario. Oponerse al rebaño equivale a separarse de él, y por eso se lo evitará con angustia. Ahora bien, el rebaño desautoriza todo lo nuevo, lo inhabitual. El instinto gregario sería algo primario, no susceptible de ulterior descomposición («*which cannot be split up*»).

Trotter consigna la serie de las pulsiones (o instintos) que él acepta como primarias: las pulsiones de autoconservación, de nutrición, sexual y gregaria. Esta última se ve a menudo en la coyuntura de oponerse a las otras. Conciencia de culpa y sentimiento del deber serían los patrimonios característicos de un «*gregarious animal*». Trotter hace partir, asimismo, del instinto gregario las fuerzas represoras que el psicoanálisis ha pesquisado en el yo, y por tanto también las resistencias con que el médico tropieza en el tratamiento psicoanalítico. El lenguaje debería su importancia a su aptitud para vehiculizar el entendimiento recíproco dentro del rebaño, y sobre él descansaría en buena parte la identificación de los individuos unos con otros.

Así como Le Bon se interesaba sobre todo por las formaciones de masa efímeras características, y McDougall por las asociaciones estables, Trotter se interesa principalmente

[1] Cf. *Más allá del principio de placer* (1920g) [*supra*, pág. 49].

por las uniones más generales en que vive el ser humano, ese ζῷον πολιτικόν,[2] e indica su fundamento psicológico. Para Trotter, empero, no se requiere derivar de otra cosa la pulsión gregaria, pues la define como primaria y no susceptible de ulterior descomposición. Observa de paso que Boris Sidis deduce la pulsión gregaria de la sugestionabilidad, lo cual por suerte es superfluo para él; se trata de una explicación que responde a un modelo consabido, insatisfactorio, y la tesis inversa —vale decir, que la sugestionabilidad es un retoño del instinto gregario— me parece mucho más iluminadora.

Ahora bien, con mayor derecho que a las otras exposiciones, se puede objetar a la de Trotter que no atiende suficientemente al papel del conductor dentro de la masa; nosotros, en cambio, nos inclinamos más bien por el juicio opuesto, a saber, que la esencia de la masa no puede concebirse descuidando al conductor. El instinto gregario no deja sitio alguno al conductor; este se añade al rebaño sólo de manera contingente. Además, de esta pulsión no parte camino alguno hacia una necesidad de Dios: falta el pastor del rebaño, lo cual armoniza con aquella concepción. Pero, aparte de esto, es posible pulverizar la exposición de Trotter en el campo psicológico; vale decir, puede demostrarse que es por lo menos probable que la pulsión gregaria no sea indescomponible, no sea primaria en el sentido en que lo son las pulsiones de autoconservación y sexual.

No es fácil, desde luego, perseguir la ontogénesis de la pulsión gregaria. La angustia que siente el niño pequeño cuando lo dejan solo, y que Trotter pretende considerar como exteriorización de aquella pulsión, sugiere empero otra interpretación. Ella se dirige a la madre, y después a otras personas familiares; es la expresión de una añoranza incumplida, con la cual el niño no atina a hacer otra cosa que mudarla en angustia.[3] La angustia del niño pequeño que está solo no se calma a la vista de otro cualquiera «del rebaño»; al contrario: es provocada únicamente por la llegada de uno de estos «extraños». Además, por largo tiempo no se observa en el niño nada de un instinto gregario o sentimiento de masa. Este se forma únicamente cuando los niños son muchos en una misma casa, y a partir de su relación con los padres; y se forma, en verdad, como reacción frente a la envidia incipiente con que el niño mayor recibe al más pe-

2 [«Animal político» (Aristóteles, *Política*, 1252*b*).]

3 Cf. las puntualizaciones sobre la angustia en la 25ª de mis *Conferencias de introducción al psicoanálisis* (1916-17).

queño. Aquel, por celos, querría sin duda desalojar {*verdrängen*} al recién llegado, mantenerlo lejos de los padres y expropiarle todos sus derechos; pero en vista de que este niño —como todos los que vienen después— es amado por los padres de igual modo, y por la imposibilidad de perseverar en su actitud hostil sin perjudicarse, es compelido a identificarse con los otros niños, y así se forma en la cuadrilla infantil un sentimiento de masa o de comunidad, que después, en la escuela, halla su ulterior desarrollo. La primera exigencia de esta formación reactiva es la de la justicia, el trato igual para todos. Conocidas son la vehemencia y el rigor con que esta exigencia se expresa en la escuela. Si uno mismo no puede ser el preferido, entonces ningún otro deberá serlo. Esta trasmudación y sustitución de los celos por un sentimiento de masa en el cuarto de los niños y en el aula escolar podría juzgarse inverosímil si más tarde, y bajo otras circunstancias, no volviera a observarse el mismo proceso. Considérese la cuadrilla de señoras y señoritas que en su entusiasmo amoroso asedian al cantante o al pianista después de su función. Lo más natural sería que se tuvieran celos recíprocos, pero en vista de su número y de la imposibilidad, que este determina, de alcanzar la meta de su enamoramiento, renuncian a ello y en vez de andar a la greña actúan como una masa unitaria, rinden homenaje al festejado en acciones comunes y acaso las embelesaría compartir un rizo de su cabellera. Rivales al comienzo, han podido identificarse entre sí por su parejo amor hacia el mismo objeto. Cuando una situación pulsional es susceptible de diversos desenlaces (como es habitual que ocurra), no ha de sorprendernos que se produzca aquel con el cual se asocia la posibilidad de una cierta satisfacción, al tiempo que se pospone otro, que sería más natural en sí mismo, porque las circunstancias reales le deniegan el logro de esa meta.

Lo que más tarde hallamos activo en la sociedad en calidad de espíritu comunitario, *esprit de corps*, no desmiente este linaje suyo, el de la envidia originaria. Ninguno debe querer destacarse, todos tienen que ser iguales y poseer lo mismo. La justicia social quiere decir que uno se deniega muchas cosas para que también los otros deban renunciar a ellas o, lo que es lo mismo, no puedan exigirlas. Esta exigencia de igualdad es la raíz de la conciencia moral social y del sentimiento del deber. Inesperadamente, se revela en la angustia de infección de los sifilíticos, que el psicoanálisis nos ha enseñado a comprender. La angustia de estos pobres diablos proviene de su violenta lucha contra el deseo inconciente de propagar su infección a los demás; en efecto, ¿por qué debían estar infectados ellos solos, y apartados de tantos otros? ¿Por qué no deberían estarlo estos? Igual núcleo tiene la bella anécdota del fallo de Salomón. Si el hijo de una de las mujeres ha muerto, tampoco la otra ha de tenerlo vivo. Por este deseo se reconoce a la perdidosa.

El sentimiento social descansa, pues, en el cambio de un sentimiento primero hostil en una ligazón de cuño positivo, de la índole de una identificación. Hasta donde hoy podemos penetrar ese proceso, dicho cambio parece consumarse bajo el influjo de una ligazón tierna común con una persona situada fuera de la masa. No juzgamos exhaustivo nuestro análisis de la identificación. Empero, para nuestro actual propósito basta volver sobre este único rasgo: la exigencia de realización consecuente de la igualdad. Ya al elucidar las dos masas artificiales, la Iglesia y el ejército, averiguamos que su premisa era que todos fueran amados de igual modo por uno, el conductor. Pero no olvidemos que la exigencia de igualdad de la masa sólo vale para los individuos que la forman, no para el conductor. Todos los individuos deben ser iguales entre sí, pero todos quieren ser gobernados por uno. Muchos iguales, que pueden identificarse entre sí, y un único superior a todos ellos: he ahí la situación que hallamos realizada en la masa capaz de sobrevivir. Osemos por eso corregir el enunciado de Trotter según el cual el ser humano es un *animal gregario* {*Herdentier*}, diciendo que es más bien un *animal de horda* {*Hordentier*}, el miembro de una horda dirigida por un jefe.

X. La masa y la horda primordial

En 1912 recogí la conjetura de Darwin, para quien la forma primordial de la sociedad humana fue la de una horda gobernada despóticamente por un macho fuerte. Intenté mostrar que los destinos de esta horda han dejado huellas indestructibles en el linaje de sus herederos; en particular, que el desarrollo del totemismo, que incluye en sí los comienzos de la religión, la eticidad y la estratificación social, se entrama con el violento asesinato del jefe y la trasformación de la horda paterna en una comunidad de hermanos.[1] Por cierto, esta no es sino una hipótesis como tantas otras con que los prehistoriadores procuran iluminar la oscuridad del tiempo primordial —una «*just-so story*», según la llamó jocosamente un crítico inglés, sin ánimo hostil—.[2] Pero opino que es valedera como hipótesis si se muestra apta para crear coherencia e inteligibilidad en nuevos y nuevos ámbitos.

Las masas humanas vuelven a mostrarnos la imagen familiar del individuo hiperfuerte en medio de una cuadrilla de compañeros iguales, esa misma imagen contenida en nuestra representación de la horda primordial. La psicología de estas masas, según la conocemos por las descripciones tantas veces citadas —la atrofia de la personalidad individual conciente, la orientación de pensamientos y sentimientos en las mismas direcciones, el predominio de la afectividad y de lo anímico inconciente, la tendencia a la ejecución inmediata de los propósitos que van surgiendo—, responde a un estado

1 *Tótem y tabú* (1912-13) [ensayo IV; Freud emplea el término «horda» para designar un conjunto relativamente pequeño de individuos].

2 [En la primera edición aparecía aquí el nombre «Kroeger», a todas luces una errata por «Kroeber», que, dicho sea de paso, era un célebre antropólogo *norteamericano*. — La reseña original de *Tótem y tabú* escrita por Kroeber para la *American Anthropologist* (1920, pág. 48), no se refería en ningún lugar a una «*just-so story*», como lo apuntó el propio Kroeber en otra reseña, casi veinte años más tarde (1939, pág. 446). En realidad, esa comparación fue efectuada en la reseña de la misma obra por el antropólogo inglés R. R. Marett (1920, pág. 206), como alusión al libro de Rudyard Kipling escrito para niños con historias jocosas sobre la evolución. {«*Just-so story*» podría traducirse, aproximadamente, «una historia que es así porque es así».}]

de regresión a una actividad anímica primitiva, como la que adscribiríamos justamente a la horda primordial.[3]

De este modo, la masa se nos aparece como un renacimiento de la horda primordial. Así como el hombre primordial se conserva virtualmente en cada individuo, de igual modo la horda primordial se restablece a partir de una multitud cualquiera de seres humanos; en la medida en que estos se encuentran de manera habitual gobernados por la formación de masa, reconocemos la persistencia de la horda primordial en ella. Tenemos que inferir que la psicología de la masa es la psicología más antigua del ser humano; lo que hemos aislado como psicología individual, dejando de lado todos los restos de masa, se perfiló más tarde, poco a poco, y por así decir sólo parcialmente a partir de la antigua psicología de la masa. Todavía hemos de hacer el intento de indicar el punto de partida de este desarrollo. [Cf. págs. 128 y sigs.]

Una reflexión inmediata nos muestra el punto en que esta aseveración requiere enmienda. La psicología individual tiene que ser por lo menos tan antigua como la psicología de masa, pues desde el comienzo hubo dos psicologías: la de los individuos de la masa y la del padre, jefe, conductor. Los individuos estaban ligados del mismo modo que los hallamos hoy, pero el padre de la horda primordial era libre. Sus actos intelectuales eran fuertes e independientes aun en el aislamiento, y su voluntad no necesitaba ser refrendada por los otros. En consecuencia, suponemos que su yo estaba poco ligado libidinosamente, no amaba a nadie fuera de sí mismo, y amaba a los otros sólo en la medida en que servían a sus necesidades. Su yo no daba a los objetos nada en exceso.

[3] Los rasgos que hemos descrito en la caracterización general de los seres humanos tienen que ser válidos, en particular, para la horda primordial. La voluntad del individuo era demasiado débil, no se atrevía a la acción. No sobrevenían otros impulsos que los colectivos, existía sólo una voluntad común, no una singular. La representación no osaba trasponerse en voluntad cuando no se sentía fortalecida por la percepción de su difusión general. Esta debilidad de la representación encuentra su explicación en la intensidad de la ligazón afectiva común a todos, pero la semejanza de las circunstancias vitales y la falta de una propiedad privada se sumaban para determinar la uniformidad de los actos anímicos en los individuos. Tampoco las necesidades excrementicias excluyen la comunidad, según puede observarse en niños y soldados. La única gran excepción es el acto sexual, en que un tercero está de más en el mejor de los casos, y en el caso extremo es condenado a una penosa expectativa. En cuanto a la reacción de la necesidad sexual (de satisfacción genital) frente a lo gregario, véase *infra* [págs. 132-3].

En los albores de la historia humana él fue el *superhombre* que Nietzsche esperaba del futuro. Todavía hoy los individuos de la masa han menester del espejismo de que su conductor los ama de manera igual y justa; pero al conductor mismo no le hace falta amar a ningún otro, puede ser de naturaleza señorial, absolutamente narcisista, pero seguro de sí y autónomo. Sabemos que el amor pone diques al narcisismo, y podríamos mostrar cómo, en virtud de ese efecto suyo, ha pasado a ser un factor de cultura.

El padre primordial de la horda no era todavía inmortal, como pasó a serlo más tarde por divinización. Cuando moría debía ser sustituido; lo remplazaba probablemente un hijo más joven que hasta entonces había sido individuo-masa como los demás. Por lo tanto, tuvo que existir la posibilidad de trasformar la psicología de masa en psicología individual, debió hallarse una condición bajo la cual ese cambio se consumase fácilmente, como a las abejas les es posible, en caso de necesidad, hacer de una larva una reina, en vez de convertirla en obrera. Sólo podemos concebirla así: el padre primordial había impedido a sus hijos la satisfacción de sus aspiraciones sexuales directas; los compelió a la abstinencia, y por consiguiente a establecer ligazones afectivas con él y entre ellos, ligazones que podían brotar de las aspiraciones de meta sexual inhibida. Los compelió, por así decir, a la psicología de masa. Sus celos sexuales y su intolerancia pasaron a ser, en último análisis, la causa de la psicología de la masa.[4]

Al que fue su continuador se le abrió también la posibilidad de la satisfacción sexual y, por tanto, la de salir de las condiciones de la psicología de masa. La fijación de la libido a la hembra, la posibilidad de satisfacerse sin dilación y sin almacenamiento, pusieron fin a la significatividad de las aspiraciones sexuales de meta inhibida e hicieron que el narcisismo fuera incrementándose en esa misma medida. En un apéndice [págs. 130 y sigs.] volveremos sobre este vínculo del amor con la formación del carácter.

Será particularmente instructivo destacar el vínculo en que se encuentra la constitución de la horda primordial con la institución a través de la cual —y prescindiendo de los medios compulsivos— se mantiene cohesionada a una masa artificial. En el ejército y la Iglesia es, como vimos, el espejismo de que el conductor ama a todos los individuos

[4] Acaso puede suponerse también que los hijos expulsados, separados del padre, hicieron el progreso desde la identificación entre ellos hasta el amor de objeto homosexual, y así obtuvieron la libertad para matar al padre. [Cf. *Tótem y tabú* (1912-13), *AE*, **13**, pág. 146.]

por igual y justicieramente. Ahora bien, esta no es sino la adaptación {*Umarbeitung*} idealista de la constelación imperante en la horda primordial, a saber, que todos los hijos se sabían perseguidos de igual modo por el padre primordial y lo temían de idéntica manera. Ya la forma siguiente de la sociedad humana, el clan totémico, tiene por premisa esta trasformación sobre la cual se erigen todos los deberes sociales. La fuerza inquebrantable de la familia en cuanto formación de masa natural descansa en que esa premisa necesaria, el idéntico amor del padre, puede realizarse en ella.

Pero todavía esperamos algo más de la reconducción de la masa a la horda primordial. Debe allanarnos lo que hay aún de misterioso y no comprendido en la formación de masa, y que se oculta tras las enigmáticas palabras de «hipnosis» y «sugestión». Y opino que, en efecto, puede hacerlo. Recordemos que la hipnosis contiene algo directamente ominoso; ahora bien, el carácter de lo ominoso apunta a algo antiguo y familiar que cayó bajo la represión.[5] Reparemos en el modo en que se inicia la hipnosis. El hipnotizador afirma encontrarse en posesión de un poder misterioso que arrebata al sujeto su voluntad, o, lo que es lo mismo, el sujeto cree eso de él. Este poder misterioso —que popularmente sigue designándose a menudo como magnetismo animal— tiene que ser el mismo que los primitivos consideraban fuente del tabú, el mismo que irradian reyes y caciques y vuelve peligroso acercárseles (el «*mana*»). Ahora el hipnotizador pretende poseer ese poder. ¿Y cómo lo manifiesta? Exhortando a la persona a mirarlo a los ojos; lo típico es que hipnotice por su mirada. Pero justamente la vista del cacique es peligrosa e insoportable para los primitivos, como después lo será la visión de la divinidad para los mortales. Todavía Moisés tiene que hacer de intermediario entre su pueblo y Jehová, pues el pueblo no soportaría la visión de Dios; así, estuvo en presencia de El, y cuando regresó su rostro despedía rayos: una parte del «*mana*» se había trasferido a él, como le ocurre al intermediario entre los primitivos.[6]

Por lo demás, es posible provocar la hipnosis también por otras vías, lo cual es despistante y ha dado ocasión a teorías fisiológicas insuficientes. Por ejemplo, la fijación de la vista en un objeto brillante, o la audición de un ruido monótono. En realidad, tales procedimientos sólo sirven para distraer y

[5] Cf. «Lo ominoso» (1919*b*) [*AE*, **17**, pág. 244].
[6] Véase *Tótem y tabú* (1912-13) [ensayo II] y las fuentes que allí se citan.

cautivar la atención conciente. La situación es la misma que si el hipnotizador hubiera dicho a la persona: «Ahora ocúpese usted exclusivamente de mi persona; el resto del mundo carece de todo interés». Desde el punto de vista técnico, sin duda, sería inconducente que el hipnotizador pronunciara esas palabras; ellas arrancarían al sujeto de su actitud inconciente y lo estimularían a la contradicción conciente. Pero al par que el hipnotizador evita que el pensar conciente del sujeto se dirija sobre sus propósitos, y este se absorbe en una actividad a raíz de la cual el mundo no puede menos que vaciársele de interés, ocurre que inconcientemente concentra en verdad toda su atención sobre el hipnotizador, se entrega a la actitud del *rapport*, de la trasferencia, con el hipnotizador. Así, los métodos indirectos de la hipnosis, a semejanza de muchas técnicas del chiste,[7] tienen por resultado impedir ciertas distribuciones de la energía psíquica que perturbarían el decurso del proceso inconciente, y en definitiva alcanzan la misma meta que los influjos directos de la mirada fija y el pase de manos.[8]

Ferenczi [1909] descubrió, certeramente, que la orden de dormir, usada a menudo para producir la hipnosis, hace que el hipnotizador ocupe el lugar de los padres. Creyó poder distinguir dos clases de hipnosis: una zalamera y apaciguadora, que atribuyó al modelo materno, y una amenazadora, que imputó al padre. Ahora bien, la orden de dormir no sig-

[7] [En su libro sobre el chiste (1905*c*), *AE*, **8**, págs. 144-6, Freud se explaya sobre la distracción de la atención como parte de la técnica de los chistes. La posibilidad de que este mecanismo cumpla un papel en la «trasferencia de pensamiento» (telepatía) se menciona en «Psicoanálisis y telepatía» (1941*d*), *infra*, pág. 176. Pero tal vez su más antigua alusión a ello sea la que se encuentra en el capítulo final de *Estudios sobre la histeria* (Breuer y Freud, 1895), *AE*, **2**, págs. 277-8, donde sugiere que ese mecanismo posiblemente explique en parte la eficacia de su técnica de «presión sobre la frente». Véase también el «Proyecto de psicología» de 1895 (Freud, 1950*a*), *AE*, **1**, pág. 383.]

[8] La situación en que la persona está inconcientemente suspensa del hipnotizador, mientras que concientemente se ocupa de percepciones monótonas, no interesantes, tiene una contrapartida en los episodios del tratamiento psicoanalítico, que merece citarse aquí. En todo análisis sucede por lo menos una vez que el paciente asevera con obstinación que no se le ocurre absolutamente nada. Sus asociaciones libres cesan, y fracasan las impulsiones que suelen emplearse para ponerlas en marcha. Esforzado el paciente, se obtiene al fin la admisión de que piensa en el panorama que se ve por la ventana del consultorio, en el tapiz de la pared que tiene frente a sí, o en la lámpara de gas que pende en un rincón. Así sabemos enseguida que se halla empeñado en la trasferencia, reclamado por pensamientos todavía inconcientes referidos al médico, y tan pronto se le da dicho esclarecimiento desaparece esa detención de sus ocurrencias.

nifica en la hipnosis nada más que la exhortación a quitar todo interés del mundo y concentrarse en la persona del hipnotizador; también el sujeto la comprende así, pues en ese quite del interés por el mundo exterior reside la característica psicológica del sueño, y en él descansa el parentesco entre el sueño y el estado hipnótico.

Mediante sus manejos, el hipnotizador despierta en el sujeto una porción de su herencia arcaica que había transigido {*entgegenkommen*} también con sus progenitores y que experimentó en la relación con el padre una reanimación individual: la representación de una personalidad muy poderosa y peligrosa, ante la cual sólo pudo adoptarse una actitud pasiva-masoquista y resignar la propia voluntad, y pareció una osada empresa estar a solas con ella, «sostenerle la mirada». Es que sólo así podemos concebir la relación de un individuo de la horda primordial con el padre primordial. Como lo sabemos por otras reacciones, el individuo ha conservado un grado variable de aptitud personal para revivir esas situaciones antiguas. Empero, un saber de que la hipnosis es sólo un juego, una renovación falsa de aquellas viejas impresiones, puede persistir acaso y velar por la resistencia frente a consecuencias demasiado serias de la cancelación hipnótica de la voluntad.

El carácter ominoso y compulsivo de la formación de masa, que sale a la luz en sus fenómenos sugestivos, puede reconducirse entonces con todo derecho hasta la horda primordial. El conductor de la masa sigue siendo el temido padre primordial; la masa quiere siempre ser gobernada por un poder irrestricto, tiene un ansia extrema de autoridad: según la expresión de Le Bon, sed de sometimiento. El padre primordial es el ideal de la masa, que gobierna al yo en remplazo del ideal del yo. Hay buenos fundamentos para llamar a la hipnosis una masa de dos; en cuanto a la sugestión, le cabe esta definición: es un convencimiento que no se basa en la percepción ni en el trabajo de pensamiento, sino en una ligazón erótica.[9]

[9] Creo digno de señalarse que las elucidaciones de esta sección nos mueven a abandonar la concepción de Bernheim sobre la hipnosis para volver a la concepción ingenua más antigua. Según Bernheim, todos los fenómenos hipnóticos derivan de un factor, la sugestión, que ya no es susceptible de ulterior esclarecimiento. Nosotros llegamos a la conclusión de que la sugestión es un fenómeno parcial del estado hipnótico, que tiene su buen fundamento en una disposición que se conserva inconciente desde la historia primordial de la familia humana. [Freud ya había expresado su escepticismo acerca de las opiniones de Bernheim sobre la sugestión en el «Prólogo» a su traducción del libro de aquel sobre el tema (1888-89), *AE*, **1**, págs. 84 y sigs. Véase mi «Nota introductoria», *supra*, pág. 66.]

XI. Un grado en el interior del yo

Si, teniendo presentes las descripciones —complementarias entre sí— de los diversos autores sobre psicología de las masas, abarcamos en un solo panorama la vida de los individuos de nuestros días, acaso perderemos el coraje de ofrecer una exposición sintética, en vista de las complicaciones que advertimos. Cada individuo es miembro de muchas masas, tiene múltiples ligazones de identificación y ha edificado su ideal del yo según los más diversos modelos. Cada individuo participa, así, del alma de muchas masas: su raza, su estamento, su comunidad de credo, su comunidad estatal, etc., y aun puede elevarse por encima de ello hasta lograr una partícula de autonomía y de originalidad. Estas formaciones de masa duraderas y permanentes llaman menos la atención del observador, por sus efectos uniformes y continuados, que las masas efímeras, de creación súbita, de acuerdo con las cuales Le Bon bosquejó su brillante caracterización psicológica del alma de las masas; y en estas masas ruidosas, efímeras, que por así decir se superponen a las otras, se nos presenta el asombroso fenómeno: desaparece sin dejar huellas, si bien sólo temporariamente, justo aquello que hemos reconocido como el desarrollo individual.

Comprendimos ese asombroso fenómeno diciendo que el individuo resigna su ideal del yo y lo permuta por el ideal de la masa corporizado en el conductor. Pero lo asombroso, agregaríamos a manera de enmienda, no tiene en todos los casos igual magnitud. En muchos individuos, la separación entre su yo y su ideal del yo no ha llegado muy lejos; ambos coinciden todavía con facilidad, el yo ha conservado a menudo su antigua vanidad narcisista. La elección del conductor se ve muy facilitada por esta circunstancia. Muchas veces sólo le hace falta poseer las propiedades típicas de estos individuos con un perfil particularmente nítido y puro, y hacer la impresión de una fuerza y una libertad libidinosa mayores; entonces transige con él la necesidad de un jefe fuerte, revistiéndolo con el hiperpoder que de otro modo no habría podido tal vez reclamar. Los otros, cuyo ideal del yo no se habría corporizado en su persona en otras circunstancias sin que mediase corrección, son arrastrados después por vía «sugestiva», vale decir, por identificación.

Según discernimos, lo que pudimos aducir para esclarecer la estructura libidinosa de una masa se reconduce a la diferenciación entre el yo y el ideal del yo, y al doble tipo de ligazón así posibilitado: identificación, e introducción del objeto en remplazo del ideal del yo. Como primer paso de un análisis del yo, esta hipótesis (la existencia de un grado de esta clase en el interior del yo) tiene que demostrar su justificación poco a poco, en los más diversos campos de la psicología. En mi escrito «Introducción del narcisismo» [1914*c*] reuní todo el material patológico utilizable en apoyo de esta separación. Pero cabe esperar que una ulterior profundización en la psicología de las psicosis mostrará que su importancia es mucho mayor. Repárese en que el yo se vincula ahora como un objeto con el ideal del yo desarrollado a partir de él, y que posiblemente todas las acciones recíprocas entre objeto exterior y yo-total que hemos discernido en la doctrina de las neurosis vienen a repetirse en este nuevo escenario erigido en el interior del yo.

Me propongo estudiar aquí sólo una de las posibles consecuencias de este punto de vista, prosiguiendo así la elucidación de un problema que en otro lugar debí dejar irresuelto.[1] Cada una de las diferenciaciones anímicas que hemos ido conociendo supone una nueva dificultad para la función anímica, aumenta su labilidad y puede convertirse en el punto de partida de una falla de la función, de la contracción de una enfermedad. Así, con el nacimiento pasamos del narcisismo absolutamente autosuficiente a la percepción de un mundo exterior variable y al inicio del hallazgo de objeto, y con ello se enlaza el hecho de que no soportemos el nuevo estado de manera permanente, que periódicamente volvamos atrás y en el dormir regresemos al estado anterior de la ausencia de estímulos y evitación del objeto. No hacemos sino obedecer una indicación del mundo exterior, que, por la periódica alternancia del día y la noche, nos sustrae temporariamente de la mayor parte de los estímulos que operan sobre nosotros. El segundo ejemplo, más importante para la patología, no está sometido a ninguna restricción parecida. En el curso de nuestro desarrollo hemos emprendido una separación de nuestro patrimonio anímico en un yo coherente y una parte reprimida inconciente, que se dejó fuera de aquel; y sabemos que la estabilidad de esta adquisición reciente está expuesta a constantes perturbaciones. En el sueño y la

[1] «Duelo y melancolía» (1917*e*) [*AE*, **14**, pág. 255].

neurosis, eso excluido insiste en ser admitido a las puertas custodiadas por resistencias, y en la vigilia y el estado de salud nos servimos de particulares artificios para acoger temporariamente en nuestro yo lo reprimido sorteando las resistencias y mediando una ganancia de placer. El chiste y el humor, y en cierta medida lo cómico en general, podrían considerarse bajo esta luz. A todo conocedor de la psicología de las neurosis se le ocurrirán ejemplos parecidos de menor alcance; pero pasaré sin dilaciones a la aplicación que me he propuesto.

Sería también concebible que la división del ideal del yo respecto del yo no se soportase de manera permanente, y tuvieran que hacerse involuciones temporarias. A pesar de todas las renuncias y restricciones impuestas al yo, la regla es la infracción periódica de las prohibiciones. Lo muestra ya la institución de las fiestas, que originariamente no son otra cosa que excesos permitidos por la ley y deben a esta liberación su carácter placentero.[2] Las saturnales de los romanos y el carnaval de nuestros días coinciden en este rasgo esencial con las fiestas de los primitivos, que suelen terminar en desenfrenos de toda clase, trasgrediendo los mandatos en cualquier otro momento sagrados. Ahora bien, el ideal del yo abarca la suma de todas las restricciones que el yo debe obedecer, y por eso la suspensión del ideal no podría menos que ser una fiesta grandiosa para el yo, que así tendría permitido volver a contentarse consigo mismo.[3]

Siempre se produce una sensación de triunfo cuando en el yo algo coincide con el ideal del yo. Además, el sentimiento de culpa (y el sentimiento de inferioridad) puede comprenderse como expresión de la tensión entre el yo y el ideal.

Es sabido que hay seres humanos en quienes el talante, como sentimiento general, oscila de manera periódica desde un desmedido abatimiento, pasando por un cierto estado intermedio, hasta un exaltado bienestar; y estas oscilaciones, además, emergen con diversos grados de amplitud, desde las apenas registrables hasta las extremas, que, como melancolía y manía, se interponen de manera sumamente martirizadora o perturbadora en la vida de las personas afectadas. En los casos típicos de esta desazón cíclica, los ocasionamientos externos no parecen desempeñar un papel decisivo; y en

[2] *Tótem y tabú* (1912-13) [*AE*, **13**, pág. 142].

[3] Trotter hace arrancar la represión de la pulsión gregaria. Lo que yo he dicho en mi trabajo sobre el narcisismo (1914*c*) [*AE*, **14**, pág. 90] es más una traducción a otra terminología que una contradicción: «La formación de ideal sería, de parte del yo, la condición de la represión».

cuanto a motivos internos, no hallamos en estos enfermos algo más o algo distinto que en las restantes personas. Por eso se adoptó la costumbre de juzgar a estos casos como no psicógenos. Más adelante nos referiremos a otros casos de desazón cíclica, enteramente similares, pero que se reconducen con facilidad a traumas psíquicos.

El fundamento de estas oscilaciones espontáneas del talante es, pues, desconocido; nos falta toda intelección del mecanismo por el cual una melancolía es relevada por una manía. Ahora bien, estos serían los enfermos para quienes podría ser válida nuestra conjetura, a saber, que su ideal del yo se disuelve temporariamente en el yo después que lo rigió antes con particular severidad.

Retengamos, para evitar oscuridades: Sobre la base de nuestro análisis del yo es indudable que, en el maníaco, yo e ideal del yo se han confundido, de suerte que la persona, en un talante triunfal y de autoarrobamiento que ninguna autocrítica perturba, puede regocijarse por la ausencia de inhibiciones, miramientos y autorreproches. Es menos evidente, aunque muy verosímil, que la miseria del melancólico sea la expresión de una bipartición tajante de ambas instancias del yo, en que el ideal, desmedidamente sensible, hace salir a luz de manera despiadada su condena del yo en el delirio de insignificancia y en la autodenigración. Sólo cabe preguntarse si la causa de estos vínculos alterados entre yo e ideal del yo ha de buscarse en rebeliones periódicas, como las que postulamos antes, en contra de la nueva institución, o son otras las circunstancias responsables de ellas.

El vuelco a la manía no es un rasgo necesario en el cuadro patológico de la depresión melancólica. Existen melancolías simples (algunas que sobrevienen una sola vez y otras que se repiten periódicamente) que nunca tienen aquel otro destino. Por otra parte, hay melancolías en que el ocasionamiento desempeña un evidente papel etiológico. Son las que se producen tras la pérdida de un objeto amado, sea por su muerte o a raíz de circunstancias que obligaron a retirar la libido del objeto. Una melancolía psicógena de esta clase puede desembocar en manía, y este ciclo repetirse varias veces, tal como en una melancolía en apariencia espontánea. Así, las condiciones nos resultan bastante opacas, tanto más cuanto que hasta hoy sólo pocas formas y pocos casos de melancolía se han sometido a la indagación psicoanalítica.[4] Hasta ahora sólo comprendemos aquellos casos en que el objeto fue resignado porque se había mostrado indigno del amor. En-

[4] Cf. Abraham (1912).

tonces se lo vuelve a erigir en el interior del yo por identificación, y es severamente amonestado por el ideal del yo. Los reproches y agresiones dirigidos al objeto salen a la luz como autorreproches melancólicos.[5]

También una melancolía de esta clase puede ser seguida por el vuelco a la manía, de suerte que esta posibilidad constituye un rasgo independiente de los restantes caracteres del cuadro patológico.

Empero, no veo ninguna dificultad en hacer intervenir en ambas clases de melancolías, las psicógenas y las espontáneas, el factor de la rebelión periódica del yo contra el ideal del yo. En las espontáneas puede suponerse que el ideal del yo se inclina a desplegar una particular severidad, que después tiene por consecuencia automática su cancelación temporaria. En las psicógenas, el yo sería estimulado a rebelarse por el maltrato que experimenta de parte de su ideal, en el caso de la identificación con un objeto reprobado.[6]

[5] Dicho más precisamente: se ocultan tras los reproches dirigidos al yo propio, y le prestan la fijeza, tenacidad y carácter imperativo que distinguen a los autorreproches de los melancólicos.

[6] [Se hallará un examen ulterior de la melancolía en el cap. V de *El yo y el ello* (1923*b*).]

XII. Apéndice

En el curso de esta indagación, que acaba de llegar a un cierre provisional, se nos han abierto diversas vías laterales que por el momento hemos evitado, pero que nos prometen muchas intelecciones inmediatas. Ahora recogeremos algo de lo así pospuesto.

A. La diferencia entre identificación del yo con un objeto y remplazo del ideal del yo por este encuentra una interesante ilustración en las dos grandes masas artificiales que estudiamos inicialmente, el ejército y la Iglesia cristiana. Es evidente que el soldado toma por ideal a su jefe, en rigor al conductor del ejército, al par que se identifica con sus iguales y deriva de esta comunidad del yo los deberes de la ayuda mutua y el reparto de bienes, que la camaradería implica. Pero se pone en ridículo cuando pretende identificarse con el general en jefe. Por eso el montero, en *Wallensteins Lager*, se burla del sargento:

> «Su modo de carraspear y de escupir
> es lo que ha copiado perfectamente usted...».[1]

La situación es diferente en la Iglesia católica. Todo cristiano ama a Cristo como su ideal y se siente ligado a los otros cristianos por identificación. Pero la Iglesia le pide algo más. Debe identificarse con Cristo y amar a los otros cristianos como El los ha amado. En ambos lugares, por tanto, la Iglesia exige completar la posición libidinal dada por la formación de masa. La identificación debe agregarse ahí donde se produjo la elección de objeto, y el amor de objeto, ahí donde está la identificación. Este complemento, es evidente, rebasa la constitución de la masa. Uno puede ser un buen cristiano aun siéndole ajena la idea de ponerse en el lugar de Cristo, y abrazar con su amor a todos los seres humanos, como El lo hizo. No hace falta que uno se atri-

1 [Escena 6 de la obra de Schiller.]

buya, siendo un débil mortal, la inmensidad de alma y la fuerza de amor del Salvador. Pero este ulterior desarrollo de la distribución libidinal dentro de la masa es, probablemente, el factor en que el cristianismo basa su pretensión de haber conquistado una eticidad más elevada.

B. Dijimos [pág. 117] que sería posible indicar en el desarrollo anímico de la humanidad el punto en que se consumó, también para los individuos, el progreso de la psicología de masa a la psicología individual.[2]

Para ello debemos reconsiderar brevemente el mito científico del padre de la horda primordial. Más tarde se lo erigió en creador del universo, y con razón, pues había engendrado a todos los hijos que componían la primera masa. Era el ideal de cada uno de ellos, venerado y temido a un tiempo; de ahí resultó, después, el concepto del tabú. Cierta vez esta mayoría se juntó, lo mató y lo despedazó. Ninguno de los miembros de esta masa triunfante pudo ocupar su lugar o, cuando alguno lo consiguió, se renovaron las luchas, hasta que advirtieron que todos ellos debían renunciar a la herencia del padre. Formaron entonces la hermandad totémica, en la que todos gozaban de iguales derechos y estaban ligados por las prohibiciones totémicas, destinadas a preservar y expiar la memoria del asesinato. Pero el descontento con lo logrado persistió, y pasó a ser la fuente de nuevos desarrollos. Poco a poco los coligados en la masa de hermanos fueron reproduciendo el antiguo estado en un nuevo nivel; el varón se convirtió otra vez en jefe de una familia y quebrantó los privilegios de la ginecocracia que se había establecido en la época sin padre. Acaso como resarcimiento, reconocieron entonces a las deidades maternas, cuyos sacerdotes fueron castrados para protección de la madre, siguiendo el ejemplo que había dado el padre de la horda primordial; empero, la nueva familia fue sólo una sombra de la antigua: los padres eran muchos, y cada uno estaba limitado por los derechos de los demás.

Fue tal vez por esa época que la privación añorante movió a un individuo a separarse de la masa y asumir el papel del padre. El que lo hizo fue el primer poeta épico, y ese progreso se consumó en su fantasía. El poeta presentó la realidad bajo una luz mentirosa, en el sentido de su añoranza.

[2] Lo que sigue fue escrito bajo el influjo de un intercambio de ideas con Otto Rank. [*Agregado* en 1923:] Véase también Rank (1922). [Léase este pasaje junto con las secciones 5, 6 y 7 del ensayo IV de *Tótem y tabú* (1912-13), *AE*, **13**, págs. 142 y sigs.]

Inventó el mito heroico. Héroe fue el que había matado, él solo, al padre (el que en el mito aparecía todavía como monstruo totémico). Así como el padre había sido el primer ideal del hijo varón, ahora el poeta creaba el primer ideal del yo en el héroe que quiso sustituir al padre. El antecedente del héroe fue ofrecido, probablemente, por el hijo menor, el preferido de la madre, a quien ella había protegido de los celos paternos y en los tiempos de la horda primordial se había convertido en el sucesor del padre. En la falaz trasfiguración poética de la horda primordial, la mujer, que había sido el botín de la lucha y el señuelo del asesinato, pasó a ser probablemente la seductora e instigadora del crimen.

El héroe pretende haber sido el único autor de la hazaña que sin duda sólo la horda como un todo osó perpetrar. No obstante, como ha observado Rank, el cuento tradicional conserva nítidas huellas de los hechos que así eran desmentidos. En efecto, en ellos frecuentemente el héroe, que debe resolver una tarea difícil —casi siempre se trata del hijo menor, y no rara vez de uno que ha pasado por tonto, vale decir por inofensivo, ante el subrogado del padre—, sólo puede hacerlo auxiliado por una cuadrilla de animales pequeños (abejas, hormigas). Estos serían los hermanos de la horda primordial, de igual modo como en el sueño insectos, sabandija, significan los hermanos y hermanas (en sentido peyorativo: como niños pequeños). Además, en cada una de las tareas que se consignan en el mito y los cuentos tradicionales se discierne con facilidad un sustituto de la hazaña heroica.

El mito es, por tanto, aquel paso con que el individuo se sale de la psicología de masa. El primer mito fue, con seguridad, el psicológico: el mito del héroe; el mito explicativo de la naturaleza debe de haber aparecido mucho después. El poeta que dio este paso, y así se desasió de la masa en la fantasía, sabe empero —según otra observación de Rank— hallar en la realidad el camino de regreso a ella. En efecto, se presenta y refiere a esta masa las hazañas de su héroe, inventadas por él. En el fondo, este héroe no es otro que él mismo. Así desciende hasta la realidad, y eleva a sus oyentes hasta la fantasía. Ahora bien, estos comprenden al poeta, pueden identificarse con el héroe sobre la base de la misma referencia añorante al padre primordial.[3]

La mentira del mito heroico culmina en el endiosamiento del héroe. Quizás el héroe endiosado fue anterior al Dios

[3] Cf. Hanns Sachs (1920).

Padre, y el precursor del retorno del padre primordial como divinidad. Cronológicamente, la serie de los dioses es, pues, como sigue: Diosa Madre-Héroe-Dios Padre. Pero sólo con la exaltación del padre primordial, jamás olvidado, recibió la divinidad los rasgos que todavía hoy le conocemos.[4]

C. En este ensayo hemos hablado mucho de pulsiones sexuales directas y de meta inhibida, y nos asiste el derecho de esperar que ese distingo no ha de chocar con una gran resistencia. Empero, una elucidación en profundidad sobre él será bienvenida, aunque no haga sino repetir lo que en gran parte ya se ha dicho antes, en otros lugares.

Fue el desarrollo libidinal del niño el que nos dio a conocer el primer ejemplo, pero el mejor, de pulsiones sexuales de meta inhibida. Todos los sentimientos que el niño alienta hacia sus padres y hacia las personas encargadas de su crianza se prolongan sin solución de continuidad en los deseos que expresan su aspiración sexual. El niño pide a estas personas amadas todas las ternuras que él conoce, quiere besarlas, tocarlas, mirarlas, siente curiosidad por ver sus genitales y por estar presente cuando realizan sus íntimas funciones excretorias; promete casarse con su madre o su cuidadora, no importa qué se imagine con eso; se propone dar un hijo a su padre, etc. La observación directa, así como la iluminación analítica de los restos infantiles hecha con posterioridad, no dejan ninguna duda acerca de la confluencia de sentimientos tiernos y celosos, por un lado, y propósitos sexuales, por el otro; así, nos ponen de relieve la manera radical en que el niño hace de la persona amada el objeto de todos sus afanes sexuales, todavía no centrados correctamente.[5]

Esta primera configuración de amor del niño, que en los casos típicos aparece subordinada al complejo de Edipo, sucumbe después, como es sabido, a partir del comienzo del período de latencia, a una oleada de represión. Lo que resta de ella se nos presenta como un lazo afectivo puramente tierno dirigido a las mismas personas, pero que ya no debe calificarse de «sexual». El psicoanálisis, que ilumina las profundidades de la vida anímica, ha demostrado sin dificultad que también las ligazones sexuales de los primeros años de la infancia sobreviven, pero reprimidas e inconcientes. Nos

4 En esta exposición abreviada hemos renunciado a todo material proveniente de las sagas, los mitos, los cuentos populares, la historia de las costumbres, etc., que podría venir en apoyo de la construcción.

5 Cf. mis *Tres ensayos* (1905*d*) [*AE*, **7**, pág. 181].

da la osadía para afirmar que dondequiera que hallemos un sentimiento tierno, es el sucesor de una ligazón de objeto plenamente «sensual» con la persona en cuestión o con su modelo (su *imago*). Desde luego, sin una indagación particular el psicoanálisis no puede revelarnos, en un caso dado, si esa corriente anterior plenamente sexual subsiste todavía como reprimida, o ya se ha agotado. Para decirlo con mayor precisión: se comprueba que está todavía presente como forma y posibilidad, y en cualquier momento puede ser investida de nuevo por regresión, puede ser activada; sólo cabe inquirir por la investidura y la eficacia que sigue teniendo en el presente, lo cual no siempre es decidible. En este punto es preciso estar atento a dos fuentes de error, de igual imperio: la Escila de la subestimación de lo inconciente reprimido, y la Caribdis de la inclinación a medir lo normal a toda costa con el rasero de lo patológico.

A la psicología que no quiere o no puede penetrar en lo profundo de lo reprimido, las ligazones afectivas de ternura se le presentan siempre como expresión de aspiraciones que no tienen meta sexual, cuando en verdad proceden de aspiraciones que la tenían.[6]

Tenemos derecho a decir que fueron desviadas de estas metas sexuales, si bien el ajustarse a los requisitos de la metapsicología en la exposición de ese desvío respecto de la meta no deja de presentar dificultades. Por lo demás, estas pulsiones de meta inhibida conservan siempre algunas de las metas sexuales originarias; aun el tierno devoto, aun el amigo, el admirador, buscan la proximidad corporal y la visión de la persona ahora amada solamente en el sentido paulino. Si así lo queremos, podemos reconocer en este desvío respecto de la meta un comienzo de *sublimación* de las pulsiones sexuales, o bien establecer de manera más estricta los límites de esta última. Las pulsiones sexuales de meta inhibida tienen, respecto de las no inhibidas, una gran ventaja funcional. Puesto que no son susceptibles de una satisfacción cabal, son particularmente aptas para crear ligazones duraderas; en cambio, las que poseen una meta sexual directa pierden su energía cada vez por obra de la satisfacción, y tienen que aguardar hasta que ella se renueve por reacumulación de la libido sexual; entretanto, puede producirse un cambio {de vía} del objeto. Las pulsiones inhibidas son susceptibles de mezclarse con las no inhibidas en todas las

[6] Los sentimientos hostiles se edifican, sin duda, de manera un poco más complicada. [En la primera edición, esta nota decía: «Los sentimientos hostiles, edificados de una manera más complicada, no constituyen una excepción».]

proporciones posibles; así como surgieron de estas últimas, pueden retrasformarse en ellas. Es conocida la facilidad con que pueden desarrollarse deseos eróticos a partir de vínculos afectivos de índole amistosa, fundados en el reconocimiento y la admiración (el «*Embrassez-moi pour l'amour du Grec*» de Molière),[7] entre maestro y alumna, entre un artista y su arrobada oyente, sobre todo en el caso de mujeres. Más aún: el nacimiento de tales ligazones afectivas carentes de propósitos al comienzo abre una vía directa, muy frecuentada, hacia la elección de objeto. Pfister, en su *Frömmigkeit des Grafen von Zinzendorf* {La piedad del conde de Zinzendorf} [1910], ha dado un ejemplo muy claro, y no el único por cierto, de la facilidad con que incluso un lazo religioso intenso puede volcarse de súbito en ardiente excitación sexual. Por otra parte, es muy habitual la trasmudación de aspiraciones sexuales directas, efímeras por sí mismas, en una ligazón duradera meramente tierna; y la consolidación de un matrimonio concertado por enamoramiento carnal descansa en buena parte en este proceso.

No nos asombrará oír, desde luego, que las aspiraciones sexuales de meta inhibida surgen de las directamente sexuales cuando obstáculos internos o externos se oponen al logro de las metas sexuales. La represión del período de latencia es un obstáculo interno de esa índole —o mejor: interiorizado {*innerlich gewordenes*}—. Supusimos que el padre de la horda primordial forzaba a la abstinencia a todos sus hijos por su intolerancia sexual, y así los empujaba a establecer ligazones de meta inhibida, mientras que se reservaba para sí el libre goce sexual y, de tal modo, permanecía desligado. Todas las ligazones en que descansa la masa son del tipo de las pulsiones de meta inhibida. Pero con esto nos acercamos a la elucidación de un nuevo tema: el vínculo de las pulsiones sexuales directas con la formación de masa.

D. Las dos últimas observaciones nos han preparado para este descubrimiento: las aspiraciones sexuales directas son desfavorables para la formación de masa. Es verdad que en la historia evolutiva de la familia el amor sexual conoció vínculos de masa (el matrimonio por grupos), pero a medida que el amor sexual iba adquiriendo valor {*Bedeutung*}

[7] [«*Quoi! monsieur sait du grec! Ah! permettez, de grâce,*
Que, pour l'amour du grec, monsieur, on vous embrasse».
{«¿Qué, el señor sabe griego? ¡Ah, señor, conceded la gracia de que se os abrace por amor al griego!».}
(*Les femmes savantes*, acto III, escena 5.)]

para el yo, y se desarrollaba el enamoramiento, más urgente se hacía el reclamo de la limitación a dos personas —*una cum uno*—, prescrita por la naturaleza de la meta genital. Las inclinaciones polígamas se vieron precisadas a satisfacerse en la sucesión del cambio del objeto.

Las dos personas comprometidas entre sí con el fin de la satisfacción sexual se manifiestan contra la pulsión gregaria, contra el sentimiento de masa, en la medida en que buscan la soledad. Mientras más enamoradas están, tanto más completamente se bastan una a la otra. La repulsa al influjo de la masa se exterioriza como sentimiento de vergüenza. Las mociones afectivas de los celos, de extrema violencia, son convocadas para proteger la elección de objeto sexual contra su deterioro por obra de una ligazón de masa. Sólo cuando el factor tierno (vale decir, personal) de la relación amorosa queda totalmente relegado tras el factor sensual se vuelve posible el comercio amoroso de una pareja en presencia de terceros o la realización de actos sexuales simultáneos dentro de un grupo, como en la orgía. Pero así se da una regresión a un estado anterior de las relaciones entre los sexos, en que el enamoramiento no desempeñaba todavía papel alguno y los objetos sexuales eran juzgados de igual valor {*gleichwertig*}, acaso en el sentido del maligno apotegma de Bernard Shaw, según el cual estar enamorado significa sobrestimar indebidamente la diferencia entre una mujer y otra.

Hay abundantes indicios de que el enamoramiento se introdujo sólo más tarde en las relaciones sexuales entre hombre y mujer, de modo que también el antagonismo entre amor sexual y formación de masa se desarrolló tardíamente. Ahora bien, podría parecer que esta hipótesis es incompatible con nuestro mito de la familia primordial. La cuadrilla de hermanos debe de haber sido empujada al asesinato del padre por el amor hacia las madres y hermanas, y es difícil imaginarse este amor si no es como un amor primitivo, íntegro, esto es, como íntima unión de ternura y sensualidad. Pero pensándolo mejor, esta objeción se resuelve en una corroboración. Una de las reacciones al asesinato del padre fue, en efecto, la institución de la exogamia totémica, la prohibición de toda relación sexual con las mujeres de la familia, amadas con ternura desde la infancia. Así se introdujo la cuña entre las mociones tiernas y las sensuales del varón, cuña enclavada todavía hoy en su vida amorosa.[8] A conse-

[8] Véase «Sobre la más generalizada degradación de la vida amorosa» (1912*d*) [*AE*, **11**, págs. 174 y sigs.].

cuencia de esta exogamia, las necesidades sensuales de los varones tuvieron que contentarse con mujeres extrañas y no amadas.

En las grandes masas artificiales, Iglesia y ejército, no hay lugar para la mujer como objeto sexual. La relación amorosa entre hombre y mujer queda excluida de estas organizaciones. Aun donde se forman masas mixtas de hombres y mujeres, la diferencia entre los sexos no desempeña papel alguno. Apenas tiene sentido preguntar si la libido que cohesiona a las masas es de naturaleza homosexual o heterosexual, pues no se encuentra diferenciada según los sexos y prescinde, en particular, de las metas de la organización genital de la libido.

Aun para el individuo que en todos los otros aspectos está sumergido en la masa, las aspiraciones sexuales directas conservan una parte de quehacer individual. Donde se vuelven hiperintensas, descomponen toda formación de masa. La Iglesia católica tenía los mejores motivos para recomendar a sus fieles la soltería e imponer a sus sacerdotes el celibato, pero es frecuente que aun estos últimos abandonen la Iglesia por haberse enamorado. De igual manera, el amor por la mujer irrumpe a través de las formaciones de masa de la raza, de la segregación nacional y del régimen de las clases sociales, consumando así logros importantes desde el punto de vista cultural. Parece cierto que el amor homosexual es mucho más compatible con las formaciones de masa, aun donde se presenta como aspiración sexual no inhibida; hecho asombroso, cuyo esclarecimiento nos llevaría lejos.

La indagación psicoanalítica de las psiconeurosis nos ha enseñado que sus síntomas han de derivarse de aspiraciones sexuales directas que fueron reprimidas, pero permanecieron activas. Podemos completar esta fórmula, agregando: o de aspiraciones sexuales de meta inhibida, en que la inhibición no se logró acabadamente o dejó sitio a un regreso a la meta sexual reprimida. A esta circunstancia se debe que la neurosis vuelva asociales a sus víctimas, sacándolas de las habituales formaciones de masa. Puede decirse que la neurosis ejerce sobre la masa el mismo efecto destructivo que el enamoramiento. En cambio, puede verse que toda vez que se produce un violento impulso a la formación de masa, las neurosis ralean y al menos por cierto lapso pueden desaparecer. Por eso se ha intentado, con razón, dar un uso terapéutico al antagonismo entre neurosis y formación de masa. Aun quienes no lamentan la desaparición de las ilusiones religiosas en el mundo culto de nuestros días admitirán que, en la medida en que conservaban vigencia plena, ofrecían a los coligados por ellas la más poderosa protección contra las neurosis.[9] Tampoco es difícil discernir, en todas las ligazones con sectas y comunidades místico-religiosas o filosófico-místicas, la expresión de curaciones indirectas de diversas neurosis. Todo esto tiene estrecha relación con la oposición entre las aspiraciones sexuales directas y las de meta inhibida.

Abandonado a sí mismo, el neurótico se ve precisado a sustituir, mediante sus formaciones de síntoma, las grandes formaciones de masa de las que está excluido. Se crea su propio mundo de fantasía, su religión, su sistema delirante, y así repite las instituciones de la humanidad en una deformación que testimonia con nitidez la hiperpotente contribución de las aspiraciones sexuales directas.[10]

E. Agreguemos, para concluir, una apreciación comparativa, desde el punto de vista de la teoría de la libido, de los estados de que nos hemos ocupado: el enamoramiento, la hipnosis, la formación de masa y la neurosis.

El *enamoramiento* se basa en la presencia simultánea de aspiraciones sexuales directas y de meta inhibida, al par que el objeto atrae hacia sí una parte de la libido yoica narcisista. Sólo da cabida al yo y al objeto.

La *hipnosis* comparte con el enamoramiento el circunscribirse a esas dos personas, pero se basa enteramente en aspiraciones sexuales de meta inhibida y pone al objeto en el lugar del ideal del yo.

La *masa* multiplica este proceso; coincide con la hipnosis en cuanto a la naturaleza de las pulsiones que la cohesionan y a la sustitución del ideal del yo por el objeto, pero agrega la identificación con otros individuos, la que quizá fue posibilitada originariamente por su idéntico vínculo con el objeto.

Ambos estados, hipnosis y formación de masa, son sedimentaciones hereditarias que provienen de la filogénesis de la libido humana: la hipnosis como disposición, la masa además como relicto directo. La sustitución de las aspiraciones sexuales directas por las de meta inhibida promueve en ambas la separación entre el yo y el ideal del yo, de la que ya en el enamoramiento hay un comienzo.

La *neurosis* cae fuera de esta serie. Se basa también en una propiedad del desarrollo libidinal humano: la acometi-

[9] [Cf. «Las perspectivas futuras de la terapia psicoanalítica» (Freud, 1910*d*), *AE*, **11**, pág. 138.]

[10] Véase *Tótem y tabú* (1912-13), hacia el final del segundo ensayo [*AE*, **13**, pág. 78].

da en dos tiempos (interrumpida por el período de latencia) de la función sexual directa.[11] En esa medida, tiene como la hipnosis y la formación de masa el carácter de una regresión, que falta en el enamoramiento. Aparece dondequiera que el pasaje de las pulsiones sexuales directas a las de meta inhibida no se ha consumado felizmente, y responde a un *conflicto* entre las pulsiones acogidas en el yo, que han recorrido aquel desarrollo, y las partes de las mismas pulsiones que, desde lo inconciente reprimido, aspiran —lo mismo que otras mociones pulsionales cabalmente reprimidas— a su satisfacción directa. La neurosis es extraordinariamente rica en su contenido, pues abarca todos los vínculos posibles entre el yo y el objeto, tanto aquellos en que este es conservado, como los otros, en que es resignado o erigido en el interior del propio yo, pero de igual modo los vínculos conflictivos entre el yo y su ideal del yo.

[11] Véanse mis *Tres ensayos* (1905*d*) [*AE*, **7**, pág. 214].

Sobre la psicogénesis de un caso de homosexualidad femenina
(1920)

Nota introductoria

«Über die Psychogenese eines Falles von weiblicher Homosexualität»

Ediciones en alemán

1920 *Int. Z. Psychoanal.*, **6**, nº 1, págs. 1-24.
1922 *SKSN*, **5**, págs. 159-94.
1924 *GS*, **5**, págs. 312-43.
1926 *Psychoanalyse der Neurosen*, págs. 87-124.
1931 *Sexualtheorie und Traumlehre*, págs. 155-88.
1947 *GW*, **12**, págs. 271-302.
1973 *SA*, **7**, págs. 255-81.

Traducciones en castellano *

1929 «Sobre la psicogénesis de un caso de homosexualidad femenina». *BN* (17 vols.), **13**, págs. 199-231. Traducción de Luis López-Ballesteros.
1943 Igual título. *EA*, **13**, págs. 207-39. El mismo traductor.
1948 Igual título. *BN* (2 vols.), **1**, págs. 1016-29. El mismo traductor.
1953 Igual título. *SR*, **13**, págs. 160-84. El mismo traductor.
1967 Igual título. *BN* (3 vols.), **1**, págs. 1004-17. El mismo traductor.
1974 Igual título. *BN* (9 vols.), **7**, págs. 2545-61. El mismo traductor.

Según Ernest Jones (1957, pág. 42), este artículo fue terminado en enero de 1920 y se publicó en marzo de ese mismo año.

Freud acometió aquí otra vez, luego de un intervalo de

* {Cf. la «Advertencia sobre la edición en castellano», *supra*, pág. xi y *n*. 6.}

casi veinte años, el relato detallado (aunque incompleto) del historial de una paciente mujer; pero si en el caso «Dora» (1905*e* [1901]), y en sus contribuciones a *Estudios sobre la histeria* (1895*d*), se había ocupado casi con exclusividad de la histeria, ahora comenzó a considerar más en profundidad toda la cuestión de la sexualidad en la mujer. Sus investigaciones en este ámbito lo llevarían más tarde a escribir sus trabajos sobre la diferencia anatómica entre los sexos (1925*j*) y sobre la sexualidad femenina (1931*b*), así como también la 33ª de sus *Nuevas conferencias de introducción al psicoanálisis* (1933*a*). El presente artículo contiene, además, una exposición de algunas de las concepciones posteriores de Freud sobre la homosexualidad en general, y ciertas interesantes puntualizaciones técnicas.

James Strachey

I

La homosexualidad femenina, en verdad tan frecuente como la masculina, si bien mucho menos estridente, no sólo ha escapado a la ley penal; también ha sido descuidada por la investigación psicoanalítica. Por eso quizá merece considerarse la comunicación de un único caso, y no demasiado flagrante, en que se pudo reconocer la historia de su génesis psíquica casi sin lagunas y con plena certeza. Si esta exposición brinda sólo los trazos más globales de los acontecimientos y las intelecciones que se obtuvieron, callando todos los detalles característicos en que descansa la interpretación, tal cercenamiento se explica fácilmente por la reserva que el médico está obligado a guardar cuando el caso es reciente.

Una muchacha de dieciocho años, bella e inteligente, de una familia de elevada posición social, provoca el disgusto y el cuidado de sus padres por la ternura con que persigue a una dama «de la sociedad», diez años mayor que ella. Los padres aseveran que esta dama, a pesar de su aristocrático apellido, no es más que una *cocotte*. Dicen saber que vive en casa de una amiga casada con quien mantiene relaciones íntimas, al par que al mismo tiempo se entrega a amores disolutos con una cantidad de hombres. La muchacha no pone en entredicho esta mala fama, pero ello no le hace desistir de su adoración por la dama, a pesar de que no le falta el sentido de lo conveniente y decoroso. Ninguna prohibición ni vigilancia la arredran de aprovechar las raras ocasiones que se le ofrecen para hallarse en compañía de la amada, de espiar todos sus hábitos de vida, de aguardarla horas y horas a la puerta de su casa o en la parada del tranvía, de enviarle flores, etc. Es evidente que este interés único ha devorado en la muchacha a todos los otros. No se preocupa por continuar su formación, no da valor alguno al trato social ni a los entretenimientos propios de las jóvenes y sólo conserva la relación con algunas amigas que pueden servirle como confidentes o auxiliares. Los padres no saben hasta dónde llegaron las cosas entre su hija y aquella dudosa dama, y si ya se han pasado los límites de un entusiasmo tierno. No han notado nunca que la muchacha se interesara por hombres jóvenes y se complaciera ante sus homenajes; en cambio, tienen bien en claro que esta inclinación presente hacia una mujer no hace sino proseguir en medida extremada lo que en los últimos años se insinuó hacia personas del sexo femenino y había despertado el enojo y el rigor del padre.

Dos aspectos de su conducta, en apariencia opuestos entre sí, provocaron grandísimo desagrado a sus padres: que no tuviese reparo alguno en exhibirse públicamente por calles concurridas con esa su amada de mala fama, y por tanto le tuviese sin cuidado su propia honra, y que no desdeñara ningún medio de engaño, ningún subterfugio ni mentira para posibilitar y encubrir sus encuentros con ella. Vale decir, demasiada publicidad en un caso, y total disimulación en el otro. Un día sucedió lo que en esas circunstancias tenía que ocurrir alguna vez: el padre topó por la calle con su hija en compañía de aquella dama que se le había hecho notoria. Pasó al lado de ellas con una mirada colérica que nada bueno anunciaba. Y tras eso, enseguida, la muchacha escapó y se precipitó por encima del muro a las vías del ferrocarril metropolitano que pasaba allí abajo. Pagó este intento de suicidio, indudablemente real, con una larga convalecencia, pero, por suerte, con un muy escaso deterioro duradero. Después de su restablecimiento, la situación resultó más favorable que antes para sus deseos. Los padres ya no osaron contrariarla con la misma decisión, y la dama, que hasta entonces había rechazado con un mohín sus requerimientos, se sintió tocada ante una prueba tan inequívoca de pasión seria y empezó a tratarla amistosamente.

Unos seis meses después los padres acudieron al médico y le confiaron la tarea de volver a su hija a la normalidad. El intento de suicidio de la muchacha les había mostrado bien a las claras que las severas medidas disciplinarias hogareñas no eran capaces de dominar la perturbación manifestada. Pero es bueno tratar por separado aquí las actitudes del padre y de la madre. El primero era un hombre serio, respetable, en el fondo muy tierno, algo distanciado de sus hijos por su impostado rigor. Su comportamiento hacia la única hija estuvo movido en demasía por miramientos hacia su mujer, la madre de ella. Cuando tuvo la primera noticia de las inclinaciones homosexuales de la hija, se encolerizó y quiso sofocarlas mediante amenazas; quizás en ese momento osciló entre diversas concepciones, todas igualmente penosas: si debía ver en ella un ser vicioso, degenerado o enfermo mental. Ni siquiera después del accidente logró elevarse hasta esa meditada resignación que uno de nuestros colegas médicos, a raíz de un desliz parecido que hubo en su familia, expresaba con este dicho: «¡Es una desgracia como cualquier otra!». La homosexualidad de su hija tenía algo que le provocaba una exasperación total. Estaba decidido a combatirla por todos los medios; el menosprecio por el psicoanálisis, tan difundido en Viena, no le arredró de acudir a él en busca de auxilio. Y si este camino fracasaba, tenía en reserva el más poderoso antídoto; un rápido casamiento estaba destinado a despertar los instintos naturales de la muchacha y a ahogar sus inclinaciones antinaturales.

PADRE

La actitud de la madre no era tan fácil de penetrar. Era una mujer todavía juvenil que manifiestamente no quería renunciar a la pretensión de agradar ella misma por sus encantos. Sólo era claro que no había tomado tan a lo trágico el extravío de su hija y en modo alguno le indignaba tanto como al padre. Hasta había gozado durante largo tiempo de la confianza de la muchacha con relación a su enamoramiento por aquella dama; al parecer, tomó el partido contrario movida, en lo esencial, por la perniciosa publicidad con que la hija proclamaba su sentimiento ante todo el mundo. Ella misma había sido neurótica durante varios años, gozaba de gran consideración de parte de su marido, trataba a sus hijos de manera muy poco equitativa, era en verdad dura hacia su hija y tierna en demasía hacia sus tres muchachos, el menor de los cuales era un hijo tardío y a la sazón no tenía aún tres años. Averiguar algo más preciso sobre su carácter no era fácil; en efecto, a consecuencia de motivos que sólo más tarde podrán comprenderse, las indicaciones de la paciente acerca de su madre contenían siempre una reserva que ni por asomo se mantenía en el caso del padre.

MADRE

El médico que debía tomar sobre sí el tratamiento analítico de la muchacha tenía varias razones para sentirse desasosegado. No estaba frente a la situación que el análisis demanda, y la única en la cual él puede demostrar su eficacia. Esta situación, como es sabido, en la plenitud de sus notas ideales, presenta el siguiente aspecto: alguien, en lo demás dueño de sí mismo, sufre de un conflicto interior al que por sí solo no puede poner fin; acude entonces al analista, le formula su queja y le solicita su auxilio. El médico trabaja entonces codo con codo junto a un sector de la personalidad dividida en dos por la enfermedad, y contra la otra parte en el conflicto. Las situaciones que se apartan de estas son más o menos desfavorables para el análisis, y agregan nuevas dificultades a las intrínsecas del caso. Situaciones como las del contratista de una obra que encarga al arquitecto una vivienda según su gusto y su necesidad, o la del donante piadoso que se hace pintar por el artista una imagen sagrada, en un rincón de la cual, luego, halla lugar su propio retrato en figura de adorador, no son en el fondo compatibles con las condiciones del psicoanálisis. Todos los días, es cierto, ocurre que un marido acude al médico con esta información: «Mi mujer es neurótica, por eso nos llevamos mal; cúrela usted, para que podamos llevar de nuevo una vida matrimonial dichosa». Pero con harta frecuencia resulta que un encargo así es incumplible, vale decir, que el médico no puede producir el resultado en vista del cual el marido deseaba el tratamiento. Tan pronto la mujer queda liberada de sus inhibiciones neuróticas, se impone la disolución del matrimonio, cuyo mantenimiento sólo era posible bajo la premisa de la neurosis de ella. O unos padres demandan que se cure a su hijo, que es neurótico e indócil. Por hijo sano entienden ellos uno que no ocasione dificultades a sus padres y no les provoque sino contento. El médico puede lograr, sí, el restablecimiento del hijo, pero tras la curación él emprende su propio camino más decididamente, y los padres quedan más insatisfechos que antes. En suma, no es indiferente que un individuo llegue al análisis por anhelo propio o lo haga porque otros lo llevaron; que él mismo desee cambiar o sólo quieran ese cambio sus allegados, las personas que lo aman o de quienes debiera esperarse ese amor.

Otros factores desfavorables que debían tenerse en cuenta eran estos: la muchacha no era una enferma —no padecía por razones internas ni se quejaba de su estado—, y la tarea propuesta no consistía en solucionar un conflicto neurótico, sino en trasportar una variante de la organización genital sexual a otra. La experiencia me dice que este logro, el de eliminar la inversión genital u homosexualidad, nunca resulta fácil. He hallado, más bien, que sólo se lo consigue bajo circunstancias particularmente favorables, y aun en esos casos el éxito consiste, en lo esencial, en que pudo abrírsele a la persona restringida a lo homosexual el camino hacia el otro sexo, que hasta entonces tenía bloqueado; vale decir, en que se le restableció su plena función bisexual. Depende después de su albedrío que quiera desertar de ese otro camino proscrito por la sociedad, y en casos singulares es lo que en efecto ha sucedido. Es preciso confesar que también la sexualidad normal descansa en una restricción de la elección de objeto, y en general la empresa de mudar a un homosexual declarado en un heterosexual no es mucho más promisoria que la inversa, sólo que a esta última jamás se la intenta, por buenas razones prácticas.

Los éxitos de la terapia psicoanalítica en el tratamiento de la homosexualidad, por lo demás muy variada en sus formas, no son en verdad muy numerosos. Como regla, el homosexual no puede resignar su objeto de placer; no se logra convencerlo de que, con la trasmudación, reencontraría en el otro objeto el placer a que renuncia. Si es que se somete a tratamiento, las más de las veces será porque motivos exteriores lo esforzaron a ello: las desventajas sociales y los peligros de su elección de objeto; y estos componentes de la pulsión de autoconservación demuestran ser demasiado débiles en la lucha contra las aspiraciones sexuales. Pronto puede descubrirse, entonces, su plan secreto: procurarse, mediante el resonante fracaso de ese intento, la tranquilidad de haber hecho todo lo posible contra su extravío y así poder entregarse a él con la conciencia tranquila. Cuando lo que motivó el intento de curación es el miramiento por padres y allegados a quienes se ama, las cosas suceden de manera algo diversa. Hay entonces aspiraciones realmente libidinosas que pueden desarrollar energías opuestas a la elección homosexual de objeto, pero su fuerza rara vez basta. Sólo cuando la fijación al objeto del mismo sexo no ha alcanzado aún poder suficiente o cuando preexisten considerables esbozos y restos de la elección heterosexual de objeto, vale decir, en caso de una organización todavía oscilante o nítidamente bisexual, puede el pronóstico de la terapia psicoanalítica presentarse más favorable.

Por estas razones, evité por completo pintarles a los padres la perspectiva de que su deseo se cumpliera. Meramente me declaré dispuesto a estudiar con minucia a la muchacha durante unas semanas o unos meses, a fin de poder pronunciarme después sobre las probabilidades de obtener algún efecto mediante la prosecución del análisis. Es que en toda una serie de casos el análisis se descompone en dos fases nítidamente separadas. En una primera fase, el médico se procura los conocimientos necesarios acerca del paciente, lo familiariza con las premisas y postulados del análisis y desenvuelve ante él la construcción de la génesis de su sufrimiento, para la cual se cree habilitado por el material que le brindó el análisis. En una segunda fase, es el paciente mismo el que se adueña del material que se le expuso, trabaja con él y, de lo que hay en su interior de supuestamente reprimido, recuerda lo que puede recordar e intenta recuperar lo otro en una suerte de reanimación. Haciéndolo, puede corroborar las postulaciones del médico, completarlas y enmendarlas. Sólo durante este trabajo, por el vencimiento de resistencias, experimenta el cambio interior que se pretende alcanzar y adquiere las convicciones que lo hacen independiente de la autoridad médica.[1] No siempre estas dos partes se separan entre sí de manera tajante en el decurso de la cura analítica; para que ello acontezca la resistencia debe sujetarse a determinadas condiciones. Pero toda vez que ocurre, puede trazarse la comparación con dos tramos correlativos de un viaje. El primero comprende todos los preparativos necesarios, tan complicados hoy y tan difíciles de cumplir, hasta que por fin se abandona la carta de viaje, y uno pone el pie en el andén y consigue su lugar en el vagón. Ahora tiene el derecho y la posibilidad de viajar hasta ese lejano país, pero tras todos esos trabajos previos no se está todavía ahí, ni en verdad se ha avanzado un solo kilómetro hacia la meta. Aún es preciso hacer el viaje mismo de una estación a la otra, y esta parte del viaje es bien comparable con la segunda fase.

En el caso de mi paciente de ahora, el análisis trascurrió siguiendo ese esquema de dos fases, pero no fue proseguido más allá del comienzo de la segunda. Una particular constelación de la resistencia posibilitó, a pesar de ello, la corroboración total de mis construcciones y la ganancia de una intelección, suficiente en líneas generales, de la ruta de desarrollo de su inversión. Pero antes de exponer los resultados de ese análisis tengo que despachar algunos puntos que yo mismo he rozado ya, o que se le han impuesto al lector como los primeros objetos de su interés.

Yo había hecho depender el pronóstico, en parte, del punto hasta donde había llegado la muchacha en la satisfacción de su pasión. La noticia que recibí durante el análisis pareció favorable en este respecto. De ninguno de los objetos de su idolatría había gozado más que algunos besos y abrazos; su castidad genital, si es lícito decirlo así, permanecía incólume. Aquella dama descocada, la que había despertado en ella los más nuevos y fortísimos sentimientos, le había sido esquiva y nunca le concedió un favor más alto que permitir que le besara la mano. Es probable que la muchacha hiciera de su necesidad virtud cuando insistía, una y otra vez, en la pureza de su amor y en su disgusto físico por un comercio sexual. Pero quizá no careciera de toda razón cuando proclamaba, de esa su amada divina, que, siendo ella de origen aristocrático y viéndose llevada a su posición presente sólo

[1] [Para un examen más amplio de esto, cf. «Recordar, repetir y reelaborar» (1914*g*).]

por unas condiciones familiares adversas, conservaba también en esto su dignidad íntegra. Pues esa dama solía aconsejarle, en cada cita, que desviara enteramente su inclinación por ella y por las mujeres en general, y hasta que ella intentó suicidarse no le había mostrado sino un adusto rechazo.

RECHAZO AMADA. "DIGNO".

Un segundo punto que acto seguido procuré establecer concernía a los motivos genuinos de la muchacha, sobre los cuales tal vez podía apoyarse el tratamiento analítico. No intentó engañarme aseverando que le era de urgente necesidad ser emancipada de su homosexualidad. Al contrario, no podía imaginar otra clase de enamoramiento; pero, agregó, por el bien de sus padres quería someterse honradamente al ensayo terapéutico, pues le pesaba mucho causarles una pena así. También a esta manifestación debí concebirla al principio como favorable; no podía yo vislumbrar la actitud afectiva inconciente que se ocultaba tras ella. Lo que después salió a la luz en este punto influyó sobre la conformación de la cura y su prematura interrupción.

Lectores no familiarizados con el análisis estarán desde hace tiempo esperando impacientes la respuesta a otras dos preguntas: ¿Presentaba esta muchacha homosexual nítidos caracteres somáticos del otro sexo? ¿Demostró su caso ser de homosexualidad innata o adquirida (desarrollada más tarde)?

No desconozco la importancia que tiene la primera de esas preguntas. Sólo que no debiera exagerarse, ni por favorecerla habría que oscurecer los hechos: rasgos secundarios, aislados, del otro sexo aparecen con harta frecuencia en individuos normales en general, y caracteres somáticos del otro sexo, muy acusados, pueden hallarse en personas cuya elección de objeto no ha experimentado modificación alguna en el sentido de una inversión. Dicho de otra manera: en los dos sexos *la medida del hermafroditismo físico es en alto grado independiente de la del psíquico*. Como restricción de ambos enunciados debe agregarse que esa independencia es más nítida en el hombre que en la mujer, en quien la impronta corporal y la anímica del carácter sexual opuesto coinciden más regularmente.[2] Pero, con relación a este caso, no estoy en condiciones de responder de manera satisfactoria la primera de las preguntas planteadas. El psicoanalista suele, en determinados casos, denegarse un examen corporal detallado de sus pacientes. De todos modos, no se presentaba una desviación llamativa del tipo corporal de la

[2] [La cuestión se considera en *Tres ensayos* (1905*d*), *AE*, **7**, págs. 128 y sigs.]

mujer; tampoco un trastorno menstrual. Si esta muchacha bella y bien formada exhibía la alta talla del padre y, en su rostro, rasgos más marcados que los suaves de las niñas, quizás en eso puedan discernirse indicios de una virilidad somática. A un ser viril podían atribuirse también algunas de sus cualidades intelectuales, como su tajante inteligencia y la fría claridad de su pensamiento cuando no la dominaba su pasión. No obstante, estos distingos responden más a la convención que a la ciencia. Más importante, sin duda, es que en su conducta hacia su objeto de amor había adoptado en todo el tipo masculino, vale decir, la humildad y la enorme sobrestimación sexual que es propia del varón amante, la renuncia a toda satisfacción narcisista, la preferencia por amar antes que ser amado. Por tanto, no sólo había elegido un objeto femenino; también había adoptado hacia él una actitud masculina.

La otra pregunta, a saber, si su caso correspondía a una homosexualidad innata o a una adquirida, hallará respuesta en la historia total del desarrollo de su perturbación. Ahí se verá cuán infecundo e inadecuado es ese planteamiento.

II

A una introducción tan prolija sólo puedo hacerle suceder una exposición en extremo sucinta y panorámica de la historia libidinal de este caso. La muchacha había atravesado sus años infantiles, de manera poco llamativa, con la actitud normal del complejo de Edipo femenino;[3] más tarde, también, había empezado a sustituir al padre por el hermano un poco mayor que ella. Traumas sexuales de la primera adolescencia no se recordaban ni el análisis pudo descubrirlos. La comparación de los genitales de su hermano con los propios, ocurrida al comienzo del período de latencia (hacia los cinco años o algo antes), le dejó una fuerte impresión y fue preciso seguirle el rastro un buen trecho en sus efectos posteriores. Hubo muy pocos indicios de onanismo de la primera infancia, o el análisis no avanzó lo suficiente para esclarecer este punto. El nacimiento de un segundo hermano, ocurrido cuando ella tenía entre cinco y seis años, no exte-

[3] No veo progreso ni ventaja alguna en introducir la expresión «complejo de Electra», y no quiero promover su uso. [Dicha expresión había sido introducida por Jung (1913, pág. 370). Véase un comentario similar de Freud en «Sobre la sexualidad femenina» (1931*b*), *AE*, **21**, págs. 230-1.]

riorizó influjo particular alguno sobre su desarrollo. En los años escolares y de la prepubertad se familiarizó poco a poco con los hechos de la vida sexual, y los recibió con esa mezcla de lubricidad y desautorización horrorizada que ha de llamarse normal y que en su caso no rebasaba la medida. Todas estas noticias parecen bien magras, y ni siquiera puedo garantizar que sean completas. Como dije, el análisis se interrumpió tras un breve lapso, y por eso brindó una anamnesis no mucho más confiable que las otras anamnesis de homosexuales, objetadas con buen derecho. Por otra parte, la muchacha nunca había sido neurótica, no aportó al análisis un síntoma histérico, de suerte que las ocasiones para explorar su historia infantil no podían presentarse tan pronto.

Entre los trece y catorce años manifestó una predilección tierna y, a juicio de todos, exagerada por un niñito que aún no había cumplido los tres años y a quien podía ver de manera regular en un parque infantil. Tan a pecho se tomó a ese niño que de ahí nació una larga relación amistosa con los padres del pequeño. De ese hecho puede inferirse que en esa época estaba dominada por un fuerte deseo de ser madre ella misma y tener un hijo. Pero poco después el niño comenzó a serle indiferente, y ella empezó a mostrar interés por mujeres maduras, aunque todavía jóvenes, interés cuyas exteriorizaciones le atrajeron pronto una sentida reprimenda de parte del padre.

Quedó certificado más allá de toda duda que esta mudanza coincidió en el tiempo con un acontecimiento ocurrido en la familia, del cual, entonces, nos es lícito esperar el esclarecimiento de la mudanza. Antes, su libido estuvo depositada en la maternidad; después fue una homosexual enamorada de mujeres más maduras, tal como siguió siéndolo en lo sucesivo. Este acontecimiento tan importante para nuestra comprensión fue un nuevo embarazo de la madre y el nacimiento de un tercer hermano cuando ella tenía dieciséis años.

La trama que habré de revelar en lo que sigue no es producto de unos dones combinatorios que yo tendría; me fue sugerida por un material analítico tan digno de confianza que puedo reclamar para ella una certeza objetiva. En particular decidieron en su favor una serie de sueños imbricados, de fácil interpretación.

El análisis permitió reconocer indubitablemente que la dama amada era un sustituto de... la madre. Ahora bien, la dama misma no era por cierto madre, pero tampoco había sido el primer amor de la muchacha. Los primeros objetos de su inclinación desde el nacimiento de su último hermano fueron madres reales, mujeres que frisaban entre los treinta y los treinta y cinco años, a quienes había conocido, con los hijos de ellas, en los veraneos o en el trato de familias en la gran ciudad. La condición de la maternidad quedó en suspenso más tarde porque no se compadecía bien en la realidad con otra, que devino cada vez más importante. El vínculo particularmente intenso con la última amada, la «dama», tenía aún otro fundamento que la muchacha descubrió, sin trabajo, cierto día. La silueta delgada, la belleza adusta y el carácter áspero de la dama le recordaron a su propio hermano algo mayor que ella. Por consiguiente, el objeto en definitiva elegido no correspondía sólo a su ideal de mujer, sino también a su ideal de hombre; reunía la satisfacción de las dos orientaciones del deseo, la homosexual y la heterosexual. Como es sabido, el análisis de homosexuales masculinos ha mostrado en numerosos casos la misma coincidencia, un aviso para que no nos representemos con simplicidad excesiva la naturaleza y la génesis de la inversión ni perdamos de vista la universal bisexualidad del ser humano.[4]

No obstante, ¿cómo se entiende que la muchacha, justamente por el nacimiento de un hijo tardío, cuando ella misma ya era madura y tenía fuertes deseos propios, se viera movida a volcar su ternura apasionada sobre la que alumbró a ese niño, su misma madre, y a darle expresión en una subrogada de esta? Según todo lo que se sabe de otros lados, se habría debido esperar lo contrario. Las madres suelen sentirse incómodas en esas circunstancias frente a sus hijas casi núbiles, y las hijas son propensas a tener hacia ellas un sentimiento mezcla de compasión, menosprecio y envidia, que en nada contribuye a aumentar la ternura hacia la madre. La muchacha de nuestra observación tenía poquísimas razones para sentir ternura por su madre. Para esta mujer, ella misma todavía juvenil, esa hija que había florecido de súbito era una incómoda competidora; la relegó tras los hermanos, restringió su autonomía en todo lo posible y vigiló con especial celo para que permaneciera alejada del padre. Por eso la necesidad de una madre más amorosa pudo estar justificada desde siempre en la muchacha; ahora bien, no se advierte por qué estalló en ese momento, ni por qué adoptó la figura de una pasión ardiente.

La explicación es la siguiente: Cuando la desilusión se abatió sobre ella, la muchacha se encontraba en la fase del refrescamiento, en la pubertad, del complejo infantil de Edipo. Se le hizo conciente a plena luz el deseo de tener un

[4] Cf. Sadger (1914).

hijo, y que fuera varón; que este debía ser un hijo del padre y la réplica de él, no le era permitido como saber conciente. Pero en eso sucedió que recibió el hijo no ella, sino la competidora odiada en lo inconciente, la madre. Sublevada y amargada dio la espalda al padre, y aun al varón en general. Tras este primer gran fracaso, desestimó su feminidad y procuró otra colocación para su libido.

Así se comportó en todo como muchos hombres, que, tras una primera experiencia penosa, rompen duraderamente con el fementido sexo de las mujeres y se hacen misóginos. De una de las personalidades principescas más atrayentes y más desdichadas de nuestra época, se cuenta que se hizo homosexual porque su prometida lo engañó con un extraño. Yo no sé si es esta una verdad histórica, pero tras esa habladuría se esconde una pizca de verdad psicológica. La libido de todos nosotros oscila normalmente a lo largo de la vida entre el objeto masculino y el femenino; el joven abandona a sus amigos cuando se casa, y vuelve a la mesa del café cuando su vida conyugal se ha vuelto insípida. Claro que cuando esa oscilación es tan radical y definitiva, nuestra conjetura se dirige a un factor especial que favoreciera decisivamente este o aquel extremo, y quizás esperara el momento propicio para imponer en su provecho la elección de objeto.

Nuestra muchacha, pues, tras esa desilusión había arrojado de sí el deseo de tener un hijo, el amor por el varón y, en general, el papel femenino. Y es evidente que entonces habrían podido ocurrir muy diversas cosas; lo que finalmente sucedió fue lo más extremo. Ella se trasmudó en varón y tomó a la madre en el lugar del padre como objeto de amor.[5] Su vínculo con la madre había sido sin duda ambivalente desde el comienzo; por eso logró con facilidad reanimar el amor temprano por la madre y, con su auxilio, sobrecompensar su hostilidad presente hacia ella. Y puesto que con la madre real poco había que hacerle, de la trasposición afectiva que aquí hemos descrito resultó la busca de un sustituto del cual pudiera prendarse con apasionada ternura.[6]

[5] No es raro que alguien rompa un vínculo amoroso identificándose con su objeto, lo cual corresponde a una especie de regresión al narcisismo. Cumplido esto, la persona puede fácilmente, mediante una nueva elección de objeto, investir con su libido al sexo opuesto al anterior.

[6] Los desplazamientos de la libido aquí descritos son, sin duda, notorios para todo analista por la exploración de las anamnesis de neuróticos. Sólo que en estos últimos se producen en la primera infancia, en la época del florecimiento de la vida amorosa; en cambio, en nuestra muchacha, que en modo alguno era neurótica, se consu-

Un motivo práctico nacido de sus vínculos reales con la madre vino a sumarse como «ganancia [secundaria] de la enfermedad». La madre apreciaba todavía el ser cortejada y festejada por hombres. Y entonces, convirtiéndose ella en homosexual, le dejó los hombres a la madre, «se hizo a un lado», por así decir, y desembarazó del camino algo que hasta entonces había sido en parte culpable del disfavor de la madre.[7]

La postura libidinal ganada así no hizo sino consolidarse cuando la muchacha notó cuán desagradable le resultaba al padre. Desde aquella primera reprimenda causada por una aproximación demasiado tierna a una mujer, ella sabía con qué podía ofender al padre y vengarse de él. Ahora seguía siendo homosexual por un desafío contra el padre. Tampoco se hizo escrúpulos de conciencia por engañarlo y burlarlo de todas las maneras. Con la madre sólo fue insincera hasta donde era preciso para que el padre nada supiese. Yo

man en los primeros años que siguen a la pubertad, aunque por lo demás, como en aquellos, de manera totalmente inconciente. ¿Acaso este factor temporal se revelará un día como muy sustancial?

[7] Como hasta ahora ese «hacerse a un lado» no se había señalado entre las causas de la homosexualidad, ni tampoco con relación al mecanismo de la fijación libidinal, quiero traer a colación aquí una observación analítica similar, interesante por una particular circunstancia. Conocí cierta vez a dos hermanos mellizos, dotados ambos de fuertes impulsos libidinosos. Uno de ellos tenía mucha suerte con las mujeres, y mantenía innumerables relaciones con señoras y señoritas. El otro siguió al comienzo el mismo camino, pero después se le hizo desagradable cazar en coto ajeno, ser confundido con aquel en ocasiones íntimas en razón de su parecido, y resolvió la dificultad convirtiéndose en homosexual. Abandonó las mujeres a su hermano, y así «se hizo a un lado» con respecto a él. Otra vez traté a un hombre joven, artista y de disposición inequívocamente bisexual, en quien la homosexualidad se presentó contemporánea a una perturbación en su trabajo. Huyó al mismo tiempo de las mujeres y de su obra. El análisis, que pudo devolverle ambas, reveló que el motivo más poderoso de las dos perturbaciones —renuncias, en verdad— era el horror al padre. En su representación, todas las mujeres pertenecían al padre, y se refugió en los hombres por resignación, para «hacerse a un lado» del conflicto con el padre. Esta clase de motivación de la elección homosexual de objeto tiene que ser frecuente; en las épocas primordiales del género humano fue realmente así: todas las mujeres pertenecían al padre y jefe de la horda primordial.

En hermanos no mellizos, ese «hacerse a un lado» desempeña un importante papel también en otros ámbitos, no sólo en el de la elección amorosa. Por ejemplo, si el hermano mayor cultiva la música y goza de reconocimiento, el menor, musicalmente más dotado, pronto interrumpe sus estudios musicales, a pesar de que anhela dedicarse a ellos, y es imposible moverlo a tocar un instrumento. No es más que un ejemplo de un hecho muy común, y la indagación de los motivos que llevan a hacerse a un lado en lugar de aceptar la competencia descubre condiciones psíquicas muy complejas.

tuve la impresión de que obraba según el principio del talión: «Puesto que me has engañado, tiene que ocurrirte que yo también te engañe a ti». Tampoco puedo juzgar de otro modo las llamativas faltas de precaución de esa muchacha, en lo demás de una prudencia refinada. Es que el padre debía enterarse en ocasiones de sus tratos con la dama; de lo contrario perdería la satisfacción de la venganza, que era la más acuciante para ella. Así, exhibiéndose en público con la adorada, procuraba ir de paseo por las calles próximas al local donde el padre tenía su negocio, y cosas parecidas. Por cierto, esas faltas de precaución no carecían de propósito. Por otra parte, es asombroso que ambos progenitores se comportasen como si comprendieran la psicología secreta de la hija. La madre se mostraba tolerante, como si viese una deferencia de su hija en el hecho de que se hiciera a un lado, y el padre rabiaba, como si sintiera el propósito de venganza dirigido contra su persona.

Pero la inversión de la muchacha recibió su último espaldarazo cuando topó en la «dama» con un objeto que al mismo tiempo ofrecía satisfacción a la parte de su libido heterosexual todavía apegada al hermano.

III

La exposición lineal se presta poco a describir procesos anímicos entreverados y que trascurren en diversos estratos del alma. Me veo precisado a adentrarme en la discusión del caso, y a ampliar y ahondar algo de lo comunicado.

He dicho que la muchacha adoptó con relación a la dama venerada el tipo masculino del amor. Su humillación y su tierna falta de pretensiones, «*che poco spera e nulla chiede*»;* su felicidad cuando le era permitido acompañar a la dama un poquito más y besarle la mano al despedirse; su regocijo cuando alababan la hermosura de aquella, mientras que no se le daba un ardite que terceros reconocieran su propia belleza; su peregrinación a lugares donde la amada había residido alguna vez; el silenciamiento de los deseos sensuales más atrevidos: he ahí otros tantos pequeños rasgos que tal vez convendrían al primer entusiasmo pasional de un jovencito por una artista célebre a la que cree muy por encima de él y hasta la cual, cohibido, apenas osa elevar su mirada. La coincidencia con un «tipo masculino de elec-

* {«Que espera poco y nada pide».}

ción de objeto», descrito por mí y cuyas peculiaridades yo había reconducido al vínculo con la madre (1910*b*), llegaba hasta los detalles. Podía resultar llamativo que no la desanimase para nada la pésima reputación de la amada, por más que sus propias observaciones la convencieron sobradamente de lo justificado de esa fama. Y eso que ella era en verdad una muchacha bien criada y casta, que para su propia persona había rehuido aventuras sexuales y sentía como antiestéticas unas satisfacciones sensuales crudas. Pero ya sus primeras exaltaciones estuvieron dirigidas a mujeres que no tenían fama de una moralidad particularmente acendrada. La primera protesta del padre contra su elección de amor había sido provocada por la obstinación que puso, en aquel lugar de veraneo, en tener trato con una actriz de cine. Pero nunca eran mujeres a las que se reputase de homosexuales y que así le habrían ofrecido la perspectiva de una satisfacción de esa índole; más bien requería, cosa ilógica, a mujeres coquetas en el sentido habitual de la palabra; a una homosexual, amiga suya de su misma edad, que se puso lo más gustosamente a su disposición, la rechazó sin vacilar. Ahora bien, la pésima fama de la «dama» era directamente para ella una condición de amor, y todo el enigma de esa conducta se disipa si recordamos que también para aquel tipo masculino de la elección de objeto, derivado de la madre, rige la condición de que la amada tenga de algún modo «mala fama sexual», y en verdad pueda calificársela de *cocotte*. Cuando después averiguó cuánto convenía este calificativo a su dama venerada y que esta lisa y llanamente vivía de la entrega de su cuerpo, su reacción fue una gran compasión y el desarrollo de fantasías y designios según los cuales ella podría «rescatar» a la amada de esa indigna condición. Esos mismos afanes de rescate nos saltan a la vista en los hombres del tipo descrito por mí, y en el lugar citado intenté ofrecer la derivación analítica de este empeño.

Por entero diversas son las regiones de la explicación a que lleva el análisis del intento de suicidio, que me veo obligado a juzgar serio, y que por lo demás mejoró su posición tanto frente a los padres cuanto frente a la amada. Fue con ella a pasear un día por unos parajes y a una hora en que el encuentro con el padre de regreso de su oficina no era improbable. El padre pasó junto a ellas y le arrojó una mirada furiosa a ella y a su acompañante, que ya le era notoria. Tras eso, ella se precipitó a las vías del ferrocarril metropolitano. Ahora bien, su testimonio de la causación inmediata de su decisión suena enteramente verosímil. Había confesado a la dama que el señor que las había mirado tan fieramente era su padre, quien no quería saber nada de ese trato. Y la dama, entonces, se encolerizó y le ordenó que la dejase en el acto y nunca más la aguardase ni le dirigiese la palabra, que esa historia tenía que terminar ya. En la desesperación por haberla perdido de ese modo y para siempre, quiso darse muerte. No obstante, tras la interpretación de ella el análisis permitió descubrir otra, que calaba más hondo y se apoyaba en sus propios sueños. El intento de suicidio fue, como cabía esperar, además de eso otras dos cosas: un cumplimiento de castigo (autopunición) y un cumplimiento de deseo. En cuanto esto último, significaba la consecución de aquel deseo cuyo desengaño la había empujado a la homosexualidad, a saber, el de tener un hijo del padre, pues ahora ella caía por culpa del padre.[8] Entre esta interpretación profunda y la conciente, superficial, de la muchacha, establece la conexión el hecho de que en ese momento la dama había hablado igual que el padre y pronunciado la misma prohibición. Y en cuanto autopunición, la acción de la muchacha nos certifica que había desarrollado en su inconciente intensos deseos de muerte contra uno u otro de los miembros de la pareja parental. Quizá por afán de venganza contra el padre, que le perturbaba su amor, pero más probablemente, sin duda, contra la madre, cuando quedó embarazada del hermanito. En efecto, para el enigma del suicidio el análisis nos ha traído este esclarecimiento: no halla quizá la energía psíquica para matarse quien, en primer lugar, no mata a la vez un objeto con el que se ha identificado, ni quien, en segundo lugar, no vuelve hacia sí un deseo de muerte que iba dirigido a otra persona. Claro es que el descubrimiento regular de tales deseos inconcientes de muerte en el suicida no necesita extrañarnos ni imponérsenos como corroboración de nuestras deducciones, pues el inconciente de todos los vivos rebosa de tales deseos de muerte, aun los dirigidos contra personas a quienes por lo demás se ama.[9] En la identificación con la madre, que habría debido morir en ese parto del hijo que le había arrebatado (a la hija), este cumplimiento de castigo es, empero, otra vez un cumplimiento de deseo. Por último, que fuertes motivos, de la más diversa índole, tengan que cooperar para posibilitar

[8] [Juego de palabras con «*niederkommen*», que significa tanto «caer» como «parir». También en inglés el verbo «*to fall*», «caer», se utiliza coloquialmente en el sentido de quedar embarazada una mujer o parir.] — Todos los analistas están familiarizados desde hace tiempo con estas interpretaciones de los diversos métodos de suicidio como cumplimientos de deseos sexuales. (Envenenarse = quedar embarazada; ahogarse = dar a luz; arrojarse desde lo alto = parir.)

[9] Cf. «De guerra y muerte» (1915*b*).

un acto como el de nuestra muchacha no contradirá nuestra expectativa.

En la motivación expuesta por la muchacha, el padre no aparece; ni siquiera se menciona la angustia frente a su cólera. En la motivación colegida por el análisis, a él le toca el principal papel. Esa misma importancia decisiva tuvo la relación con el padre también para la trayectoria y el desenlace del tratamiento analítico (o mejor, la exploración analítica). El pretextado respeto hacia los progenitores, por cuyo amor quería someterse al ensayo de trasmudación, ocultaba la actitud de despecho y de venganza hacia el padre, actitud que la retenía en la homosexualidad. Asegurada tras esa cobertura, la resistencia entregaba un vasto ámbito a la exploración analítica. El análisis se consumó casi sin indicios de resistencia, con una alerta participación intelectual de la analizada, quien también mostraba empero una total tranquilidad de ánimo. Una vez que la enfrenté con una pieza de la teoría, de particular importancia y que la tocaba de cerca, manifestó con inimitable acento: «¡Ah! Eso es muy, pero muy interesante», como una dama de mundo que es llevada por un museo y mira a través de un monóculo unos objetos que le son por completo indiferentes. La impresión que daba su análisis se asemejaba a la de un tratamiento hipnótico en que la resistencia, de igual modo, se ha retirado hasta una determinada frontera donde, después, resulta inexpugnable. A esa misma táctica rusa (así podría nombrársela) obedece la resistencia muy a menudo en casos de neurosis obsesiva, que, por eso, durante cierto lapso brindan los más claros resultados y permiten una intelección profunda de la causación de los síntomas. Y uno empieza entonces a maravillarse de que unos progresos tan grandes en la comprensión analítica no traigan consigo el más leve cambio en las obsesiones e inhibiciones del enfermo, hasta que, por fin, se cae en la cuenta de que todo lo que se había traído a la luz estaba inficionado por la reserva de la duda, tras cuya muralla protectora la neurosis podía sentirse segura. «Todo sería magnífico —se dice dentro de sí el enfermo, y con frecuencia también concientemente— si yo tuviera que dar crédito a este hombre, pero ni hablar de eso, y puesto que no ocurre tal cosa, no me hace falta cambiar en nada». Si uno después se aproxima a la motivación de esa duda, estalla la lucha seria con las resistencias.

En nuestra muchacha no era la duda, sino el factor afectivo de la venganza contra el padre, lo que posibilitó su fría reserva, lo que descompuso nítidamente el análisis en dos fases y permitió que se hicieran tan completos y abarcables los resultados de la primera. Pareció también como si no emergiera en ella nada parecido a una trasferencia sobre el médico. Pero, desde luego, esto es un contrasentido o un modo inexacto de expresarse; alguna relación con el médico es forzoso que se establezca, y la mayoría de las veces será trasferida desde una relación infantil. En realidad trasfirió a mí esa radical desautorización del varón que la dominaba desde su desengaño por el padre. Al encono contra el varón le resulta fácil, por lo general, cebarse en el médico; no hace falta que traiga a escena tormentosas exteriorizaciones de sentimiento: se expresa, simplemente, en estorbar sus esfuerzos y aferrarse a la condición de enfermo. Yo sé por experiencia cuán difícil es llevar a la comprensión del analizado precisamente esa sintomatología muda, y hacer que tome conciencia de esa hostilidad latente, muchas veces enorme, sin que la cura corra peligro. Interrumpí, entonces, tan pronto hube reconocido la actitud de la muchacha hacia su padre, y aconsejé que si se atribuía valor al ensayo terapéutico se lo prosiguiese con una médica. Entretanto, la muchacha había prometido al padre suspender por lo menos el trato con la «dama», y no sé si mi consejo, cuya motivación es bien trasparente, será obedecido.

Una sola vez apareció en este análisis algo que yo pude concebir como trasferencia positiva, como renovación en extremo debilitada del originario, apasionado enamoramiento por el padre. Tampoco esta manifestación estaba exenta del agregado de otro motivo, pero la menciono porque pone sobre el tapete, en una dirección distinta, un interesante problema de la técnica analítica. En cierto momento, no mucho después de comenzada la cura, presentó la muchacha una serie de sueños que, convenientemente desfigurados y vertidos en un correcto lenguaje onírico, eran empero de traducción fácil y cierta. Ahora bien: su contenido, interpretado, era sorprendente. Ellos anticipaban la cura de la inversión por el tratamiento, expresaban su júbilo por las perspectivas de vida que ahora se le abrían, confesaban la añoranza por el amor de un hombre y por tener hijos y, así, podían saludarse como feliz preparación para la mudanza deseada. La contradicción respecto de sus contemporáneas exteriorizaciones de vigilia era harto grande. Ella no me escondía que meditaba, sí, casarse, pero sólo para sustraerse de la tiranía del padre y vivir sin estorbo sus reales inclinaciones. Con el marido, decía con un dejo de desprecio, despacharía lo que era debido; y en definitiva era bien posible, como lo mostraba el ejemplo de la dama venerada, mantener relaciones sexuales simultáneas con un hombre y una mujer.

Puesto sobre aviso por alguna ligera impresión, le declaré un día que no daba fe a estos sueños, que eran mendaces o hipócritas y ella tenía el propósito de engañarme como solía engañar al padre.[10] No andaba errado; los sueños de dicha clase cesaron tras ese esclarecimiento. No obstante, creo que junto al propósito de despistarme había también una pizca de galanteo en esos sueños; era también un intento por ganar mi interés y mi buena disposición, quizá para defraudarme más tarde con profundidad tanto mayor.

Puedo imaginarme que apuntar la existencia de sueños de esa índole, de mendaz condescendencia, desencadenará en muchos que se titulan analistas una verdadera tormenta de impotente indignación. «¡Conque también el inconciente puede mentir, ese núcleo real de nuestra vida anímica, aquello en nosotros que se acerca a lo divino tanto más que nuestra misérrima conciencia! Y entonces, ¿cómo podemos todavía edificar sobre las interpretaciones del análisis y la certeza de nuestros conocimientos?». Hay que decir, por lo contrario, que la admisión de esos sueños mendaces no significa una novedad estremecedora. Yo sé, por cierto, que es imposible desarraigar en el hombre la necesidad de una mística, y que ella hace incesantes esfuerzos por recuperarle el ámbito que le arrancó la «interpretación de los sueños»; pero en el caso que nos ocupa todo es bastante sencillo. El sueño no es lo «inconciente»; es la forma en que un pensamiento que ha quedado pendiente desde lo preconciente, o aun desde lo conciente de la vida de vigilia, pudo ser trasegado merced a las condiciones favorables del estado del dormir.[11] Dentro de este último, ganó el apoyo de mociones inconcientes de deseo y experimentó así la desfiguración por obra del «trabajo del sueño», que está determinado por los mecanismos que rigen para lo inconciente. En nuestra soñante, el propósito de engañarme, tal como solía hacerlo con su padre, provenía del preconciente, si es que no era conciente; ahora bien, pudo abrirse paso en la medida en que se conectó a la moción inconciente de deseo de agradar al padre (o a su sustituto), y así creó un sueño mendaz. Los dos propósitos, el de engañar al padre y el de agradarle, provienen del mismo complejo; el primero creció por la re-

10 [Sobre «sueños hipócritas», cf. *La interpretación de los sueños* (1900*a*), *AE*, **4**, pág. 163, *n.* 11 y **5**, págs. 469 y sigs., donde se hallarán otras referencias.]

11 [Cf. «Sobre algunos mecanismos neuróticos en los celos, la paranoia y la homosexualidad» (1922*b*), *infra*, pág. 223, y la sección V de «Observaciones sobre la teoría y la práctica de la interpretación de los sueños» (1923*c*).]

presión del segundo, y este es reconducido al primero por el trabajo del sueño. Por tanto, ni hablar de una depreciación de lo inconciente, de un debilitamiento de la confianza en los resultados de nuestro análisis.

No quiero dejar pasar esta oportunidad sin expresar, otra vez, mi estupefacción por el hecho de que los seres humanos puedan recorrer tramos tan grandes y tan importantes de su vida amorosa sin notar mucho de ella y aun, a veces, sin tener de ella la mínima vislumbre; o que, cuando eso les llega a la conciencia, equivoquen tan radicalmente su juicio. Y esto no acontece sólo bajo las condiciones de la neurosis, donde estamos familiarizados con el fenómeno; parece ser lo corriente. En nuestro caso, una muchacha desarrolla una idolatría por mujeres; los padres, primero, se resienten con enojo por ello, pero apenas si la toman en serio; ella misma sabe bien la fuerza con que eso la reclama, pero experimenta muy poco de las sensaciones de un enamoramiento intenso hasta que, a raíz de una determinada frustración, se produce una reacción por completo excesiva, que muestra a todos los interesados que se está frente a una pasión devoradora, de fuerza elemental. De las premisas requeridas para la irrupción de semejante tormenta anímica, tampoco la muchacha notó nunca nada. En otros casos encontramos muchachas o señoras en graves depresiones, que, preguntadas por la causación posible de su estado, dan por referencia que han sentido, sí, un cierto interés por determinada persona, pero no lo tomaron muy a pecho y muy pronto despacharon ese asunto después que fue forzoso abandonarlo. Y no obstante, esta renuncia, al parecer sobrellevada tan fácilmente, se ha convertido en la causa del grave trastorno. O bien encontramos hombres que han puesto fin a superficiales relaciones con mujeres, y sólo por los fenómenos subsiguientes no pueden menos que enterarse de que estaban enamorados con pasión de ese objeto presuntamente menospreciado. También cabe el asombro por los insospechados efectos que pueden derivar de un aborto artificial, el acto de matar el fruto del vientre, decisión que se había tomado sin remordimiento ni vacilación. Así, nos vemos precisados a dar la razón a los creadores literarios que nos describen de preferencia personas que aman sin saberlo, o que no saben si aman, o creen odiar cuando en verdad aman. Parece que justamente el saber que nuestra conciencia recibe de nuestra vida amorosa puede ser incompleto, lagunoso o falseado con particular facilidad. En estas elucidaciones, desde luego, no he dejado de descontar la parte de un olvido en que pudo incurrirse con posterioridad.

IV

Ahora vuelvo a la discusión del caso, que antes interrumpí. Nos hemos procurado un panorama sobre las fuerzas que trasportaron la libido de la muchacha desde la actitud normal del Edipo a la de la homosexualidad, así como sobre los caminos psíquicos que se transitaron para ello. Cimera entre estas fuerzas movientes se sitúa la impresión que le provocó el nacimiento de su hermanito, y esto nos sugiere, para la clasificación del caso, considerarlo como uno de inversión adquirida tardíamente.

Sólo que aquí advertimos un estado de cosas que nos sale al paso también en muchos otros ejemplos de esclarecimiento psicoanalítico de un proceso anímico. Durante todo el tiempo en que perseguimos el desarrollo desde su resultado final hacia atrás, se nos depara un entramado sin lagunas, y consideramos nuestra intelección acabadamente satisfactoria, y quizás exhaustiva. Pero si emprendemos el camino inverso, si partimos de las premisas descubiertas por el análisis y procuramos perseguirlas hasta el resultado, se nos disipa por completo la impresión de un encadenamiento necesario, que no pudiera determinarse de ningún otro modo. Reparamos enseguida en que podría haber resultado también algo diverso, y que a este otro resultado lo habríamos podido comprender y esclarecer igualmente bien. La síntesis no es, por tanto, tan satisfactoria como el análisis; en otras palabras: no estaríamos en condiciones de prever, conociendo las premisas, la naturaleza del resultado.

Es muy fácil reconducir a sus causas este conturbador conocimiento. Por más que los factores etiológicos decisivos para un cierto resultado nos sean notorios acabadamente, los conocemos sólo según su especificidad cualitativa y no según su fuerza relativa. Algunos de ellos, por demasiado débiles, son sofocados por otros y no entran en cuenta para el resultado final. Pero nunca sabemos de antemano cuáles de los factores determinantes se acreditarán como más débiles ni cuáles como más fuertes. Sólo al final decimos que se han impuesto los que eran más fuertes. De tal modo, la causación en el sentido del análisis puede reconocerse con certeza en todos los casos, pero su previsión en el sentido de la síntesis es imposible.

En razón de lo dicho, no pretendemos afirmar que un desengaño en la añoranza de amor derivada de la actitud del Edipo de los años de pubertad hará caer a toda muchacha, necesariamente, en la homosexualidad. Por lo contrario, serán más frecuentes otras maneras de reacción frente a ese trauma. Pero entonces, unos factores particulares tienen que haber dado el envión en esta muchacha, factores ajenos al trauma, con probabilidad de naturaleza interna. No hay tampoco dificultad en ponerlos de manifiesto.

Como es bien sabido, también en el normal hace falta cierto tiempo hasta que se imponga definitivamente la decisión sobre el sexo del objeto de amor. Extravíos homosexuales, amistades fuertes en demasía, de tinte sensual, son harto habituales para los dos sexos en los primeros años que siguen a la pubertad. Tal lo sucedido a nuestra muchacha, pero estas inclinaciones mostraron en ella una fuerza indudablemente mayor y se mantuvieron por más tiempo que en otras. A esto se suma que esos anuncios de la posterior homosexualidad siempre habían asaltado su vida conciente, mientras que la actitud correspondiente al complejo de Edipo había permanecido inconciente y sólo salió a la luz en indicios como aquellos mimos prodigados al niño pequeñito. De escolar, largo tiempo estuvo enamorada de una maestra inaccesible y adusta, un manifiesto sustituto de la madre. Había mostrado un interés muy vivo por diversas jóvenes madres mucho antes del nacimiento del hermano y, con mayor seguridad todavía, largo tiempo antes de aquella primera reconvención del padre. Por consiguiente, desde época muy temprana, su libido fluía en dos corrientes, y de ella la más superficial puede denominarse, sin vacilación, homosexual. Con probabilidad, era esta la continuación directa, no mudada, de una fijación infantil a la madre. Posiblemente, por nuestro análisis tampoco hemos descubierto otra cosa que el proceso que, a raíz de una ocasión apropiada, trasportó la corriente de libido heterosexual, más profunda, a la homosexual, manifiesta.

El análisis enseñó, además, que la muchacha arrastraba de sus años de infancia un «complejo de masculinidad» muy acentuado. De genio vivo y pendenciero, nada gustosa de que la relegase ese hermano algo mayor, desde aquella inspección de los genitales [pág. 148] había desarrollado una potente envidia del pene cuyos retoños impregnaron más y más su pensamiento. Era en verdad una feminista, hallaba injusto que las niñas no gozaran de las mismas libertades que los varones, y se rebelaba absolutamente contra la suerte de la mujer. En la época del análisis, el embarazo y el parto eran para ella representaciones desagradables, según yo conjeturo, también a causa de la desfiguración del cuerpo que traen consigo. A esta defensa se había retirado su narcisismo femenil,[12] que ya no se exteriorizaba más como orgullo por sus encantos. Diversos indicios apuntaban a un antiguo placer de ver y de exhibición. Quien no quiera ver recortado en la etiología el derecho de lo adquirido, reparará en que la conducta de la muchacha, según la hemos descrito, era precisamente tal como tenían que determinarla los efectos, unidos, del relegamiento por parte de la madre y de la comparación de sus genitales con los del hermano, en medio de una fuerte fijación a la madre. No obstante, queda aquí una posibilidad de reconducir algo a un modelamiento por un influjo exterior, operante desde época temprana; y ese algo se querría concebir como especificidad constitucional. Y también respecto de aquella adquisición —si es que en realidad sobrevino—, una parte se anotará en la cuenta de la constitución congénita. Así se mezclan y se reúnen en la observación, de continuo, los que en la teoría querríamos distinguir como un par de opuestos —herencia y adquisición—.

Si un cierre más temprano y provisional del análisis llevaba al veredicto de que se trataba de un caso de adquisición tardía de la homosexualidad, el examen del material que ahora emprendemos impone más bien la conclusión de que preexistió una homosexualidad innata que, como es habitual, sólo se fijó y se exhibió sin disfraz en el período siguiente a la pubertad. Cada una de estas clasificaciones da razón de una parte, únicamente, del estado de cosas establecido por la observación, y descuida la otra. Daremos en lo justo si apreciamos en muy poco el valor del planteo mismo.

La bibliografía sobre la homosexualidad no suele distinguir con nitidez suficiente el problema de la elección de objeto, por un lado, y el del carácter y la actitud sexuales, por el otro, como si la decisión sobre uno de esos puntos se enlazara necesariamente con la decisión sobre el otro. Pero la experiencia muestra lo contrario: Un hombre con cualidades predominantemente viriles, y que exhiba también el tipo masculino de vida amorosa, puede, con todo eso, ser un invertido con relación al objeto, amar sólo a hombres, no a mujeres. Un hombre en cuyo carácter prevalezcan de manera llamativa las cualidades femeninas, y aun que se porte en el amor como una mujer, en virtud de esa actitud femenina debería estar destinado al varón como objeto de amor; no obstante, muy a pesar de eso, puede ser heterosexual y no mostrar hacia el objeto una inversión mayor que una persona normal media. Lo mismo vale para las mujeres; tam-

[12] Cf. la admisión de Crimilda en los *Nibelungos*. [I, 15. Crimilda declaró a su madre que jamás permitiría que un hombre la amase, pues ello significaría la pérdida de su belleza.]

poco en ellas carácter sexual y elección de objeto coinciden en una relación fija. Por tanto, el misterio de la homosexualidad en modo alguno es tan simple como se propende a imaginarlo en el uso popular: Un alma femenina, forzada por eso a amar al varón, instalada para desdicha en un cuerpo masculino; o un alma viril, atraída irresistiblemente por la mujer, desterrada para su desgracia a un cuerpo femenino. Más bien se trata de tres series de caracteres:

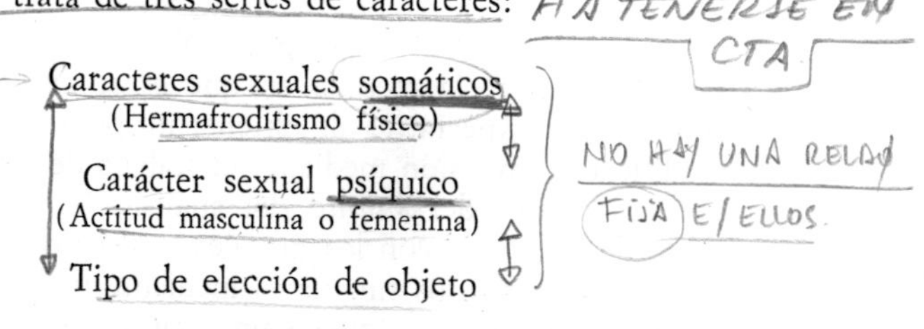

que hasta cierto grado varían con independencia unos de otros y se presentan en cada individuo dentro de múltiples permutaciones. La literatura tendenciosa ha dificultado la intelección de esos nexos, en cuanto por motivos prácticos ha empujado al primer plano la única conducta llamativa para el lego, la correspondiente al tercer punto, el de la elección de objeto, y además ha exagerado la fijeza del vínculo entre este y el primer punto. Por añadidura, cierra el camino que lleva a la visión más profunda de todo cuanto se designa uniformemente como homosexualidad, al rechazar dos hechos fundamentales que la investigación psicoanalítica ha descubierto. El primero, que los hombres homosexuales han experimentado una fijación particularmente fuerte a la madre; el segundo, que todos los normales, junto a su heterosexualidad manifiesta, dejan ver una cuota muy elevada de homosexualidad latente o inconciente. Y cuando se ha tomado en cuenta este descubrimiento, no ha sido sino para abonar el supuesto de un «tercer sexo» que la naturaleza habría creado por travieso capricho.

No es misión del psicoanálisis solucionar el problema de la homosexualidad. Tiene que conformarse con revelar los mecanismos psíquicos que han llevado a decidir la elección de objeto, y rastrear desde ahí los caminos que llevan hasta las disposiciones pulsionales. En ese punto cesa su tarea y abandona el resto a la investigación biológica, que precisamente hoy, en los experimentos de Steinach,[13] ha producido esclarecimientos tan importantes sobre la influencia de la primera de las series mencionadas sobre la segunda y la

[13] Cf. Lipschütz (1919).

tercera. El psicoanálisis se sitúa en un terreno común con la biología en la medida en que adopta como premisa una originaria bisexualidad del individuo humano (así como del animal). Pero no puede esclarecer la esencia de aquello que en sentido convencional o biológico se llama «masculino» y «femenino»; adopta ambos conceptos y basa en ellos sus trabajos. En el intento de una reconducción más avanzada, lo masculino se le volatiliza en actividad y lo femenino en pasividad,[14] y eso es harto poco. Ya antes [pág. 144] ensayé puntualizar la medida en que es admisible o está corroborada la expectativa de obtener un punto de apoyo para modificar la inversión mediante el trabajo de esclarecimiento que cae dentro del ámbito del análisis. Si se compara esa cuota de influencia con los grandes vuelcos que ha conseguido Steinach en casos singulares mediante intervenciones quirúrgicas, no produce aquella una impresión imponente. No obstante, sería apresuramiento o exageración perjudicial abrigar desde ahora la esperanza de una «terapia» de la inversión que fuera de aplicación universal. Los casos de homosexualidad masculina en que Steinach obtuvo éxito satisfacían la condición, no siempre presente, de un «hermafroditismo» somático en extremo marcado. La terapia de una homosexualidad femenina por caminos análogos es, a primera vista, del todo oscura. Si hubiera de consistir en la extirpación de los ovarios probablemente hermafroditas y en la implantación de otros que, según se confía, son de un solo sexo, tendría pocas perspectivas de aplicación práctica. Un individuo femenino que se siente viril y ha amado de la manera masculina harto difícilmente se dejará empujar al papel femenino si tiene que pagar esta trasmudación, no en todo ventajosa, con la renuncia a la maternidad.[15]

[14] [Cf. también el examen de estos dos conceptos en *Tres ensayos* (1905*d*), *AE*, **7**, pág. 200*n*.]

[15] [Véanse las consideraciones sobre la homosexualidad en *Tres ensayos* (1905*d*), *AE*, **7**, págs. 124-34, donde además de la larga nota al pie agregada en 1920 (luego de la redacción del presente trabajo) Freud vuelve a referirse a la obra de Steinach. Retomó el tema en su artículo sobre los celos, la paranoia y la homosexualidad (1922*b*), *infra*, pág. 224.]

Psicoanálisis y telepatía
(1941 [1921])

Nota introductoria

«Psychoanalyse und Telepathie»

Ediciones en alemán

(1921 Agosto. Fecha del manuscrito.)
1941 *GW*, **17**, págs. 27-44.

Traducciones en castellano *

1955 «Psicoanálisis y telepatía». *SR*, **21**, págs. 33-50. Traducción de Ludovico Rosenthal.
1968 Igual título. *BN* (3 vols.), **3**, págs. 372-84.
1974 Igual título. *BN* (9 vols.), **7**, págs. 2648-59.

El manuscrito está fechado al comienzo «2 de agosto de 1921» y al final «Gastein, 6 de agosto de 1921». No tiene título, y el que aquí adoptamos es el que le pusieron los editores de las *Gesammelte Werke.*

En una nota preliminar a la edición alemana se establece que el trabajo «fue escrito con motivo de la reunión del Consejo Directivo Central de la Asociación Psicoanalítica Internacional, celebrada en las montañas del Harz a comienzos de setiembre de 1921». Ernest Jones, quien era a la sazón el presidente de dicho Consejo, nos dice empero que en esa fecha no celebró ninguna reunión en las montañas del Harz; hubo, sí, un encuentro de los colaboradores más inmediatos de Freud: Abraham, Eitingon, Ferenczi, Rank y Sachs, además del propio Jones. Al parecer, el trabajo fue leído ante este grupo oficioso.

El propósito de Freud era informar sobre tres casos, pero cuando se puso a preparar el manuscrito en Gastein descubrió que había olvidado en Viena el material del tercer caso, y se vio obligado a remplazarlo por otro material, de índole diferente. Ese «tercer caso», cuyo original sobrevivió como

* {Cf. la «Advertencia sobre la edición en castellano», *supra*, pág. xi y *n.* 6.}

manuscrito separado, lleva el siguiente encabezamiento: «*Apéndice*. He aquí el informe, omitido por causa de la resistencia, sobre un caso de trasferencia de pensamiento durante la práctica analítica». Este caso es el relacionado con el doctor Forsyth y la saga de los Forsyte {de Galsworthy}, el último de los registrados en la 30ª de las *Nuevas conferencias de introducción al psicoanálisis* (1933*a*), *AE*, **22**, págs. 44 y sigs. Las dos versiones del caso se asemejaban mucho; sólo se modificaron algunas palabras aisladas. Por ello, no me pareció necesario incluirlo aquí.

Este trabajo, el primero que escribió Freud sobre la telepatía, no fue publicado nunca en vida de él, aunque en su mayor parte se lo incluyó, en diversas formas, en sus escritos posteriores acerca de este tema. El primero de ellos en ser publicado es el que le sigue en este volumen, «Sueño y telepatía» (1922*a*), que versa sobre un tópico algo distinto. Poco después escribió una breve nota titulada «El significado ocultista del sueño», incluida en «Algunas notas adicionales a la interpretación de los sueños en su conjunto» (1925*i*), *AE*, **19**, págs. 137-40. Al parecer, su intención era incorporarla a *La interpretación de los sueños* (1900*a*), y, de hecho, se la publicó por primera vez formando parte de un apéndice al volumen III de los *Gesammelte Schriften*, el que contiene dicha obra; pero no fue incluida en ninguna de las ediciones posteriores. Por último, tenemos la conferencia antes mencionada, sobre «Sueños y ocultismo», en las *Nuevas conferencias* (1933*a*). Cabe señalar que en esta última ocasión ya no se sentía asaltado por la duda en cuanto a la conveniencia de ocuparse del tema, tan evidente en el presente artículo; y en verdad, hacia el final de la conferencia se retracta expresamente del temor aquí expresado en cuanto a que la perspectiva científica de los psicoanalistas podría verse amenazada si se estableciera la verdad de la trasferencia de pensamiento.

James Strachey

Informe preliminar

No parece nuestro destino trabajar en paz en la construcción de nuestra ciencia. Apenas acabamos de rechazar con éxito dos ataques —uno, reciente, pretendía desmentir todo cuanto hemos traído a la luz, y en vez de aportar un contenido no hacía sino mostrar el motivo de esa negativa; el otro quería persuadirnos de que habíamos equivocado la naturaleza de este contenido y debíamos permutarlo a la ligera por otro—;[1] apenas, entonces, acabamos de sentirnos a salvo de estos enemigos, y ya se eleva frente a nosotros un peligro nuevo, esta vez algo grandioso, elemental, que no sólo nos amenaza a nosotros, sino, y quizá todavía más, a nuestros oponentes.

Ya no parece posible rechazar el estudio de los hechos llamados ocultos, aquellas cosas que supuestamente acreditan la existencia real de poderes psíquicos diversos de los que conocemos en el alma del hombre y del animal, o que revelan en esta alma capacidades que hasta el momento no se creía que tuviera. El vuelco hacia esta investigación parece de una fuerza incontrastable; en estas cortas vacaciones tuve tres veces ocasión de declinar mi colaboración en revistas que acababan de fundarse al servicio de estos estudios. Creemos comprender, también, de dónde extrae su fuerza esta corriente. Expresa la desvalorización que se abatió sobre todo lo existente desde la catástrofe mundial de la Gran Guerra y, además, es parte de los tanteos que se hacen con esa gran subversión a que estamos enfrentados, y cuyo alcance todavía no podemos colegir; y por cierto, es también un ensayo de compensación para cosechar en otro ámbito —supraterreno— el perdido encanto de la vida en esta Tierra. Y hasta, quizá, muchos de los procesos habidos en la ciencia exacta pueden haber favorecido este desarrollo. El descubrimiento del radio ha arrojado tanta confusión cuanto ha ampliado las posibilidades de explicación del mundo físico, y la in-

1 [Se refiere a Adler y a Jung.]

telección que acaba de obtenerse de la llamada teoría de la relatividad ha tenido el efecto, en muchos de sus incomprensivos admiradores, de reducir su confianza en la credibilidad objetiva de la ciencia. Recuérdese que el propio Einstein, no hace mucho, tuvo ocasión de protestar contra semejante malentendido.

No es tan seguro que ese acrecido interés por el ocultismo signifique un peligro para el psicoanálisis. Al contrario; se esperarían unas recíprocas simpatías entre ambos. Han sufrido el mismo trato despreciativo y altanero de parte de la ciencia oficial. Todavía hoy se mira al psicoanálisis como sospechoso de mística, y su inconciente es, entre cielo y tierra, una de aquellas cosas con que la sabiduría académica ni se atreve a soñar. Las numerosas invitaciones al trabajo conjunto que nos han dirigido los ocultistas muestran que quieren tratarnos como medio aliados, y contar con nuestro apoyo para resistir la presión de la autoridad exacta. Por otra parte, el psicoanálisis no tiene interés alguno en defender esa autoridad con sacrificio de sí; él mismo está en oposición a todo lo estrechado por convenciones, a lo establecido, a lo admitido universalmente; no sería la primera vez que hiciera valer las oscuras pero indestructibles vislumbres del pueblo en contra del fatuo saber de los doctos. Una alianza y una comunidad de trabajo entre analistas y ocultistas parecería tan natural como promisoria.

No obstante, una consideración más atenta pone de manifiesto dificultades. En su enorme mayoría, los ocultistas no están movidos por un apetito de saber, ni, avergonzados de que la ciencia desdeñara durante tanto tiempo tomar conocimiento de unos problemas imposibles de ignorar, los guía el afán de someter a ella un nuevo campo de fenómenos. Más bien son unos convencidos, no buscan sino corroboraciones; quieren tener una justificación para profesar francamente su fe. Pero la fe que ellos primero confiesan y después querrían imponer a otros es la vieja fe religiosa que fue siendo arrinconada en el curso del desarrollo de la humanidad, u otra que está todavía más cerca de las superadas convicciones de los primitivos. Los analistas, en cambio, no pueden desmentir que son del linaje del pensamiento científico exacto y se cuentan entre sus sostenedores. Penetrados de la máxima desconfianza hacia el poder de las mociones de deseo de los hombres, contrariando las tentaciones del principio de placer, están dispuestos a sacrificarlo todo para conseguir una partícula de certeza objetiva: sacrificar el refulgente brillo de una teoría sin lagunas, la empinada conciencia de poseer una cosmovisión acabada, la tranquilidad de alma que una motivación de anchas bases daría a un obrar ético y acorde a fines. En vez de eso, se conforman con unos jirones fragmentarios de conocimiento y unos supuestos básicos no del todo delimitados, a la espera de cualquier remodelamiento. En lugar de acechar el momento que les permitiría sustraerse de la coerción de las leyes físicas y químicas conocidas, los anima la esperanza de que aparezcan leyes naturales más abarcadoras y que calen más hondo, a las que están dispuestos a someterse. Los analistas son en el fondo unos mecanicistas y unos materialistas incorregibles, aunque quieren cuidarse de robar a lo anímico y a lo mental sus peculiaridades todavía desconocidas. Y si abordan la indagación del material oculto, ello sólo se debe a que por ese medio esperan discriminar definitivamente, de la realidad material, los productos del deseo de los hombres.

En vista de una complexión mental tan diversa, la comunidad de trabajo entre analistas y ocultistas promete poca ganancia. El analista tiene su campo de trabajo, que no debe abandonar: lo inconciente de la vida anímica. Si en el curso de su tarea quisiera estar al acecho de fenómenos ocultos, correría el riesgo de descuidar todo cuanto se halla más cercano. Ello le haría perder esa falta de cerrazón, esa neutralidad, esa desprevención que han constituido una pieza esencial de su armamento y dotación analíticos. Si unos fenómenos ocultos hubieran de imponérsele como lo hacen otros, los desechará tan poco como a estos. Parece ser este el único designio compatible con la actividad del analista.

De uno de los peligros, el subjetivo, de desperdigar su interés en los fenómenos ocultos, el analista puede precaverse por autodisciplina. No ocurre lo mismo con el peligro objetivo. Poca duda cabe de que el ocuparse con los fenómenos ocultos muy pronto traerá como resultado corroborar el carácter fáctico de cierto número de ellos; es de presumir que pasará mucho tiempo hasta que se obtenga una teoría aceptable de estos nuevos hechos. Pero los hombres ávidos de novedades no esperarán tanto. Desde la primera admisión, los ocultistas proclamarán triunfante su empeño, extenderán la fe desde una aseveración a todas las otras, y de los fenómenos avanzarán a las explicaciones que les son más caras y próximas. Los métodos de la indagación científica no les servirán sino como una escala para remontarse por encima de la ciencia. ¡Lástima que hayan trepado tan alto! Y ningún escepticismo de circunstantes y oyentes les instilará dudas, ninguna objeción de las multitudes los detendrá. Serán saludados como los libertadores de una gravosa coerción conceptual, jubilosamente se les aceptará todo aquello que se está presto a creer desde los días de la infancia de la humanidad y desde los años infantiles de los individuos. Una terrible quiebra del pensamiento crítico, de la exigencia determinista, de la ciencia mecanicista puede producirse entonces; ¿podrá preservarlos la técnica, con su inflexible perseverancia en la magnitud de la fuerza, en la masa y en la cualidad del material?

Vana esperanza es que precisamente el trabajo analítico, porque atañe a lo inconciente arcano, escapará a tal trastrueque de valores. Si esos espíritus bien familiares a los hombres son quienes dan las explicaciones últimas, se agotará todo interés por las trabajosas aproximaciones de la exploración analítica en los poderes desconocidos del alma. También se abandonarán los caminos de la técnica analítica si asoma la esperanza de entrar mediante unos manejos ocultistas en conexión directa con los espíritus operantes, y del mismo modo se resignarán los hábitos de un trabajo paciente de los detalles si asoma la esperanza de enriquecerse de golpe mediante una especulación exitosa. Durante la presente guerra, hemos sabido de personas que estaban situadas entre dos naciones enemigas: de una eran miembros por nacimiento; de la otra, por opción y por su lugar de residencia; su destino fue que una de ellas los trató primero como enemigos, y después, si salieron salvos, lo hizo la otra. Tal podría ser también el destino del psicoanálisis. Ahora bien, cualesquiera que fuesen los destinos de uno, debe soportarlos. También el psicoanálisis tendrá que habérselas de algún modo con ellos.

Volvámonos al presente, a la tarea inmediata. En el curso de los últimos años he hecho algunas observaciones que no quiero reservarme, al menos frente al círculo de los más allegados. La repugnancia a dejarse llevar por una corriente que gobierna nuestro tiempo, el cuidado para que no se reste interés al psicoanálisis y la falta absoluta de un velo de discreción son motivos que cooperan para que no dé a mi comunicación una publicidad más vasta. Pretendo para mi material dos ventajas que es raro hallar. En primer lugar, está libre de los reparos y dudas de que adolecen la mayoría de las observaciones de los ocultistas y, en segundo lugar, despliega su fuerza probatoria sólo después que fue sometido a la elaboración analítica. Por lo demás, consta únicamente de dos casos que presentan un carácter común; un tercero es de otra índole, se lo agrega sólo a manera de apéndice y está abierto a un diverso enjuiciamiento. Los dos casos que ahora expondré con amplitud atañen a sucedidos de la misma clase, profecías de adivinos profesionales, que *no* se cumplieron. A pesar de ello, causaron una impresión extraordinaria sobre las personas a quienes les fueron formuladas, de suerte que lo esencial en ellas no puede ser el vínculo con el futuro. Saludaré en extremo complacido toda contribución a su explicación, así como cualquier reparo sobre su virtud probatoria. Mi actitud personal hacia este material sigue siendo de renuencia, ambivalente.

I

Años antes de la guerra entró en análisis conmigo un joven de origen alemán con la queja de que se había vuelto incapaz para el trabajo, todo lo de su vida lo había olvidado, perdido todo interés.[2] Estaba próximo a graduarse en filosofía, estudiaba en Munich, le aguardaba su examen final; por lo demás, era un ladino de gran cultura, infantilmente taimado, hijo de un financista, que, según después se vio, había elaborado con éxito un colosal erotismo anal. Al preguntarle si nada de su vida o de su círculo de intereses le restaba actualmente, confesó el plan de una novela que había esbozado, que se desarrollaría en Egipto en la época de Amenofis IV, en la que cierto anillo cobraría gran importancia. Desde esta novela empezamos a hilar; el anillo resultó ser símbolo del matrimonio, y siguiendo por ahí logramos refrescar todos sus recuerdos e intereses. Resultó que su quiebra había sido la consecuencia de un gran renunciamiento. Tenía una única hermana, unos años más joven que él, de la que estaba prendado con un amor total, sin disimulo ninguno. «¿Por qué no podríamos casarnos nosotros dos?», se habían dicho muchas veces entre ellos. No obstante, su ternura jamás había ido más allá de la medida permitida entre hermanos.

De esta hermana se había enamorado un joven ingeniero. Halló correspondencia en ella, pero ninguna gracia a ojos de los severos padres. En su aprieto, la pareja se volvió al hermano en busca de ayuda. Este abrazó la causa de los amantes, les procuró su correspondencia, hizo posibles sus citas cuando estaba en casa a raíz de las vacaciones y, por último, influyó sobre los padres para que prestaran su aquiescencia a los esponsales y al casamiento de los enamorados.

[2] [Se informa más sucintamente sobre este caso en la 30ª de las *Nuevas conferencias de introducción al psicoanálisis* (1933*a*), *AE*, **22**, págs. 40-1.]

Durante el noviazgo, cierta vez sucedió algo muy sospechoso. El hermano emprendió con su futuro cuñado una excursión por el Zugspitze,* en que él hacía de guía. Pero ambos se extraviaron en el monte, estuvieron a punto de despeñarse y sólo a duras penas se salvaron. El paciente no contradijo mucho cuando yo interpreté esta aventura como un intento de asesinato y de suicidio. Pocas semanas después del casamiento de la hermana, el joven inició el análisis.

Pasados de seis a nueve meses, recuperó su plena capacidad de trabajo para rendir sus exámenes, escribir su tesis, y después de un año cumplido volvió como doctor en filosofía para proseguir el análisis, porque, según dijo, para él como filósofo el psicoanálisis tenía un interés que iba más allá del éxito terapéutico. Sé que reinició en octubre. Unas semanas después me contó, a propósito de cualquier otro asunto, la siguiente vivencia.

En Munich vive una decidora de la suerte que goza de gran fama. Los príncipes de Baviera suelen acudir a ella cuando tienen entre manos alguna empresa. Ella no exige otra cosa sino que se le indique una fecha. (Omití preguntar si era preciso también el año). Se da por supuesto que la fecha se refiere al día de nacimiento de una determinada persona, pero no pregunta quién es. En posesión de esta fecha, hojea libros de astrología, hace unos largos cálculos y, por fin, pronuncia una profecía referida a esa persona. En marzo último, mi paciente se dejó mover a visitar a la adivina y le dio la fecha de nacimiento de su cuñado, naturalmente que sin decirle el nombre de él ni dejar traslucir que lo tenía en el seso. El oráculo manifestó que en julio o agosto próximos esa persona moriría a causa de un envenenamiento con langostas u ostras. Después que me hubo contado esto, el paciente agregó: «¡Y eso fue grandioso!».

Yo no comprendí y lo contradije vivamente: «¿Qué es lo que usted halla grandioso? Ahora hace ya unas semanas que está usted conmigo; si su cuñado hubiera realmente muerto, hace tiempo me lo habría contado; por tanto, vive. La profecía se dio en marzo, debía cumplirse en mitad del verano, ahora ya estamos en noviembre. No se ha cumplido, entonces; ¿qué halla usted de maravilloso en ello?». Y él, ante eso: «Es cierto que no se cumplió. Pero lo maravilloso es esto: Mi cuñado es un gran aficionado a las langostas, ostras y cosas parecidas, y realmente en agosto *del año anterior* tuvo un envenenamiento con langostas por cuya causa

* {El pico más alto de los Alpes del Tirol, en el distrito de Alta Baviera.}

estuvo a punto de morir». No se volvió a hablar más sobre el asunto.

Quieran ustedes ahora examinar conmigo el caso.

Yo creo en la veracidad de mi relator. Es hombre enteramente serio, en la actualidad se desempeña como profesor de filosofía en K. No sé de motivo alguno que pudiera haberlo movido a hacerme objeto de una mistificación. El relato fue episódico y no tendencioso, a él no se anudó nada más ni se extrajo de ahí ninguna conclusión. El no perseguía el propósito de convencerme acerca de la existencia de fenómenos anímicos ocultos, y aun tuve la impresión de que no alcanzaba a darse clara cuenta de la importancia de su vivencia. Yo mismo quedé tan sentido, en verdad penosamente tocado, que renuncié a la aplicación analítica de su comunicación.

Igualmente inobjetable me parece la observación en otro sentido. Está comprobado que la adivina no conocía al inquiridor. Pero pregúntense ustedes mismos qué grado de intimidad se requeriría con una persona, aun manteniendo trato con ella, para conocer una fecha como el día de nacimiento de su cuñado. Por otra parte, quieran ustedes poner conmigo en duda, y con la máxima obstinación, que por unas fórmulas, cualesquiera que sean, con el auxilio de unas tablas, pueda discernirse a partir de la fecha de nacimiento un destino tan particularizado como es un envenenamiento con langostas. No olvidemos cuántos hombres han nacido el mismo día; ¿juzgan ustedes posible que la comunidad de los destinos que se fundarían en una idéntica fecha de nacimiento pudiera alcanzar a tanto detalle? Por eso me atrevo a excluir por completo de la discusión todos esos manejos de cálculos astrológicos; yo creo que la adivina habría podido hacer cualquier otra cosa sin que por eso se modificase el resultado de la inquisición. Por eso me parece también enteramente descartada una fuente de fraude del lado de la adivina —digamos casi: de la médium—.

Si convienen ustedes en el carácter fáctico y en la veracidad de esta observación, una explicación nos aguarda. Y entonces aparece enseguida lo que cuadra a la mayoría de estos fenómenos, a saber, que su explicación mediante supuestos ocultistas presenta una rara suficiencia, cubre sin residuo lo que debe explicarse, sólo que en sí misma es harto insatisfactoria. No pudo estar presente en la adivina el saber del envenenamiento por langostas que había sufrido la persona nacida el día que se le indicó; tampoco pudo adquirirlo gracias a sus tablas y cálculos. Pero sí estaba presente en el inquiridor. El hecho se explica sin resto si queremos suponer que ese saber se trasfirió de él a ella, la supuesta profetisa, y por caminos ignorados, que excluyen las maneras de comunicación por nosotros conocidas. Vale decir, nos veríamos precisados a extraer esta conclusión: Existe trasferencia de pensamiento. El trabajo astrológico de la adivina cobra así el papel de una actividad que distrae sus fuerzas psíquicas propias, la ocupa de manera inofensiva, de suerte que puede volverse receptiva y permeable para el pensamiento del otro, que repercute sobre ella; puede volverse una verdadera «médium». Parecida disposición de las cosas hemos conocido, por ejemplo, en el caso del chiste, cuando se trataba de asegurarle a un proceso anímico un discurrir más o menos automático.[3]

Ahora bien, el recurso al análisis rinde más en este caso y realza su importancia. Nos enseña que no cualquier pieza de un saber indiferente se ha comunicado por la vía de la inducción sobre una segunda persona, sino que un deseo de una persona, extraordinariamente poderoso, que mantiene con su conciencia un vínculo particular, pudo crearse, con el auxilio de una segunda persona, una expresión conciente levemente velada, del mismo modo que el final del espectro se anuncia a los sentidos sobre la placa sensible a la luz como continuación coloreada. Uno cree poder reconstruir la ilación de pensamiento del joven tras la enfermedad y el restablecimiento de ese cuñado a quien odiaba como rival. Esta vez, es cierto, se ha sanado, mas no por eso ha renunciado a su peligrosa afición, y *es de esperar* que la próxima vez ella lo eche a pique. Ese «es de esperar» es lo que se traspone a la profecía. Como correspondiente a esto podría comunicarles el sueño de otra persona en que una profecía aparece como material, y el análisis del sueño revela que el contenido de aquella coincide con un cumplimiento de deseo.[4]

No puedo simplificar mi enunciado caracterizando al deseo de muerte de mi paciente en contra de su cuñado como reprimido inconcientemente. Es que en la cura del año anterior fue hecho conciente, y las consecuencias que partían de su represión habían cedido. Pero aquel pervivió, no ya patógeno, pero sí con intensidad bastante. Podría describírselo como un deseo «sofocado».

[3] [Cf. *Psicología de las masas y análisis del yo* (1921*c*), *supra*, pág. 120, *n*. 7.]

[4] [Tal vez haga referencia a la «premonición onírica» anotada por Freud en 1899, pero que se publicó después de su muerte (1941*c*). Ese sueño no contenía, empero, una profecía específica.]

II

En la ciudad de F. se criaba una niña, la mayor de cinco hermanas, todas mujeres.[5] La más joven es diez años menor que ella; cierta vez, siendo esta un bebé, la dejó caer de los brazos; luego la llamará «su hija». La hermanita que le sigue en edad tiene con ella la diferencia mínima, han nacido el mismo año. La madre es mayor que el padre, no es una mujer afable; el padre, más joven no sólo en años, se consagra mucho a sus hijitas, las deslumbra con sus habilidades. En otros campos, por desdicha, no es nada deslumbrante; deficiente como hombre de negocios, no puede mantener a su familia sin el auxilio de unos parientes. La hija mayor, desde edad muy temprana, deviene la confidente de todos los aprietos que le causa su deficiencia para ganarse el sustento.

Tras vencer su carácter infantil apasionado y obcecado, ella se cría como un verdadero espejo de virtudes. Su elevado *pathos* ético se asocia a una inteligencia rígidamente limitada. Se ha convertido en maestra de escuela, y es muy respetada. El tímido galanteo de un pariente joven, su maestro de música, poco la conmueve. Ningún otro hombre ha despertado todavía su interés.

Cierto día aparece un pariente de la madre, bastante mayor que la muchacha, pero aún joven, puesto que ella tiene sólo diecinueve años. Es extranjero, vive en Rusia, donde dirige una gran empresa comercial, se ha hecho muy rico. Nada menos que una guerra mundial y la caída del máximo despotismo harían falta {luego} para empobrecerlo a él también. Se enamora de su joven y rigurosa prima, y quiere tenerla por mujer. Los padres no le dicen palabra, pero ella comprende lo que desean. Por detrás de todos los ideales éticos se le asoma el cumplimiento del deseo de su fantasía: auxiliar a su padre, salvarlo de sus penurias. Cuenta con poder apoyar al padre con dinero mientras conduzca su negocio, y procurarle una pensión cuando por fin se retire; dará a sus hermanas dote y ajuar para que puedan casarse. Y se enamora de él, poco después se casa y lo sigue a Rusia.

En ese matrimonio todo marcha a pedir de boca hasta un pequeño suceso, no bien comprendido, que sólo cobra significación en una ojeada retrospectiva. Mujer, se convierte en una tierna amante, sensualmente satisfecha, la bienhe-

[5] [Se informa sobre este caso, con menos detalle, en la 30ª de las *Nuevas conferencias* (1933*a*), *AE*, **22**, págs. 38-9, y más brevemente aún en «Algunas notas adicionales a la interpretación de los sueños en su conjunto (1925*i*), *AE*, **19**, págs. 139-40.]

chora de su familia. Sólo una cosa faltaba: no tenía hijos. Ahora tiene 27 años, casada hace 8, vive en Alemania y tras vencer todos los reparos acudió a un ginecólogo de allí. Pero este, con la desaprensión habitual en los especialistas, le prometió éxito si se sometía a una pequeña operación. Ella está dispuesta, al atardecer del día anterior habla con su marido. Van cayendo las sombras, ella quiere encender la luz. El marido le pide que no lo haga, tiene algo que decirle para lo cual prefiere la oscuridad. Que desista de la operación, la culpa de la falta de hijos está en él. Durante un congreso médico, hace dos años, se enteró de que ciertas enfermedades pueden quitar al hombre la capacidad para engendrar hijos, y un examen le mostró después que también él caía dentro de este caso. Tras esta franqueza, se suspende la operación. En ella se consuma instantáneamente un quebrantamiento, que en vano procura guardar en secreto. Sólo lo había podido amar como sustituto del padre, y ahora se entera de que nunca podrá serlo. Tres caminos se abren frente a ella, todos intransitables: la infidelidad, renunciar a tener hijos, divorciarse de su marido. A este último no podía seguirlo por los mejores motivos prácticos, y al segundo, por los más poderosos motivos inconcientes, que ustedes coligen con facilidad. Toda su infancia había estado dominada por el deseo, tres veces defraudado, de tener un hijo del padre. Entonces le resta aquella salida que para nosotros la volverá tan interesante. Cae presa de grave neurosis. Durante largo tiempo se defiende de diversas tentaciones con el auxilio de una histeria de angustia, pero luego se produce un vuelco a graves acciones compulsivas. Ingresa en sanatorios y por fin, tras diez años de arrastrar la enfermedad, acude a mí. Su síntoma más llamativo era que, puesta en el lecho, prendía [*anstecken*] su ropa de cama a las sábanas con unos imperdibles. Así dejaba traslucir el secreto de la infección [*Ansteckung*] de su marido, que la había dejado sin hijos.

La paciente tenía quizás unos cuarenta años [6] cuando me contó una vivencia del tiempo de su incipiente desazón, todavía antes que estallase la neurosis obsesiva. Para distraerla, su marido la llevó consigo en un viaje de negocios a París. La pareja estaba sentada en el vestíbulo del hotel junto con un amigo de negocios del marido, cuando una cierta inquietud y un movimiento se hicieron sentir en el lugar. Ella inquirió a uno de los servidores del hotel por lo que sucedía, y se enteró de que *Monsieur le professeur* había llegado para atender consultas en su camarín próximo a

[6] [Cuarenta y tres años, según las otras dos comunicaciones.]

la entrada. *Monsieur le professeur* era un gran adivino, no dirigía preguntas, sólo hacía que el visitante imprimiera su mano en una escudilla llena de arena y le anunciaba el futuro por el estudio de la marca. Declaró que ella también quería ir ahí, hacerse decir la buena ventura; el marido la disuadió, eso era un disparate. Pero cuando él se hubo retirado junto con su amigo de negocios, se quitó del dedo el anillo matrimonial y se coló en el gabinete del adivino. Este estudió largo rato la impresión de la mano, y le dijo después: «En los próximos tiempos librará usted grandes luchas, pero todo le saldrá bien, se casará y a los 32 años tendrá dos hijos». Esta historia la contó ella con evidente maravilla y desconcierto. Mi observación de que lamentablemente el plazo de la profecía ya había terminado 8 años atrás no le hizo impresión alguna. Pude pensar entre mí que acaso la fascinaba la resuelta audacia de esta predicción, como al fiel discípulo del rabino de penetrante mirada.[7]

Por desgracia, mi memoria, confiable en lo demás, no está cierta si la primera parte de la profecía había rezado: «Todo le saldrá bien, usted se casará» o, en cambio, «Usted será dichosa». Mi atención se concentró en demasía en la frase final, nítidamente modelada, con su llamativo detalle. De hecho, las primeras frases acerca de las luchas que saldrían bien responden a esos giros imprecisos que aparecen en todas las profecías, aun las que pueden comprarse ya hechas. Por eso se realzan y saltan más a la vista las dos determinaciones numéricas de la frase final. Empero, no habría carecido de interés saber si el profesor habló realmente de su *casamiento*. Es verdad que ella se había despojado del anillo matrimonial y, con sus 27 años, era su aspecto muy juvenil, fácilmente se la podía tomar por una muchacha soltera; pero, por otra parte, no hace falta mucha perspicacia para descubrir en el dedo la marca del anillo. Circunscribámonos al problema de la última frase, la que prometía dos hijos a la edad de 32 años.

Estos detalles parecen del todo arbitrarios e inexplicables. Ni el más crédulo osará derivarlos de la interpretación de las líneas de la mano. Habrían hallado una justificación incontrastable de haberse cumplido ese destino, pero eso no ocurrió: ella tiene ahora 40 años y no tuvo ningún hijo. ¿Cuál era entonces el origen y el significado de estas cifras? La paciente misma no tenía barrunto alguno de ello. Lo más indicado era desechar del todo la cuestión y arrojarla, como

[7] [Freud relata la historia del rabino de penetrante mirada en su libro sobre el chiste (1905*c*), *AE*, **8**, págs. 60-1.]

cosa sin valor, junto a tantas otras comunicaciones carentes de sentido, supuestamente de carácter oculto.

Y por cierto que sería esa la solución más simple y el más deseado alivio si, yo tengo que decirlo por desdicha, precisamente el análisis no estuviera en condiciones de esclarecer estas dos cifras y sin duda, de nuevo, de una manera por completo satisfactoria y aun obvia respecto de la situación. En efecto, las dos cifras concuerdan notablemente con la biografía de la madre de nuestra paciente. Casada después de los 30 años, su año 32 había sido justamente aquel en que, apartándose del usual destino de la mujer y como para recuperar ese retraso, pudo dar a luz dos hijos. La profecía es entonces de fácil traducción: No te aflijas por tu actual falta de hijos, eso todavía no significa nada; siempre puedes tener el destino de tu madre, que a tu edad ni se había casado y con todo eso tuvo a los 32 años sus dos hijos. La profecía le promete el cumplimiento de aquella identificación con la madre que fue el secreto de su infancia, y por boca del adivino, que no era sabedor de todas estas circunstancias personales y manejaba una marca en la arena. Queda a nuestro albedrío hacer la sustitución de ese cumplimiento de deseo, inconciente en todo sentido: «Te quitarás de encima, por la muerte, a tu inútil marido, o cobrarás la fuerza para divorciarte de él». A la naturaleza de la neurosis obsesiva responde mejor lo primero, y a la segunda posibilidad apuntan esas luchas que serán triunfos, de que habla la profecía.

Como bien ven ustedes, el papel de la interpretación analítica es aquí todavía más significativo que en el caso anterior; puede decirse que sólo ella ha creado al destino ocultista. Y de acuerdo con eso, también habría que concederle a este ejemplo una virtud probatoria directamente forzosa respecto de la posibilidad de trasferencia de un deseo inconciente intenso y de los pensamientos y conocimientos que de él dependen. Veo un único camino para sustraernos a la forzosidad de este caso, y a buen seguro no lo callaré. Es posible que la paciente, en los 12 o 13 años [8] trascurridos entre la profecía y su relato durante la cura, hubiera conformado un espejismo del recuerdo [paramnesia], de suerte que el profesor sólo expresó algo a modo de un consuelo incoloro, que no podía despertar asombro, y ella poco a poco fue introduciendo desde su inconciente las cifras significativas. Esto haría evaporarse al hecho que nos forzaría a una conclusión tan grave. De buena gana queremos identificar-

[8] [«16 años» en las otras comunicaciones.]

nos con el escéptico que pretende apreciar una comunicación así sólo si se ha producido inmediatamente después de la vivencia. Pero quizá no sin un escrúpulo. Recuerdo que tras mi nombramiento como profesor solicité una audiencia con el ministro para agradecerle. De regreso de esa audiencia, me sorprendí queriendo falsear los dichos intercambiados entre él y yo, y nunca más atiné a recordar con exactitud el diálogo que realmente tuvimos. Pero tengo que dejar al juicio de ustedes si consideran admisible este esclarecimiento. Me resulta tan imposible refutarlo como probarlo. Así pues, esta segunda observación, aunque en sí más impresionante que la primera, no quedaría a salvo de dudas en la misma medida que esta.

Los dos casos que les acabo de exponer atañen, ambos, a profecías no cumplidas. Creo que tales observaciones pueden aportar el mejor material para el problema de la trasferencia del pensamiento, y querría incitarlos a que hagan colección de ellas. También les había preparado un ejemplo de un material distinto, un caso, un paciente muy particular, quien en una sesión refirió cosas que coincidían de la manera más maravillosa con una vivencia mía inmediatamente anterior.[9] Pero tendrán ahora ustedes una prueba palpable de que yo me ocupo de estas cuestiones del ocultismo sólo con la máxima resistencia. Cuando, estando en Gastein, fui en busca de las notas que había reunido para la confección de ese informe, el papel en que apuntara esta última observación no estaba ahí, y en su lugar había otro, puesto por error, que contenía señalamientos indiferentes, de un tema por entero diverso. Contra una resistencia tan nítida no hay nada que hacerle, me veo obligado a quedarles debiendo este caso, no puedo completarlo de memoria.

A cambio, quiero agregar algunas observaciones sobre una persona muy conocida en Viena, un grafólogo, Rafael Schermann, de quien se cuentan los hechos más asombrosos. Se dice que no sólo está en condiciones de sacar por una muestra de escritura todo el carácter de la persona, sino de sumarle su descripción y anudar predicciones que más tarde son corroboradas por el destino. Muchas de estas maravillosas destrezas, por lo demás, descansan en sus propios relatos. Un amigo, sin mi previo conocimiento, hizo una vez el ensayo de hacerlo fantasear sobre una muestra de escritura de mi mano. Sólo sacó que el escrito procedía de un señor de

[9] [Cf. mi «Nota introductoria», *supra*, págs. 167-8.]

edad —fácil de colegir— con quien era difícil la convivencia, porque es un insoportable tirano en su casa. Ahora bien, difícilmente lo corroborarían quienes comparten mi hogar. Pero es sabido que en el campo de lo oculto rige el cómodo principio: casos negativos nada prueban.

No he hecho en Schermann observaciones directas, pero por la mediación de un paciente he entrado con él en un lazo del cual nada sabe. Sobre eso quiero contarles ahora.[10] Hace unos años acudió a mí un hombre joven que me hizo una impresión particularmente simpática, de suerte que le di preferencia sobre muchos otros. Resultó que se había enredado con una de las más notorias mujeres de vida galante, de la cual quería desembarazarse a fin de recuperar su pleno albedrío, pero no podía. Me fue posible liberarlo y con eso obtener una intelección cabal de su compulsión; hace unos pocos meses celebró un matrimonio normal, burguesamente satisfactorio. Dentro del análisis se vio pronto que la compulsión contra la que se revolvía no estaba atada a esa dama de vida galante, sino a una señora de su propio círculo, con quien había anudado una relación desde su más temprana juventud. La dama galante había sido tomada sólo como el chivo emisario para satisfacer en ella toda la sed de venganza y los celos que en verdad correspondían a la amada. Según modelos que nos son notorios, él se había sustraído de la inhibición de la ambivalencia por desplazamiento sobre un nuevo objeto.

A esta dama de vida galante, que a su vez se había enamorado de él casi desinteresadamente, solía torturarla de la manera más refinada. Pero cuando ella ya no podía ocultar más su sufrimiento, él le traspasaba también la ternura que sentía por aquel su amor de juventud, la agasajaba, se reconciliaba y después el ciclo recomenzaba su curso. Cuando bajo la guía de la cura finalmente rompió con ella, se hizo claro qué era lo que su comportamiento quería alcanzar en este subrogado de la amada: el resarcimiento de un intento de suicidio que él había hecho en sus años mozos, cuando la amada no quería escucharlo. Tras ese intento de suicidio logró por fin conquistar a la amada, de mayor edad que él. Por esta época del tratamiento solía ir en busca de Schermann, conocido de él, quien repetidas veces le sacó, de las muestras de escritura de la dama galante, la interpretación de que ella estaba al cabo de sus fuerzas, estaba a punto de

10 [También sobre el caso siguiente informa Freud en la 30ª de las *Nuevas conferencias* (1933*a*), *AE*, **22**, págs. 42-3. Unos fragmentos de la historia son narrados allí con más detalle, otros más resumidamente.]

suicidarse y con toda seguridad se mataría. Pero ella no lo hizo, sino que se sacudió sus flaquezas humanas y recordó los principios de su oficio y sus deberes hacia su amigo oficial. Para mí fue claro que el taumaturgo no había hecho sino revelar a mi paciente su deseo íntimo.

Tras renunciar a esta persona desplazada {dislocada}, mi paciente se puso seriamente a soltarse de su cadena real. Por unos sueños colegí un plan que se formaba en él, sobre el modo en que podía desasirse del vínculo con su amor de juventud sin agraviarla gravemente ni inferirle daño material. Ella tenía una hija que se mostraba muy tierna con el joven amigo de la casa, y supuestamente nada sabía de su papel secreto. A esta muchacha quería desposar. Poco después se hizo conciente el plan, y el hombre emprendió los primeros pasos para ejecutarlo. Yo lo apoyé en ese propósito, que respondía a una salida irregular, pero de todos modos posible, de una difícil situación. Pero al poco tiempo vino un sueño en el que se volcaba con hostilidad contra la muchacha, y hete aquí que él consulta de nuevo a Schermann, quien dio este veredicto: la muchacha era infantil, neurótica y no buena para desposarla. El gran conocedor de hombres tuvo esta vez razón: el comportamiento de la muchacha, a quien ya se juzgaba la novia de este hombre, se hizo cada vez más contradictorio y se tomó el consejo de llevarla a un análisis. El resultado del análisis fue el desechamiento de ese plan de matrimonio. La muchacha tenía cabal conocimiento inconciente de los vínculos entre su madre y su prometido, y estaba prendada de este sólo a consecuencia de su complejo de Edipo.

Por entonces se interrumpió nuestro análisis. El paciente quedó libre y capaz de abrirse por sí solo su ulterior camino. Escogió por esposa a una muchacha respetable, ajena a su círculo familiar, sobre quien Schermann había pronunciado un juicio favorable. Ojalá que esta vez haya acertado de nuevo.

Han comprendido ustedes el sentido en que yo querría interpretar estas experiencias mías con Schermann. Ven que todo mi material trata de este único punto, la inducción de pensamientos; sobre todas las otras maravillas que el ocultismo asevera no tengo nada que decir. Mi propia vida, según ya lo he confesado en público, ha trascurrido particularmente huera en estas cosas ocultas.[11] Quizás el problema de la tras-

[11] [Véase el pasaje incorporado en 1907 a *Psicopatología de la vida cotidiana* (1901*b*), *AE*, **6**, págs. 253 y sigs.]

ferencia del pensamiento les parezca ínfimo en comparación con el grandioso mundo encantado de lo oculto. Pero reparen en el enorme paso que por sí solo sería este supuesto más allá de nuestro actual punto de vista. Sigue siendo verdadero lo que el custodio de [la basílica de] San Dionisio solía acotar acerca del martirio del santo. San Dionisio debía, después que le tronchasen la cabeza, recogerla y con ella bajo el brazo marchar aún todo un trecho. El custodio, empero, observó sobre esto: «*Dans des cas pareils, ce n'est que le premier pas qui coûte*».* Lo demás viene solo.[12]

* {«En tales casos, lo único que cuesta es dar el primer paso».}
12 [El dicho era de Marie du Deffand; véase su carta a Walpole del 6 de junio de 1767.]

Sueño y telepatía
(1922)

Nota introductoria

«Traum und Telepathie»

Ediciones en alemán

1922 *Imago*, **8**, nº 1, págs. 1-22.
1925 *GS*, **3**, págs. 278-304.
1925 *Traumlehre*, págs. 22-48.
1931 *Sexualtheorie und Traumlehre*, págs. 326-54.
1940 *GW*, **13**, págs. 165-91.

Traducciones en castellano *

1944 «El sueño y la telepatía». *EA*, **19**, págs. 165-97. Traducción de Ludovico Rosenthal.
1955 Igual título. *SR*, **19**, págs. 139-63. El mismo traductor.
1968 Igual título. *BN* (3 vols.), **3**, págs. 96-115.
1974 Igual título. *BN* (9 vols.), **7**, págs. 2631-47.

Aunque redactado luego de «Psicoanálisis y telepatía» (1941*d* [1921]), este trabajo fue, de todos los de Freud sobre el tema, el primero en publicarse. No puede haber sido escrito mucho antes de fines de noviembre de 1921, ya que en el material examinado figura una fecha ocho semanas posterior al 27 de setiembre de ese año. Del propio texto surge que fue planeado como una conferencia, y en el manuscrito original (así como en las ediciones de 1922 y 1925) se leía, debajo del título: «Conferencia pronunciada ante la Sociedad Psicoanalítica de Viena». Pese a ello, las actas publicadas de la Sociedad de Viena no contienen ningún dato que confirme que el trabajo fue alguna vez leído allí. Parece probable que Freud abandonara, por alguna razón, su propósito de hacerlo cuando ya estaba en composición el primer número de *Imago* de 1922.

James Strachey

* {Cf. la «Advertencia sobre la edición en castellano», *supra*, pág. xi y *n*. 6.}

Un anuncio como el mío tiene que despertar muy determinadas expectativas en estos tiempos, tan llenos de interés por los fenómenos llamados *ocultos*. Me apresuro por eso a disiparlas. De mi conferencia no averiguarán nada sobre el enigma de la telepatía, ni siquiera se informarán si yo creo o no en la existencia de una «telepatía». Aquí me he propuesto la muy modesta tarea de indagar la relación de los sucesos telepáticos, cualquiera que sea el origen de estos, con el sueño; más precisamente: con nuestra teoría del sueño. Conocido es de ustedes que suele en general juzgarse muy estrecho el vínculo entre sueño y telepatía; defenderé aquí la opinión de que ambos no tienen tanto que ver entre sí, y que, si la existencia de sueños telepáticos llegara a certificarse, no por ello habría que cambiar nada en nuestra concepción del sueño.

El material que sirve de base a la presente comunicación es muy escaso. Lo primero que debo decir es que, por desdicha, no puedo trabajar con sueños propios, como hice otrora, cuando escribí *La interpretación de los sueños* (1900*a*). Es que nunca tuve un sueño telepático. No es que me faltaran sueños de esos que contienen la comunicación de que en cierto lugar distante se desarrolla determinado suceso, quedando librado a la concepción del soñante el decidir si el suceso acaba de iniciarse ahora o lo hará en algún tiempo futuro; y aun he registrado en mí a menudo, en medio de la vida de vigilia, premoniciones de procesos distantes. Pero todos esos indicios, predicciones y premoniciones, para decirlo con la expresión que solemos, no se han cumplido; se demostró que no les correspondía ninguna realidad exterior, y por eso hubo que concebirlos como unas expectativas puramente subjetivas.

Cierta vez, por ejemplo, durante la guerra, soñé que uno de mis hijos que se encontraba en el frente había caído. El sueño no lo decía directamente, pero era inequívoco; lo expresaba con los medios del conocido simbolismo de la muerte, que W. Stekel [1911*a*] fue el primero en señalar. (¡No dejemos de cumplir aquí el deber, con frecuencia incómodo, de la honestidad bibliográfica!) Vi al joven guerrero de pie sobre una pasarela de desembarco, en las lindes entre tierra y agua; se me antojó muy pálido, le dirigí la palabra, mas no me respondió. A esto se sumaron otras alusiones sobre las que no podía haber malentendido alguno. No llevaba uniforme militar, sino un traje de esquiador como el que tenía puesto cuando, muchos años antes de la guerra, sufrió una grave caída mientras practicaba ese deporte. Estaba parado sobre algo elevado como un taburete, frente a un aparador; esa situación tuvo que sugerirme interpretar el «caer» con referencia a un recuerdo de mi propia infancia, pues yo mismo, siendo un niño de poco más de dos años, me había trepado a un taburete así para buscar algo en un aparador —probablemente algo bueno—, y en eso me caí, infligiéndome una herida cuya huella todavía hoy puedo mostrar. No obstante, mi hijo, a quien aquel sueño proclamaba muerto, volvió sano y salvo de los peligros de la guerra.[1]

Hace poco he tenido otro sueño anunciador de desgracia; fue, creo, inmediatamente antes de que me decidiera a redactar esta pequeña comunicación; esta vez no se gastó mucho en disfraces; vi a mis dos sobrinas, las que viven en Inglaterra; llevaban luto, y me dijeron: «El jueves la enterramos». Yo sabía que se referían a la muerte de su madre, ahora de ochenta y siete años, la mujer de mi hermano mayor, ya fallecido.

Hubo en mí, desde luego, un período de penosa expectativa; el deceso repentino de una mujer tan anciana nada tendría de sorprendente, y, sin embargo, sería tan indeseable que mi sueño coincidiera justamente con ese suceso... Pero la siguiente carta venida de Inglaterra aventó esos temores. Para todos aquellos que estén preocupados por la teoría del deseo del sueño, quiero intercalar el aseguramiento tranquilizador de que al análisis no le fue difícil descubrir también para estos sueños de muerte los motivos inconcientes presumibles.

Y ahora no me interrumpan con la objeción de que tales comunicaciones carecen de valor porque unas experiencias negativas son tan incapaces de probar algo aquí como en otros campos menos ocultos. Yo lo sé también, y en modo alguno he traído estos ejemplos para aducir una prueba o

[1] [Este sueño se examina en forma extensa en un pasaje agregado en 1919 a *La interpretación de los sueños* (1900*a*), *AE*, **5**, págs. 551 y sigs. Señalemos que lo que aquí se llama un objeto «algo elevado como un taburete» es allí una «cesta».]

instilarles a ustedes de contrabando una determinada actitud. Sólo quise justificar lo restringido de mi material.

Más importante, en todo caso, me parece otro hecho, a saber: que durante mi actividad como analista, y ya van unos veintisiete años, nunca tuve oportunidad de covivenciar en alguno de mis pacientes un genuino sueño telepático. Y no obstante, los hombres con quienes trabajé eran una buena colección de naturalezas gravemente neuropáticas de «sensitividad extremada»; muchos de ellos me contaron los más maravillosos sucesos de su vida anterior, en los que se apoyaba su fe en influjos secretamente ocultos. Acontecimientos tales como accidentes, enfermedades de parientes próximos, en particular casos de muerte de uno de los padres, me fueron contados abundantemente durante la cura y la interrumpieron, pero ni una sola vez estas contingencias, tan apropiadas para ello por su naturaleza, me brindaron la oportunidad de capturar un sueño telepático, sea que la cura se extendiera por medio año, por un año íntegro o por una cantidad de ellos. En cuanto a la explicación de este hecho, que de nuevo trae consigo una restricción de mi material, que se empeñe en lograrla el que quiera hacerlo. Verán que ella no afecta el contenido de mi comunicación.

Menos todavía podría ponerme en aprietos esta pregunta: ¿Por qué no he espigado en el rico acervo de sueños telepáticos consignados en la bibliografía? No habría tenido que buscar mucho, pues dispongo de las publicaciones de la Society for Psychical Research, tanto de la inglesa como de la norteamericana, como afiliado a ellas. En ninguna de esas comunicaciones se ensaya una apreciación analítica de los sueños, tal como la que a nosotros tiene que interesarnos en primera línea.[2] Por otra parte, pronto entenderán ustedes que para los propósitos de esta comunicación ha de bastar con un único ejemplo de sueño.

Así, mi material consta única y exclusivamente de dos informes que he recibido de corresponsales de Alemania. No los conozco personalmente, pero ellos indican nombre y lugar de residencia; no tengo razón alguna para creer que en sus escritos los guíe un propósito de engaño.

2 En dos publicaciones del ya mencionado W. Stekel (*Der telepathische Traum*, Berlín [1920], y *Die Sprache des Traumes*, 2ª ed. [1911*a*], se encuentran por lo menos esbozos de aplicación de la técnica analítica a sueños presuntamente telepáticos. El autor expresa su creencia en la realidad de la telepatía.

I

Con uno de ellos [3] había mantenido intercambio epistolar desde antes; tuvo la amabilidad de comunicarme, como lo hacen muchos otros lectores, observaciones de la vida cotidiana y cosas de ese tenor. Esta vez, ese hombre, a todas luces culto e inteligente, pone a mi disposición su material expresamente por si yo quisiera «utilizarlo en algún escrito». He aquí su carta:

«Al siguiente sueño lo juzgo de suficiente interés para brindárselo a usted como material para sus estudios.

»Tengo que hacer una aclaración previa: Mi hija, casada en Berlín, esperaba para mediados de diciembre de este año su primer alumbramiento. Yo tenía el propósito de viajar en esa época a Berlín con mi (segunda) mujer, la madrastra de mi hija. La noche del 16 al 17 de noviembre soñé, y por cierto de una manera tan vívida y plástica como nunca lo había hecho, que *mi mujer ha dado a luz mellizos. Veo a los dos niños, de magnífico aspecto; los veo nítidamente, con sus sonrosadas mejillas, yacen uno junto al otro en su cunita. No establezco su sexo; uno, de cabellos de un rubio ceniciento, lleva nítidamente mis rasgos, mezclados con rasgos de mi mujer; el otro, de cabellos castaños, lleva nítidamente los rasgos de mi mujer, mezclados con rasgos míos. Digo a mi mujer, quien tiene los cabellos rojizos: "Con probabilidad 'tu' niño, el de los cabellos castaños, los tendrá más tarde también rojizos". Mi mujer da el pecho a los niños. En una palangana había puesto a cocer mermelada (en el sueño) y los dos niños se encaraman ahí gateando y la rebañan.*

»He ahí el sueño. Estando en eso, unas cuatro o cinco veces medio me desperté; me preguntaba si era cierto que me habían sido dado mellizos, y no del todo seguro llego a la conclusión de que sólo he soñado. El sueño dura hasta que me despierto y aún después dura un rato, hasta que me he puesto en claro acerca de la verdad. Durante el desayuno le cuento a mi mujer el sueño, que le gusta mucho. Dice, pensativa: "Ilse (mi hija), ¿no tendrá mellizos?". Yo replico: "Me es difícil creerlo, pues ni en mi familia ni en la de G. (el marido de mi hija) hubieron mellizos". El 18 de noviembre, a las diez de la mañana, recibí un telegrama de mi yerno, despachado la tarde anterior, en que me anuncia-

[3] [Este ejemplo se relata más sucintamente en la 30ª de las *Nuevas conferencias de introducción al psicoanálisis* (1933*a*), *AE*, **22**, págs. 35-6.]

ba el nacimiento de mellizos, un varón y una niña. Por tanto, el nacimiento se produjo por el tiempo en que yo soñé que mi mujer había tenido mellizos. El parto sobrevino cuatro semanas antes de lo que todos suponíamos, sobre la base de las conjeturas de mi hija y su marido.

»Y algo más todavía: A la noche siguiente soñé que *mi difunta mujer, la madre de mi hija, había adoptado para su crianza cuarenta y ocho niños recién nacidos. Cuando nos envían la primera docena, yo protesto.* Ahí termina el sueño.

»Mi difunta mujer era muy amante de los niños. A menudo decía que le gustaría tener toda una cuadrilla a su alrededor, tanto más cuanto que sería totalmente apta para mantener una guardería de niños, y ello la haría sentirse bien. Los lloriqueos y la grita de los niños eran su música. Y hasta en cierta ocasión convidó a toda una pandilla de niños de la calle y los agasajó en el patio de nuestra casa con chocolate y pastelillos. Mi hija, tras el alumbramiento y en particular tras la sorpresa por su anticipación, por haber tenido mellizos y por la diferencia de sus sexos, sin duda pensó también en su madre, sabiendo que habría recibido con viva alegría y contento ese suceso. "¿Qué diría mamita si ahora estuviera junto a mí, junto a mi lecho de parturienta?". Este pensamiento indudablemente se le pasó por la cabeza. Y ahora yo tengo este sueño sobre mi difunta primera mujer, con quien rara vez sueño, aunque tras el primer sueño ni había hablado de ella ni le había dirigido mis pensamientos.

»¿Juzga usted que la coincidencia de sueño y suceso es en ambos casos fruto del azar? Mi hija, que me tiene mucho apego, con seguridad en sus horas difíciles ha pensado particularmente en mí, tanto más cuanto que yo a menudo mantuve correspondencia con ella sobre la conducta durante el embarazo y le he dado consejos una y otra vez».

Es fácil colegir lo que respondí a esta carta. Me pesaba que también en mi corresponsal el interés analítico fuera tan totalmente arrollado por el telepático; por eso me desvié de su pregunta directa, le observé que el sueño contenía muchas otras cosas además de su referencia al nacimiento de los mellizos, y le rogué que me comunicase aquellas ilustraciones y ocurrencias que pudieran posibilitarme una interpretación del sueño. A vuelta de correo recibí esta segunda carta, que en verdad no daba plena satisfacción a mis deseos:

«Sólo hoy paso a responder su amable carta del 24 del corriente mes. De buena gana le comunicaré "sin lagunas ni reservas" todas las asociaciones que me acudan. Por desdicha no han sido muchas; en una conversación saldrían a relucir más.

»Y bien: Entre mi mujer y yo no deseamos más hijos. Apenas si tenemos, pues, comercio carnal; al menos para la época del sueño no amenazaba ninguna clase de "peligro". El alumbramiento de mi hija, que se esperaba para mediados de diciembre, fue, como es natural, tema frecuente de nuestra conversación. Mi hija había sido examinada con rayos X en el verano, y el médico que entonces la revisó estableció que sería un varón. Mi mujer expresó en esa oportunidad: "Me daría risa si a pesar de eso naciera niña". También opinó de pasada que sería mejor si fuera un H. y no un G. (apellido de mi yerno), pues mi hija es más guapa y de figura más elegante que mi yerno, aunque él fue oficial de la marina. Yo me interesaba por cuestiones de herencia y tenía el hábito de mirar en mis hijitos a quién se parecían. ¡Y una cosa más! Tenemos una perrita que en las comidas se sienta a la mesa, recibe su alimento y rebaña platos y escudillas. Todo este material regresa en el sueño.

»Me gustan los niños pequeños y tengo dicho, ya muchas veces, que querría criar otro, ahora que podría hacerlo con inteligencia, interés y tranquilidad mucho mayores, pero no me gustaría tener ninguno con mi mujer, que no posee las aptitudes que la educación racional de un niño requiere. Y hete aquí que el sueño me depara dos (el sexo, no lo he establecido). Todavía los veo yacer en la cuna y reconozco con precisión los rasgos, uno más "yo", el otro más "mi mujer", pero los dos con pequeños rasgos de la otra parte. Mi mujer tiene el cabello rojizo, y uno de los niños, castaño (rojizo). Yo digo: "¡Bah! Ese más tarde se pondrá también pelirrojo". Los dos niños se encaraman a una gran palangana donde mi mujer revolvió mermelada, y rebañan el fondo y los bordes (sueño). El origen de este detalle es de explicación fácil, así como el sueño en general no es difícil de comprender ni de interpretar, si el nacimiento anticipado de mis nietos contra toda expectativa (tres semanas antes) no coincidiera casi con la hora del sueño (no sé decir con exactitud cuándo empezó; entre nueve y diez menos cuarto nacieron mis nietos, a eso de las once me metí en cama y por la noche soñé) y si no hubiéramos sabido ya de antemano que sería un varón. Es cierto, la duda acerca de si había sido bien comprobado que fuera varón o niña puede haber hecho que en el sueño emergieran unos mellizos; no obstante, siempre queda en pie la coincidencia temporal del sueño de los mellizos con los que mi hija dio a luz inesperadamente, tres semanas antes

»No es la primera vez que acontecimientos distantes se me hacen concientes antes de recibir la noticia de ellos. Uno entre muchos otros: En octubre me visitaron mis tres hermanos. Hacía treinta años que no nos veíamos de nuevo juntos (aisladamente unos con otros, desde luego, nos vimos más a menudo), excepto durante un lapso brevísimo para el sepelio de mi padre y para el de mi madre. Ambas muertes eran previsibles, y en ninguno de los dos casos las "presentí". Pero, hace unos veinticinco años, cuando mi hermano menor murió de manera repentina e inesperada a la edad de diez años, en el momento en que el mensajero me entregaba la carta con la noticia de su muerte, y sin que la hubiese mirado siquiera, me vino al punto este pensamiento: Ahí se dice que tu hermano ha muerto. Era el único que quedaba en la casa paterna, un muchacho fuerte y sano, mientras los cuatro hermanos mayores ya habíamos volado de ella y estábamos ausentes. A raíz de la visita de mis hermanos, por azar recayó la conversación sobre esa vivencia mía de entonces, y los tres, como respondiendo a una consigna, declararon que a ellos les había pasado exactamente lo mismo que a mí. Si de idéntica manera, no puedo decirlo; lo cierto es que todos declararon haber recibido la muerte como certidumbre en su sentimiento antes que se los señalase la noticia que enseguida la corroboraría y que en modo alguno era de prever. Aunque los cuatro somos hombres grandes y fuertes, tenemos, de parte de madre, naturalezas sensibles. Ahora bien, ninguno de nosotros tiene inclinación por el espiritismo o el ocultismo; al contrario, los rechazamos decididamente a ambos. Mis tres hermanos son, todos, universitarios; dos, profesores de la escuela media, uno agrimensor, más pedantes que fantaseadores.

»Esto es todo cuanto sé decirle sobre el sueño. Si usted quisiera utilizarlo en algún escrito, con gusto lo pongo a su disposición».

No puedo menos que temerlo: ustedes se comportarán de manera parecida al autor de las dos cartas. También ustedes se interesarán sobre todo por saber si es lícito considerar este sueño, realmente, como una señal telepática del inesperado nacimiento de los mellizos, y en modo alguno se inclinarán a someterlo al análisis como a cualquier otro. Preveo que siempre será así cuando psicoanálisis y ocultismo entren en colisión. El primero tiene en su contra todos los instintos del alma; con el segundo transigen unas simpatías oscuras y poderosas. Empero, no me encerraré en el punto de vista de que yo no soy más que un psicoanalista y las cuestiones del ocultismo no me importan; ustedes lo juzgarían una huida frente al problema. Asevero, en cambio, que me daría gran contento si pudiera convencerme a mí mismo y convencer a otros, por observaciones intachables, acerca de la existencia de procesos telepáticos, pero que las comunicaciones dadas sobre este sueño son harto insuficientes para justificar una decisión así. Fíjense ustedes; este hombre inteligente e interesado por los problemas de su sueño ni siquiera atina a indicarnos cuándo vio por última vez a su hija grávida, ni las noticias que recientemente recibió de ella; en la primera carta escribe que el nacimiento se anticipó un mes, en la segunda son sólo tres semanas, y en ninguna se nos anoticia si el nacimiento realmente se anticipó o si los interesados, como es tan frecuente que ocurra, erraron sus cálculos. Pero este y otros detalles del hecho serían indispensables si debiéramos apreciar la probabilidad de que se hubieran producido en el soñante un tasar y un colegir inconcientes. De nada serviría, me dije también, que se me diese respuesta a algunas de tales inquisiciones. En el curso de ese esforzado procedimiento de prueba emergerían cada vez dudas nuevas que sólo podrían despejarse si uno tuviera al hombre frente a sí y refrescara en él todos los recuerdos atinentes, que quizá dejó de lado por triviales. Tiene por cierto razón cuando dice, al comienzo de su segunda carta, que en una conversación se habría conseguido más.

Piensen ustedes en otro caso, parecido, en que el perturbador interés por el ocultismo no tiene participación alguna. Cuántas veces habrán tenido la oportunidad de comparar la anamnesis y el informe de su enfermedad que un neurótico cualquiera les dio en la primera entrevista con lo que ustedes han averiguado de él tras unos meses de psicoanálisis. Prescindiendo de la comprensible abreviación, ¡cuántas comunicaciones esenciales ha omitido o sofocado, cuántos vínculos ha desplazado {dislocado}! En el fondo, ¡cuántas cosas desacertadas y falsas les ha contado la primera vez! Creo que no me declararán exagerado en mis reparos si en la presente circunstancia declino juzgar si el suceso que se nos ha comunicado corresponde a un hecho telepático, a una operación inconciente particularmente fina del soñante o, simplemente, tiene que aceptárselo como una coincidencia casual. Deberemos posponer nuestro apetito de saber para otra oportunidad en que nos sea permitida una exploración oral, y a fondo, del soñante. Ahora bien, no pueden decir que este desenlace de nuestra indagación los ha decepcionado, pues yo los había preparado para ello, señalándoles que no averiguarían nada que echase luz sobre el problema de la telepatía.

Si ahora pasamos al tratamiento analítico de este sueño, tenemos que confesar de nuevo nuestro descontento. El material de pensamientos que el soñante anuda al contenido manifiesto del sueño es, también, insuficiente; con él no podemos hacer ningún análisis del sueño. Este se demora prolijamente, por ejemplo, en la semejanza de los hijos con los padres, elucida el color de sus cabellos y la previsible mudanza de estos en tiempos posteriores, y para el esclarecimiento de este detalle sobre el que tanto se urde disponemos sólo de esa pobre información del soñante: que él siempre se interesó por cuestiones del parecido y la herencia; ¡nosotros estamos habituados a requerimientos mucho mayores! Pero en *un* lugar el sueño permite una interpretación analítica, y justamente aquí el análisis (que en lo demás nada tiene que ver con el ocultismo) viene asombrosamente en socorro de la telepatía. Y es a causa de este pasaje único que he llamado la atención de ustedes sobre el sueño trascrito.

Si lo miran bien, este sueño no tiene derecho alguno al nombre de «telepático». No comunica al soñante nada —sustraído de su saber por otras vías— que se consumase al mismo tiempo en otro lugar; lo que el sueño cuenta es algo por entero diverso del suceso de que informa el telegrama recibido el segundo día tras la noche del sueño. Sueño y suceso divergen de manera muy especial en un punto importante, y sólo concuerdan, prescindiendo de la simultaneidad, en otro elemento, muy interesante. En el sueño, la *mujer* del soñante ha tenido mellizos. Pero lo que resulta es que su *hija*, que vive lejos, los ha dado a luz. El soñante no descuida esta diferencia, no parece atinar con ningún camino para superarla y, según él mismo lo indica, no tiene predilección alguna por el ocultismo, se limita a preguntar tímidamente si la coincidencia de sueño y suceso en el punto del nacimiento de mellizos puede ser más que una casualidad. Ahora bien, la interpretación psicoanalítica del sueño cancela este distingo entre sueño y suceso, y les da a ambos idéntico contenido. Si traemos a consideración el material de asociaciones sobre este sueño, nos muestra, a pesar de su parquedad, que hay aquí un estrecho lazo afectivo entre padre e hija, uno tan común y natural que habría que dejar de avergonzarse por él; en la vida sólo llega a expresarse, por cierto, como interés tierno, y únicamente en el sueño se extraen sus consecuencias últimas. El padre sabe que la hija le tiene mucho apego, está convencido de que en sus horas difíciles pensó mucho en él; yo creo que en el fondo su yerno no le es muy simpático, pues en la carta lo roza apenas con algunas alusiones despreciativas. Con ocasión del parto de ella (esperado, o captado telepáticamente), se agita en lo reprimido este deseo inconciente: Preferiría que ella fuera mi (segunda) mujer, y es este deseo el que desfigura los pensamientos oníricos y el responsable de la diferencia entre el contenido manifiesto del sueño y el suceso. Tenemos el derecho de cambiar en el sueño la segunda mujer por la hija. Si poseyésemos más material sobre el sueño, sin duda podríamos certificar esta interpretación y profundizarla.

Y ya estoy en lo que quería mostrarles. Nos hemos empeñado en la neutralidad más estricta y en admitir como igualmente posibles e igualmente probadas dos concepciones del sueño. Según la primera, el sueño es la reacción frente a un mensaje telepático: «Tu hija acaba de dar a luz mellizos». De acuerdo con la segunda, hay en la base de él un trabajo inconciente de pensamiento que, tal vez, se dejaría traducir así: «Hoy es el día en que tendría que producirse el parto si los jóvenes de Berlín han equivocado realmente la cuenta en un mes, como yo en verdad creo. ¡Y si mi (primera) mujer viviera todavía, no se conformaría con un solo nieto! Para ella tendrían que ser por lo menos mellizos». Si esta segunda concepción es la justa, no surgen para nosotros problemas nuevos. Es un sueño como cualquier otro. A estos pensamientos oníricos (preconcientes) mencionados se sumó el deseo (inconciente) de que no otra que la hija habría debido ser la segunda mujer del soñante, y así nació el sueño manifiesto que se nos ha comunicado.

Pero si ustedes prefieren suponer que el mensaje telepático del parto de la hija llegó hasta el durmiente, entonces se plantean nuevos interrogantes sobre el vínculo de un mensaje así con el sueño y sobre su influencia en la formación de este. La respuesta está al alcance de la mano y es enteramente unívoca. El mensaje telepático se tratará como un fragmento del material para la formación del sueño, como cualquier otro estímulo externo o interno, como un ruido perturbador que viene de la calle, como una sensación intensa de un órgano del durmiente. En nuestro ejemplo es visible el modo en que con el auxilio de un deseo reprimido, acechante, eso es retrabajado hasta el cumplimiento de deseo, y por desdicha es menos nítido mostrar que se ha fundido en un sueño con otro material activado contemporáneamente. El mensaje telepático —si es que ha de admitírselo en la realidad— no puede, por tanto, cambiar nada en la formación del sueño; la telepatía nada tiene que ver con la esencia del sueño. Y para evitar la impresión de que tras un enunciado abstracto y que suena elegante yo me propondría esconder una oscuridad, estoy dispuesto a repetir: La esencia del sueño consiste en el proceso peculiar del trabajo onírico, que, con el auxilio de una moción inconciente de deseo, trasporta unos pensamientos preconcientes (restos diurnos) al contenido manifiesto del sueño. Ahora bien, el problema de la telepatía importa tan poco para el sueño como el problema de la angustia.[4]

Espero que ustedes convendrán conmigo en esto; pero enseguida objetarán: hay otros sueños telepáticos en los que no subsiste distingo alguno entre suceso y sueño y en los que no hallamos nada más que la reproducción no desfigurada del suceso. Tampoco conozco por experiencia propia sueños telepáticos de esta índole, pero sé que a menudo se ha informado de ellos. Supongamos que estamos frente a uno de esos sueños telepáticos incontaminados y no desfigurados; entonces se eleva otra pregunta: ¿Debe llamarse «sueño» a un suceso telepático de esa suerte? Lo harán ustedes, sin duda, en tanto y en cuanto vayan de la mano con el uso popular del lenguaje, para el cual todo sueño dice lo que acontece en la vida del alma de ustedes mientras dura el lapso en el que duermen. Quizá digan, también: «Me he revolcado en el sueño»; y con mayor razón, no encuentran incorrección alguna en decir: «Yo he llorado en el sueño» o «Me he angustiado en el sueño». Pero, reparen bien, en todos estos casos permutan, sin distinguirlos, «sueño» y «dormir» o «estado del dormir». Yo opino que iría en beneficio de la precisión científica separar mejor «sueño» y «estado del dormir». ¿Por qué habríamos de entrar en el juego de esa confusión convocada por Maeder, quien descubrió para el sueño una función nueva, por cuanto se negó rotundamente a separar el trabajo del sueño de los pensamientos oníricos latentes?[5] Así pues, si hubiéramos de toparnos con un «sueño» telepático puro de esa clase, preferiríamos llamarlo un suceso telepático dentro del estado del dormir. Un sueño sin condensación, desfiguración, dramatización, sobre todo sin cumplimiento de deseo, no merece el nombre de tal. Me harán recordar ustedes que durante el dormir hay todavía otras producciones anímicas a las que tendría que negarse el derecho al nombre de «sueño». Sucede que vivencias reales del día se repiten simplemente en el dormir, y las reproducciones de escenas traumáticas en el

[4] [Cf. *La interpretación de los sueños* (1900*a*), *AE*, **5**, pág. 573.]

[5] [La presunta función «prospectiva» de los sueños es examinada en detalle en dos notas agregadas en 1914 y 1925 a *La interpretación de los sueños* (1900*a*), *AE*, **5**, págs. 502 y 570-1.]

«sueño» nos han desafiado hace poco a una revisión de la teoría sobre el sueño;[6] existen sueños que se distinguen de la clase habitual por ciertas propiedades muy especiales, y que en verdad no son sino unas fantasías nocturnas intactas e incontaminadas, enteramente semejantes a las conocidas fantasías diurnas. Sería por cierto aventurado excluir estas formaciones de la designación «sueños».[7] Es que todas ellas vienen de adentro, son productos de nuestra vida anímica, mientras que el «sueño telepático» puro, de acuerdo con su concepto, sería una percepción de afuera, respecto de la cual la vida del alma se comportaría de manera receptiva y pasiva.[8]

II

El segundo caso del que quiero informarles se sitúa en verdad en una línea diversa. No nos trae ningún sueño telepático, sino uno que recurre desde los años de la infancia en una persona que ha tenido muchas vivencias telepáticas. Su carta, que reproduzco a continuación, contiene muchas cosas maravillosas sobre las cuales nos está vedado juzgar. Algo de esto puede aplicarse al nexo de la telepatía con el sueño.

1.

«...Mi médico, el doctor N., me aconseja contarle a usted un sueño que me persigue desde hace unos treinta o treinta y dos años. Me pliego a su consejo, quizás el sueño tenga interés para usted en el aspecto científico. Puesto que, según su opinión, tales sueños han de retrotraerse a una vivencia en el campo sexual habida en los primeros años de la infancia, le trasmito ciertos recuerdos infantiles; son vivencias que todavía hoy hacen impresión sobre mí, y han sido tan fuertes que me han movido a abrazar mi religión.

»Después que usted se informe, me atrevo a pedirle me comunique quizás el modo en que usted explica este sueño, y si no es posible hacer que desaparezca de mi vida, pues me acosa como un fantasma y por las circunstancias que lo

6 [Cf. *Más allá del principio de placer* (1920*g*), *supra*, pág. 13.]

7 [Cf. *La interpretación de los sueños* (1900*a*), *AE*, **4**, pág. 336.]

8 [Se encontrarán otras consideraciones sobre el uso de la palabra «sueño» en la 14ª de las *Conferencias de introducción al psicoanálisis* (1916-17), *AE*, **15**, págs. 203-4.]

acompañan —me caigo siempre de la cama y ya me he inferido no pocas heridas, nada leves— es para mí muy desagradable y penoso.

2.

»Tengo treinta y siete años, soy fuerte y sana de cuerpo; en la infancia, además de sarampión y escarlatina, padecí una nefritis. A los cinco años tuve una grave inflamación en los ojos, cuya secuela fue una diplopía. Las imágenes me aparecen oblicuas una respecto de la otra, los contornos están borrados porque las escaras de las úlceras deterioran la claridad. A juicio de un especialista, empero, nada más puede modificarse o mejorarse en el ojo. En el empeño por abrir el ojo izquierdo para ver más claro, la mitad izquierda de mi rostro se ha desfigurado hacia arriba. A fuerza de ejercicio y voluntad pude ejecutar los más finos trabajos manuales; de igual modo, siendo una niña de seis años aprendí frente al espejo a eliminar la visión torcida, de suerte que hoy exteriormente no se advierte nada de mi defecto visual.

»Desde mi más tierna infancia he sido siempre solitaria, me retraje de otros niños y tuve ya visiones (clariaudiencia y clarividencia); no podía distinguirlas de la realidad y por eso a menudo caí en conflictos que hicieron de mí una persona muy retraída y tímida. Puesto que desde pequeñita supe mucho más de lo que hubiera podido aprender, simplemente no comprendía a los niños de mi edad. Soy la mayor de doce hermanos.

»Desde los seis hasta los diez años frecuenté la escuela primaria, y después, hasta los dieciséis años, la escuela media de las ursulinas en B. A los diez años, en el lapso de cuatro semanas (eran ocho horas de clase) aprendí tanto francés como otros niños suelen hacerlo en dos años. No tenía más que repetir; era como si ya lo tuviera aprendido y sólo lo hubiera olvidado. En años posteriores nunca me hizo falta aprender el francés, a diferencia del inglés, que por cierto no me costó trabajo alguno, pero me era desconocido. Algo parecido que con el francés me ocurrió con el latín, que a decir verdad nunca aprendí en regla, sino lo conozco sólo por el latín eclesiástico, a pesar de lo cual me es enteramente familiar. Si hoy leo una obra en francés, al punto pienso también en ese idioma, mientras que eso nunca me sucedió con el inglés, a pesar de que lo domino mejor. Mis padres son campesinos que por generaciones no han hablado otra lengua que el alemán y el polaco.

»*Visiones:* Algunas veces la realidad desaparece un instante y yo veo algo por entero diverso. En mi casa veo muy a menudo, por ejemplo, a un matrimonio anciano y un niño; la casa tiene entonces una instalación diferente. Estando todavía en el sanatorio, temprano, hacia las cuatro de la madrugada, entró mi amiga en mi habitación; yo estaba despierta, había encendido la lámpara y estaba sentada a la mesa leyendo, pues sufría mucho de insomnio. Esta aparición siempre me provocó fastidio, también esa vez.

»En 1914 mi hermano se encontraba en el frente; yo no estaba en casa de mis padres en B., sino en Ch. Era un 22 de agosto, a las 10 de la mañana; entonces oí la voz de mi hermano que exclamaba "¡Madre, madre!". Pasados diez minutos, la oí otra vez, pero no vi *nada*. El 24 de agosto llegué a casa, hallé a mi madre acongojada y, a mis preguntas, declaró que el joven se le había anunciado el 22 de agosto. Estaba ella a media mañana en el jardín, y ahí habría oído al joven que clamaba "¡Madre, madre!". La consolé y nada le dije de lo mío. Tres semanas después llegó una carta de mi hermano, que había escrito el 22 de agosto entre las 9 y las 10 de la mañana, poquito antes de morir.

»El 27 de setiembre de 1921 se me anunció algo en el sanatorio. Por dos o tres veces golpearon con violencia en la cama de mi compañera de pieza. Las dos estábamos despiertas; le pregunté si ella había golpeado, pero ni siquiera había oído nada. Tras ocho semanas me enteré de que una de mis amigas había muerto la noche del 26 al 27.

»¡Y ahora algo que debe de ser un espejismo de los sentidos, cosa de ilusión! Una amiga mía se ha casado con un viudo que tiene cinco hijos; sólo por intermedio de ella trabé conocimiento con este hombre. En casa de ellos veo casi todas las veces que allí estoy a una dama que entra y sale. Era sugerente la conjetura de que se trataba de la primera mujer del marido. En una oportunidad pedí un retrato, pero no pude identificar la aparición por la fotografía. Siete años después, veo, en casa de uno de los hijos, un retrato con los rasgos de la dama. Era nomás la primera mujer. En el retrato se la veía de mejor semblante, acababa de hacer una cura de engorde y de ahí el cambio de aspecto, usual en una tísica. Son sólo unos ejemplos entre muchos.

»El sueño [recurrente]: *Veo una península rodeada de agua. Las olas se elevan contra la rompiente y vuelven a deshacerse cada vez. Sobre la península se yergue una palma, algo encorvada hacia el agua. Una mujer enlaza sus brazos al tronco de la palma y se agacha hasta lo hondo en el agua, donde un hombre procura llegar a tierra. Al final ella hace pie en el suelo, se tiene con la izquierda de la palma y alarga la derecha todo lo que puede hacia el hombre que está en el agua, sin alcanzarlo.* Entonces me caigo de la cama y me despierto. Tendría de quince a dieciséis años cuando percibí que yo misma era esa mujer, y ahora no sólo vivencio la angustia de la mujer por el hombre, sino que muchas veces estoy ahí como un tercero que no participa y mira. También soñé esta vivencia en etapas. Cuando se despertó en mí el interés por el varón (entre los dieciocho y los veinte años), intenté individualizar el rostro del hombre, pero nunca me fue posible. La espuma sólo deja ver el cuello y la parte inferior de la cabeza. Yo he estado enamorada dos veces, pero por la cabeza y el porte del cuerpo no era ninguno de estos hombres. Cierta vez, estando en el sanatorio bajo la influencia del paraldehído, vi el rostro del hombre que desde entonces veo en cada sueño. Es el del médico que me trata en el sanatorio, que sin duda me es simpático como tal, pero con quien nada me une.

»*Recuerdos: Entre los seis y los nueve meses.* Yo en mi cochecito, a mi derecha dos caballos; uno, tostado, me mira intensa y expresivamente. Esta es la vivencia más fuerte; tuve el sentimiento de que era un ser humano.

»*Un año de edad.* Padre y yo en el parque de la ciudad, donde un guardián me pone en la mano un pajarito. Sus ojos me devuelven la mirada, yo siento, este es un ser como tú.

»*Matanzas caseras.* Cuando los cerdos empezaban a gruñir siempre pedía socorro y gritaba: "Están matando a un hombre" (cuatro años de edad). Siempre rechacé la carne como alimento. La carne de cerdo siempre me provocó vómitos. Sólo durante la guerra aprendí a comer carne, pero sólo a desgana, y ahora me he desacostumbrado de nuevo.

»*Cinco años.* Madre da a luz y la oigo gritar. Tuve la sensación, ahí hay un animal o un hombre en penuria extrema, lo mismo que cuando las matanzas.

»En el aspecto sexual he sido de niña por completo indiferente; a los diez años no tenía aún la capacidad de comprender los pecados contra la castidad. A los doce años tuve mi primera menstruación. Sólo a los veintiséis años, después que hube dado la vida a un hijo, despertó en mí la mujer; hasta entonces (durante unos seis meses) el coito me provocaba siempre violentas náuseas. Aun más tarde me sobrevenían, cuando la más pequeña desazón me acongojaba.

»Tengo un don de observación extraordinariamente aguzado y un oído excepcionalmente fino; mi olfato es también notable. A las personas que me son familiares puedo reconocerlas, entre muchas, por el olfato.

»No atribuyo ese mi "plus" de visión y de audición a una

naturaleza enfermiza, sino a una sensibilidad más fina y a una capacidad más rápida de combinación. Empero, sobre eso sólo he hablado con mi maestro de religión y con el doctor... y con este último aun con harta renuencia, porque temo me diga que tengo unas capacidades disminuidas, donde yo personalmente las veo extremadas, y porque el ser incomprendida en mi juventud me ha hecho tímida».

El sueño cuya interpretación nos pide nuestra corresponsal no es difícil de comprender. Es un sueño de rescate del agua, y por tanto un sueño típico de nacimiento.[9] El lenguaje del simbolismo no conoce, como ustedes saben, gramática alguna; es un lenguaje de infinitivo extremado, donde voz activa y voz pasiva se figuran mediante la misma imagen. Cuando en el sueño una mujer rescata del agua a un hombre (o quiere hacerlo), esto puede significar que ella quiere ser su madre (lo reconoce como hijo, según hizo la hija del faraón con Moisés), o también que por obra de él quiere ser madre, quiere tener un hijo de él, que se le parezca como su retrato. El tronco de árbol del que la mujer se tiene es fácilmente reconocible como símbolo del falo, aunque no esté derecho, sino inclinado —en el sueño se dice encorvado— hacia la superficie del agua. En cuanto al ataque y al retroceso de la rompiente, otra soñante, cierta vez, los comparó con las contracciones intermitentes; ella nunca había dado a luz, y cuando yo le pregunté de dónde conocía este carácter del trabajo del parto, me dijo que uno se figura las contracciones como una suerte de cólico, lo cual es de todo punto intachable fisiológicamente. A esto ella asoció *Las olas del mar y del amor.*[10] No sé decir, desde luego, de dónde puede haber tomado nuestra soñante en años tan tiernos la constitución más fina del símbolo (península, palma). Por lo demás, no olvidemos esto: Cuando las personas aseveran que desde hace años son perseguidas por el mismo sueño, a menudo resulta que su manera manifiesta no es del todo la misma. Sólo el núcleo del sueño se reitera cada vez; detalles del contenido han sido retocados o se agregan otros nuevos.[11]

Al final de este sueño manifiestamente angustioso, la soñante se cae de la cama. He ahí una figuración novedosa

[9] [Cf. *La interpretación de los sueños* (1900*a*), *AE*, **5**, pág. 406.]
[10] [*Des Meeres und der Liebe Wellen*, título de una obra de Grillparzer sobre la leyenda de Hero y Leandro.]
[11] [Freud examina este punto con cierto detenimiento en el análisis del caso «Dora» (1905*e*), *AE*, **7**, pág. 81.]

del parto. La exploración analítica de las fobias a la altura, de la angustia frente al impulso de precipitarse por la ventana, les ha brindado sin duda a todos ustedes idéntico resultado.

Ahora bien, ¿quién es el hombre del cual la soñante se desea un hijo o querría ser madre de quien fuera su retrato? Muchas veces se esforzó por verle el rostro, pero el sueño no se lo concede; el hombre estaba destinado a permanecer incógnito. Por incontables análisis sabemos lo que significa este enmascaramiento, y nuestro razonamiento por analogía es refirmado por otra indicación de la soñante. En un estado de embriaguez por paraldehído individualizó cierta vez el rostro del hombre del sueño como el del médico del sanatorio, que la trataba, y que para su vida afectiva conciente no le importaba nada más. El original nunca se le había mostrado, pero su copia en la «trasferencia» autoriza la conclusión de que habría debido de ser desde siempre el padre. ¡Cuánta razón tuvo entonces Ferenczi [1917] cuando señaló los «sueños de los desprevenidos» como valiosos documentos para la corroboración de nuestras conjeturas analíticas! Nuestra soñante era la mayor de doce hermanos; ¡cuántas veces la habrán martirizado los celos y el desengaño cuando no ella, sino la madre, recibía el anhelado hijo del padre!

Con total acierto comprendió nuestra soñante que sus primeros recuerdos infantiles serían valiosos para la interpretación de su sueño temprano y desde entonces recurrente. En la primera escena, antes de cumplir el año, está sentada en su cochecito, y junto a ella hay dos caballos, uno de los cuales le aparece grande e impresionante. Define esto como su vivencia más fuerte, tuvo el sentimiento de que era un ser humano. Nosotros, empero, sólo podemos convenir en ese sentimiento apreciativo si dos caballos hacen aquí las veces, como tan a menudo sucede, de un matrimonio, de padre y madre. Es entonces como un destello del totemismo infantil. Si pudiéramos hablar con nuestra corresponsal, le haríamos esta pregunta: ¿No es lícito reconocer, por su color, al padre en el caballo *tostado* que la mira tan humanamente? El segundo recuerdo está enlazado asociativamente con el primero por la misma «mirada inteligente». Pero el tomar-en-la-mano el pajarito avisa al analista, que tiene sus prevenciones, acerca de un rasgo del sueño que pone la mano de la mujer en relación con otro símbolo del falo.

Los dos recuerdos que siguen están coordinados; ofrecen a la interpretación dificultades todavía menores. La grita de la madre en el parto le recuerda directamente el gruñir de los cerdos cuando los sacrifican y la pone en el mismo frenesí compasivo. Pero, sospechamos también, ahí asoma una violenta reacción contra un malvado deseo de muerte dirigido a la madre.

Con estas alusiones a la ternura por el padre, a los contactos genitales con él y a los deseos de muerte hacia la madre, queda trazado el esbozo del complejo de Edipo femenino. La ignorancia sexual por mucho tiempo conservada y la posterior frigidez corresponden a estas premisas. Nuestra corresponsal se convirtió virtualmente —y por un tiempo, sin duda, también de hecho— en una neurótica histérica. Para su ventura, los poderes de la vida la han arrastrado consigo, le han posibilitado su sensibilidad sexual femenina, la dicha de ser madre y múltiples aptitudes para el trabajo; pero una parte de su libido sigue adherida a los puntos de fijación de su infancia, le sobreviene todavía aquel sueño que la arroja de la cama y la castiga con «heridas nada leves» a causa de aquella incestuosa elección de objeto.

Lo que las influencias más potentes de su vivenciar posterior no consiguieron, tiene que ofrecerlo ahora el esclarecimiento epistolar de un médico extranjero. Probablemente lo conseguiría en un lapso prolongado un analista en toda la regla. Tal como estaban las cosas, me vi forzado a escribirle que estaba convencido de que ella padecía el efecto retardado de una fuerte atadura afectiva con su padre y de la correspondiente identificación con la madre, pero que yo mismo no esperaba que este esclarecimiento le sirviese de algo. Por lo general, curaciones espontáneas de neurosis suelen dejar como secuela cicatrices, y estas se vuelven de nuevo dolorosas de tanto en tanto. Bien orgullosos estamos de nuestro arte cuando hemos consumado una curación por psicoanálisis; empero, tampoco nosotros podemos evitar siempre un desenlace así, la formación de una dolorosa cicatriz.

La pequeña serie de recuerdos debe retener un poco más aún nuestra atención. He aseverado en una oportunidad que tales escenas de infancia son «recuerdos encubridores» [12] rebuscados, forjados y, así, no rara vez falseados en un tiempo posterior. Entretanto, puede colegirse la tendencia a que sirve este retrabajo tardío. En nuestro caso, escuchamos directamente al yo de la corresponsal alabarse y tranquilizarse por medio de esta serie de recuerdos: Aun de pequeña yo era una criatura particularmente noble y compasiva. Advertí muy temprano que los animales tienen un alma lo mismo que nosotros, y no he soportado la crueldad hacia ellos.

[12] [Véase el trabajo de Freud «Sobre los recuerdos encubridores» (1899*a*) y el cap. IV de *Psicopatología de la vida cotidiana* (1901*b*).]

Los pecados de la carne me eran ajenos, y he conservado mi castidad hasta época bien tardía. Contradicen flagrantemente tal declaración los supuestos que sobre la base de nuestra experiencia analítica tenemos que hacer acerca de su primera infancia: rebosaba de prematuras mociones sexuales y de violentas mociones de odio hacia la madre y los hermanitos menores. (El pajarito, además del significado genital que se le asignó, puede tener también el de un símbolo de un niñito, lo mismo que todos los animales pequeños, y el recuerdo destaca con demasiada insistencia la igualdad de derechos de este pequeño ser con ella misma.) Esta breve serie de recuerdos nos da así un bonito ejemplo de una formación psíquica de doble aspecto. Superficialmente considerada, expresa un pensamiento abstracto que aquí, como casi siempre, se refiere a lo ético; posee, según la designación de H. Silberer, un contenido *anagógico*; ante una indagación que cale más hondo, aparece como una cadena de hechos que viene del ámbito de la vida pulsional reprimida, revela su dimensión *psicoanalítica.* Como ustedes saben, Silberer, uno de los primeros en soltarnos la advertencia de que no olvidáramos la parte más noble del alma humana, ha sentado esta tesis: todos los sueños, o los más de ellos, son susceptibles de una interpretación doble de esa índole; de una más pura, anagógica, además de la común, psicoanalítica. Ahora bien, por desdicha no es este el caso; al contrario, una sobreinterpretación así rara vez corresponde; y que yo sepa no se ha publicado hasta ahora ningún ejemplo utilizable de semejante análisis de sueños de doble interpretación. Pero en las series asociativas que nuestros pacientes presentan en la cura analítica pueden ustedes hacer con relativa frecuencia tales observaciones. Las ocurrencias que se siguen unas a otras se enlazan, por una parte, mediante una asociación que las recorre y se trasluce claramente; por otra parte, les llaman a ustedes la atención sobre un tema situado más en lo hondo, que se mantiene en secreto y participa simultáneamente de todas esas ocurrencias. La oposición entre ambos temas, dominantes dentro de la misma serie de ocurrencias, no es siempre la que media entre lo elevado-anagógico y lo común-analítico; es, más bien, la que media entre lo *chocante* y lo *decoroso* o indiferente, que, entonces, les permite reconocer con facilidad el motivo para la génesis de semejante cadena asociativa. Dentro de nuestro ejemplo no es casual, desde luego, que anagogía e interpretación psicoanalítica se sitúen en oposición tan aguda; ambas se refieren al mismo material, y la tendencia más tardía es justamente la de las formaciones reactivas que se habían elevado en contra de las mociones pulsionales desmentidas.[13]

Ahora bien, ¿por qué nos empeñamos en buscar una interpretación psicoanalítica y no nos conformamos con la anagógica, más próxima? Ello se conecta con muchas cosas: con la existencia de las neurosis en general, con las explicaciones que ellas necesariamente exigen, con el hecho de que la virtud no hace a los seres humanos tan piadosos ni tan fuertes para afrontar la vida como podría esperarse (como si ella todavía llevara demasiado en sí la marca de su origen —tampoco nuestra soñante fue bien recompensada por su virtud—), y con muchas otras cosas que no me hace falta elucidar ante ustedes.

Pero hasta aquí hemos dejado por completo de lado la telepatía, el otro determinante de nuestro interés en este caso. Es tiempo de volver a ella. En cierto sentido, las cosas nos resultan aquí más fáciles que en el caso del señor H.[14] En una persona a quien con tanta prontitud y ya en la primera juventud la realidad le desaparece para dejar lugar a un mundo de fantasía, es irresistible la tentación de conjugar sus vivencias telepáticas y sus «visiones» con su neurosis y deducirlas de esta, por más que tampoco en este caso tengamos derecho a ilusionarnos acerca de la fuerza obligatoria de nuestras inferencias. No hacemos sino poner posibilidades comprensibles en el lugar de lo desconocido y de lo incomprensible.

El 22 de agosto de 1914, a las 10 de la mañana, la corresponsal recibe la percepción telepática de que su hermano, que se encuentra en el frente, clama «¡Madre, madre!». El fenómeno es puramente acústico, se repite poco después, pero ella no tiene visión alguna. Dos días más tarde ve a su madre y la encuentra presa de grave congoja, pues el joven se le anunció con la repetida exclamación «¡Madre, madre!». Ella se acuerda enseguida del idéntico mensaje telepático que al mismo tiempo le había sido deparado, y en la realidad se comprueba, unas semanas después, que el joven guerrero había muerto aquel día a la hora apuntada.

No puede probarse, pero tampoco descartarse, que el proceso fue más bien el siguiente: La madre le hace un día la comunicación de que el hijo se le ha anunciado telepáticamente. Al punto nace en ella la convicción de que en ese mismo tiempo había tenido ella idéntica vivencia. Tales

[13] [Véase el pasaje agregado en 1919 a *La interpretación de los sueños* (1900*a*), *AE*, **5**, pág. 518.]

[14] [En todas las ediciones alemanas se lee «el señor G.», un error evidente (cf. pág. 194) señalado por Devereux (1953).]

espejismos del recuerdo emergen con una fuerza compulsiva como si provinieran de fuentes reales; en verdad, empero, trasponen una realidad psíquica en realidad material. Lo fuerte en ese espejismo del recuerdo es que puede constituir una buena expresión para la tendencia preexistente en la hermana a identificarse con la madre. «Tú te preocupas por el muchacho, pero en verdad soy yo su madre. Por eso me dirigió a mí su llamado, yo recibí aquel mensaje telepático». La hermana rechazaría decididamente, desde luego, nuestro intento de explicación, y refirmaría su creencia en la vivencia propia. Sólo que no podría hacer otra cosa; está obligada a creer en la realidad del resultado patológico todo el tiempo que le sea desconocida la realidad de la premisa inconciente. La fuerza y la inatacabilidad de un delirio cualquiera se deben, en efecto, a que descienden de una realidad psíquica inconciente. Diré de pasada que no nos corresponde aquí explicar la vivencia de la madre ni indagar su carácter fáctico.

El hermano muerto, empero, no es sólo el hijo imaginario de nuestra soñante; ocupa el puesto de un rival recibido con odio ya cuando nació. Con mucho, la enorme mayoría de los anuncios telepáticos se refieren a la muerte y a posibilidades de muerte; a los pacientes bajo análisis que nos informan de la frecuencia e infalibilidad de sus más aciagas premoniciones podemos demostrarles, con igual regularidad, que alimentan en el inconciente deseos de muerte de notable intensidad contra sus parientes próximos y por eso los han sofocado desde hace tiempo. El paciente cuya historia relaté en 1909 [15] era un ejemplo de ello; sus parientes lo llamaban también «pájaro de mal agüero»; pero cuando, al avanzar en su mejoría, se tornó el más amable y espiritual de los hombres —también él cayó en la guerra—, él mismo me ayudó a echar luz sobre sus prestidigitaciones psicológicas. La comunicación contenida en la carta de nuestro primer corresponsal —que él y sus tres hermanos menores habían recibido como algo interiormente sabido desde hacía tiempo la noticia de la muerte de su hermano más joven— parece no necesitar tampoco de un esclarecimiento diverso. Los hermanos mayores, todos, habrán desarrollado entre sí idéntico convencimiento acerca de la superfluidad de este retoño más nuevo.

Quizá, por medio de una intelección analítica, se hará más fácil comprender otra «visión» de nuestra soñante. Es evidente que las amigas poseen una gran importancia para

[15] «A propósito de un caso de neurosis obsesiva» (1900*d*) [*AE*, **10**, pág. 183].

su vida afectiva. La muerte de una de ellas se le anunció hace poco por un golpeteo nocturno en la cama de una compañera de pieza en el sanatorio. Otra amiga, muchos años atrás, se había casado con un viudo con muchos (cinco) hijos. En casa de ellos vio regularmente, en sus visitas, la aparición de una dama que, debió conjeturarlo, era la primera mujer difunta, lo que al principio no pudo corroborar y sólo trascurridos siete años se le hizo certeza por el descubrimiento de una nueva fotografía de la extinta. Esta operación visionaria se sitúa, respecto de los complejos familiares de la corresponsal, que ya conocemos, en la misma estrecha dependencia que su presagio de la muerte del hermano. Si ella se identificó con su amiga, pudo hallar en su persona el cumplimiento de su deseo, pues todas las hijas mayores de familias con muchos hijos engendran en el inconciente la fantasía de convertirse en la segunda mujer del padre por la muerte de la madre. Cuando la madre está enferma o muere, la hija mayor, como es lógico, se desplaza hasta el lugar de aquella en la relación con los hermanos y entonces puede adoptar también frente al padre una parte de las funciones de la mujer. El deseo inconciente completa la otra parte.

Es esto todo lo que quería contarles. Podría agregar aún la observación de que los casos de mensaje o de operación telepática de que hemos hablado aquí se anudan nítidamente a excitaciones que pertenecen al ámbito del complejo de Edipo. Quizá suene sorprendente, pero no querría presentarlo como un gran descubrimiento. Prefiero retroceder hasta el resultado a que llegamos en la indagación del sueño en el primero de los casos considerados. La telepatía nada tiene que ver con la esencia del sueño, tampoco puede ahondar nuestra comprensión analítica de él. Al contrario, el psicoanálisis puede hacer avanzar el estudio de la telepatía aproximando a nuestra comprensión, con el auxilio de sus interpretaciones, muchas cosas inconcebibles de los fenómenos telepáticos, o demostrando por primera vez que otros fenómenos, todavía dudosos, son de naturaleza telepática.

En cuanto a esa apariencia de lazo íntimo entre telepatía y sueño, resta considerar el indiscutido favorecimiento de la telepatía por el estado del dormir. Por cierto, no es esta una condición indispensable para el advenimiento de procesos telepáticos, consistan ellos en mensajes o en una operación inconciente. Si ustedes aún no lo sabían, tiene que enseñárselos el ejemplo de nuestro segundo caso, en que el joven se anuncia entre las 9 y las 10 de la mañana. Pero no podemos menos que decir: no hay derecho alguno a objetar observaciones telepáticas alegando que suceso y premonición (o mensaje) no ocurrieron en idéntico instante astronómico. Es bien concebible que el mensaje telepático pueda advenir contemporáneo al acontecimiento y, no obstante, la conciencia lo perciba sólo durante el estado del dormir de la noche siguiente —o aun, en la vida de vigilia, después de un rato, durante una pausa de la actividad mental activa—. Más todavía: opinamos que la formación del sueño no necesariamente empieza sólo cuando se instala el estado del dormir.[16] Quizá los pensamientos oníricos latentes se han ido preparando a lo largo de todo el día hasta que, a la noche, pueden engancharse al deseo inconciente que los refunde en el sueño. Ahora bien, si el fenómeno telepático no es más que una operación del inconciente, esto no presenta ningún problema nuevo. La aplicación de las leyes de la vida anímica inconciente, por sí sola, bastaría entonces para la telepatía.

¿He despertado en ustedes la impresión de que solapadamente quiero tomar partido en favor de la realidad de la telepatía en el sentido del ocultismo? Mucho lo lamentaría. Es que es tan difícil evitar una impresión así... En realidad, yo quiero ser totalmente imparcial. Además, tengo todas las razones para serlo, pues no me he formado juicio alguno, yo no sé nada sobre eso.

[16] [Cf. *La interpretación de los sueños* (1900*a*), *AE*, **5**, pág. 567.]

Sobre algunos mecanismos neuróticos en los celos, la paranoia y la homosexualidad
(1922 [1921])

Nota introductoria

«Über einige neurotische Mechanismen bei Eifersucht, Paranoia und Homosexualität»

Ediciones en alemán

1922 *Int. Z. Psychoanal.*, **8**, nº 3, págs. 249-58.
1924 *GS*, **5**, págs. 387-99.
1924 *Psychoanalyse der Neurosen*, págs. 125-39.
1931 *Neurosenlehre und Technik*, págs. 173-86.
1940 *GW*, **13**, págs. 195-207.
1973 *SA*, **7**, págs. 217-28.

Traducciones en castellano *

1929 «Sobre algunos mecanismos neuróticos en los celos, la paranoia y la homosexualidad». *BN* (17 vols.), **13**, págs. 277-90. Traducción de Luis López-Ballesteros.
1943 Igual título. *EA*, **13**, págs. 288-99. El mismo traductor.
1948 Igual título. *BN* (2 vols.), **1**, págs. 1030-5. El mismo traductor.
1953 Igual título. *SR*, **13**, págs. 219-29. El mismo traductor.
1967 Igual título. *BN* (3 vols.), **1**, págs. 1018-22. El mismo traductor.
1974 Igual título. *BN* (9 vols.), **7**, págs. 2611-8. El mismo traductor.

Sabemos por Ernest Jones (1957, págs. 85-6) que este trabajo fue escrito probablemente en enero de 1921 y leído por Freud ante un pequeño grupo de amigos en setiembre de ese año en las montañas del Harz, en la misma ocasión que «Psicoanálisis y telepatía» (1941*d* [1921]) (cf.

* {Cf. la «Advertencia sobre la edición en castellano», *supra*, pág. XI y *n.* 6.}

mi «Nota introductoria» a este último trabajo, *supra*, pág. 167). El examen de los delirios paranoicos (*infra*, pág. 220) se remonta en parte a observaciones similares contenidas en el capítulo XII de *Psicopatología de la vida cotidiana* (1901*b*), *AE*, **6**, págs. 248-9.

James Strachey

A

Los *celos* se cuentan entre los estados afectivos, como el duelo, que es lícito llamar normales. Toda vez que parecen faltar en el carácter y la conducta de un hombre, está justificado concluir que han sufrido una fuerte represión y por eso cumplen un papel tanto mayor dentro de la vida anímica inconciente. Los casos de celos reforzados hasta lo anormal, que dan intervención al análisis, se presentan como de estratificación triple. Los tres estratos o niveles de los celos merecen los nombres de: 1) *de competencia* o normales; 2) *proyectados*, y 3) *delirantes*.

Sobre los celos *normales* hay poco que decir desde el punto de vista analítico. Se echa de ver fácilmente que en lo esencial están compuestos por el duelo, el dolor por el objeto de amor que se cree perdido, y por la afrenta narcisista, en la medida en que esta puede distinguirse de las otras; además, por sentimientos de hostilidad hacia los rivales que han sido preferidos, y por un monto mayor o menor de autocrítica, que quiere hacer responsable al yo propio por la pérdida del amor. Estos celos, por más que los llamemos normales, en modo alguno son del todo acordes a la *ratio*, vale decir, nacidos de relaciones actuales, proporcionados a las circunstancias efectivas y dominados sin residuo por el yo conciente; en efecto, arraigan en lo profundo del inconciente, retoman las más tempranas mociones de la afectividad infantil y brotan del complejo de Edipo o del complejo de los hermanos del primer período sexual. Comoquiera que fuese, es digno de notarse que en muchas personas son vivenciados bisexualmente, esto es: en el hombre, además del dolor por la mujer amada y el odio hacia los rivales masculinos, adquiere eficacia de refuerzo también un duelo por el hombre al que se ama inconcientemente y un odio hacia la mujer como rival frente a aquel. Y aun sé de un hombre que padecía cruelmente con sus ataques de celos y que, según él sostenía, era traspasado por las torturas más terribles al trasladarse inconcientemente a la posición de la mujer infiel. La sensación de encontrarse inerme, las imágenes que hallaba para su estado —como si él, cual Prometeo, hubiera sido expuesto para pasto de los buitres o, encadenado, lo hubiesen arrojado a un nido de serpientes—, las refería a la impresión de varios ataques homosexuales que había vivenciado de muchacho.

Los celos del segundo estrato, o *proyectados*, provienen, así en el hombre como en la mujer, de la propia infidelidad, practicada de hecho, o de impulsiones a la infidelidad que han caído bajo la represión. Es una experiencia cotidiana que la fidelidad, sobre todo la exigida en el matrimonio, sólo puede mantenerse luchando contra permanentes tentaciones. Quien las desmiente dentro de sí mismo, siente empero sus embates con tanta fuerza que es proclive a echar mano de un mecanismo inconciente para hallar alivio. Se procura tal alivio, y hasta una absolución de su conciencia moral, proyectando a la otra parte, hacia quien es deudor de fidelidad, sus propias impulsiones a la infidelidad. Este poderoso motivo puede servirse después del material de percepciones que delata mociones inconcientes del mismo género en la otra parte, y acaso se justifique con la reflexión de que el compañero o la compañera probablemente no son mucho mejores que uno mismo.[1]

Las costumbres sociales han saldado cuentas sabiamente con este universal estado de cosas permitiendo cierto juego a la coquetería de la mujer casada y al donjuanismo del marido, con la esperanza de purgar y neutralizar así la innegable inclinación a la infidelidad. La convención establece que las dos partes no han de echarse en cara estos pasitos en dirección a la infidelidad, y las más de las veces consigue que el encendido apetito por el objeto ajeno se satisfaga, mediante un cierto retroceso a la fidelidad, en el objeto propio. Pero el celoso no quiere admitir esta tolerancia convencional; no cree posibles la detención o la vuelta en ese camino que una vez se emprendió, ni que el «flirt» social pueda ser, incluso, una garantía contra la infidelidad efectiva. En el tratamiento de uno de estos celosos es preciso evitar ponerle en entredicho el material en que él se apoya; sólo puede procurarse moverlo a que lo aprecie de otro modo.

Los celos nacidos de una proyección así tienen, es cierto, un carácter casi delirante, pero no ofrecen resistencia al trabajo analítico, que descubre las fantasías inconcientes de la

[1] Cf. el canto de Desdémona [*Otelo*, acto IV, escena 3]:

«He llamado a mi amor amor perjuro, pero, ¿qué dijo entonces? Si cortejo a otras mujeres, dormiréis con otros hombres».

infidelidad propia. Peor es la situación en el caso de los celos del tercer estrato, los *delirantes* en sentido estricto. También estos provienen de anhelos de infidelidad reprimidos, pero los objetos de tales fantasías son del mismo sexo. Los celos delirantes corresponden a una homosexualidad fermentada, y con derecho reclaman ser situados entre las formas clásicas de la paranoia. En su calidad de intento de defensa frente a una moción homosexual en extremo poderosa, podrían acotarse (en el caso del hombre) con esta fórmula: «*Yo* no soy quien lo ama; *ella* lo ama».[2]

Frente a un caso de delirio de celos, habrá que estar preparado para hallar celos de los tres estratos, nunca del tercero solamente.

B

Paranoia. Por razones conocidas, los casos de paranoia se sustraen la mayoría de las veces de la indagación analítica. No obstante, en estos últimos tiempos el estudio intenso de dos paranoicos me permitió aclarar algo nuevo para mí.

El primer caso fue el de un hombre joven con una paranoia de celos bien marcada, cuyo objeto era su mujer, de una intachable fidelidad. Un período tormentoso en que el delirio lo dominó sin interrupción ya era asunto del pasado para él. Cuando lo ví, sólo seguía produciendo ataques aislados; duraban varios días y, cosa interesante, por lo general sobrevenían al día siguiente de un acto sexual, por lo demás satisfactorio para ambas partes. Es lícito inferir que en cada caso, después de saciada la libido heterosexual, el componente homosexual coexcitado se conquistaba su expresión en el ataque de celos.

El ataque extraía su material de la observación de mínimos indicios, por los cuales se le había traslucido la coquetería de la mujer, por completo inconciente e imperceptible para otro. Ora había rozado inadvertidamente con su mano al señor que se sentaba junto a ella, ora había inclinado demasiado su rostro hacia él o le había exhibido una sonrisa más amistosa, que no usaba a solas con su marido. El ponía un grado extraordinario de atención en todas las exteriorizaciones del inconciente de ella, y siempre sabía interpretarlas rectamente, de suerte que en verdad siempre tenía razón y aun podía acudir al análisis para justificar sus ce-

[2] Véase el análisis de Schreber (1911*c*) [parte III].

los. Ciertamente, su anormalidad se reducía a que él observaba lo inconciente de su mujer con mayor agudeza, y luego lo tasaba en más de lo que a otro se le ocurriría hacerlo.

Nos viene a la memoria que también los paranoicos perseguidos se comportan de una manera en un todo similar. Tampoco ellos admiten nada indiferente en otro, y en su «delirio de ilación» usan los mínimos indicios que les ofrecen esos otros, extraños. El sentido de su delirio de ilación es, en efecto, que esperan de todo extraño algo como amor; pero estos otros no les demuestran nada semejante, se les ríen en la cara, agitan su bastón o hasta escupen en el suelo cuando ellos pasan, y eso es algo que realmente no se hace cuando se tiene algún interés amistoso hacia la persona que está cercana. Sólo se lo hace cuando a uno esa persona le resulta del todo indiferente, cuando puede tratarla como si nada se le importase de ella, y el paranoico no anda tan errado en cuanto al parentesco fundamental de los conceptos «extraño» y «enemigo» cuando siente esa indiferencia, en relación con su demanda de amor, como hostilidad.

Ahora sospechamos que describimos de modo harto insatisfactorio la conducta del paranoico, tanto del celoso como del perseguido, cuando decimos que proyectan hacia afuera, sobre otros, lo que no quieren percibir en su propia interioridad. Sin duda que lo hacen, pero no proyectan en el aire, por así decir, ni allí donde no hay nada semejante, sino que se dejan guiar por su conocimiento de lo inconciente y desplazan sobre lo inconciente del otro la atención que sustraen de su inconciente propio. Nuestro celoso discierne la infidelidad de su mujer en lugar de la suya propia; y en la medida en que se hace conciente de la de su mujer aumentada a escala gigantesca, logra mantener inconciente la propia. Si juzgamos que su ejemplo sirve como patrón, nos es lícito inferir que también la hostilidad que el perseguido encuentra en otros es el reflejo especular de sus propios sentimientos hostiles hacia esos otros. Y como sabemos que en el paranoico precisamente la persona más amada del mismo sexo deviene el perseguidor, damos en preguntarnos de dónde proviene esta inversión del afecto, y la respuesta más inmediata sería que el sentimiento de ambivalencia, presente de continuo, proporciona la base para el odio, y lo refuerza el incumplimiento de los requerimientos de amor. Así, para defenderse de la homosexualidad, la ambivalencia de sentimientos presta al perseguido el mismo servicio que los celos prestaban a nuestro paciente.

Los sueños de mi paciente celoso me depararon una gran sorpresa. Es cierto que no se presentaron contemporáneos al estallido del ataque, pero lo hicieron todavía bajo el imperio del delirio: estaban totalmente exentos de delirio, y permitían reconocer las mociones homosexuales subyacentes con un grado de disfraz no mayor que el habitual. Dada mi escasa experiencia en materia de sueños de paranoicos, ello me indujo a suponer, con carácter general, que la paranoia no se introduce en el sueño.

El estado de homosexualidad era fácil de apreciar en este paciente. No había entablado amistades ni intereses sociales ningunos; se imponía la impresión de que el delirio había tomado a su exclusivo cargo el ulterior desarrollo de sus vínculos con el varón, como para restituir un fragmento de lo omitido. La poca importancia del padre en su familia y un bochornoso trauma homosexual que él sufrió en su temprana adolescencia habían cooperado para empujar su homosexualidad a la represión y atajarle el camino de la sublimación. Toda su juventud estuvo dominada por un fuerte vínculo con la madre. Entre varios hijos era, declaradamente, el preferido de la madre, y desarrolló con relación a ella unos fuertes celos de tipo normal. Más tarde, cuando hizo su elección matrimonial, dominado en lo esencial por el motivo de enriquecer a la madre, su anhelo de una madre virginal se exteriorizó en dudas obsesivas sobre la virginidad de su novia. Los primeros años de su matrimonio trascurrieron sin celos. Después fue infiel a su mujer y entabló una prolongada relación con otra. Sólo cuando, sobrecogido por una determinada sospecha, hubo abandonado esta relación amorosa, estallaron en él unos celos del segundo tipo, el tipo proyectivo, con los que pudo apaciguar los reproches que se hacía a causa de su infidelidad. Esos celos se complicaron pronto, por la injerencia de mociones homosexuales cuyo objeto era el suegro, hasta convertirse en una paranoia de celos plenamente desarrollada.

Mi segundo caso probablemente no se habría clasificado en ausencia de análisis como *paranoia persecutoria*, pero me vi forzado a concebir a este joven como un candidato a ese desenlace patológico. Había en él una ambivalencia, extraordinaria por su envergadura, en la relación con el padre. Por una parte, él era el rebelde más declarado, que en todos los aspectos se había desarrollado en manifiesta divergencia con los deseos e ideales de su padre; por la otra, empero, y en un estrato más profundo, era el hijo más sumiso, que tras la muerte del padre se denegó el goce de la mujer, presa de una tierna conciencia de culpa. Sus relaciones reales con hombres estaban presididas a todas luces por la desconfianza; con su potente intelecto supo racionalizar esta actitud y disponer las cosas para que conocidos y amigos lo engañasen y explotasen. Lo nuevo que aprendí en él fue que pensamientos clásicos de persecución pueden estar presentes sin que se les dé crédito ni se les atribuya valor. Durante su análisis, destellaron en ocasiones, pero él no les asignaba importancia ninguna y por lo general se mofaba de ellos. Quizá suceda algo semejante en muchos casos de paranoia, y en el momento en que se contrae esa enfermedad tal vez juzguemos las ideas delirantes exteriorizadas como producciones nuevas, cuando en verdad pudieron existir desde mucho tiempo atrás.

Una importante intelección es, me parece, que un factor cualitativo, la presencia de ciertas formaciones neuróticas, tiene menor valor práctico que el factor cuantitativo: el grado de atención o, mejor dicho, el grado de investidura que estos productos puedan atraer sobre sí. La elucidación de nuestro primer caso, el de la paranoia de celos, nos había invitado a una idéntica apreciación del factor cuantitativo, puesto que nos mostró que ahí la anormalidad consistía, esencialmente, en la sobreinvestidura de las interpretaciones de lo inconciente del otro. Por el análisis de la histeria hace mucho que conocemos un hecho análogo. Las fantasías patógenas, retoños de mociones pulsionales reprimidas, son toleradas largo tiempo junto a la vida anímica normal y no producen efectos patógenos hasta que no reciben una sobreinvestidura por un vuelco de la economía libidinal; sólo entonces estalla el conflicto que conduce a la formación de síntoma. De tal suerte, en el progreso de nuestro conocimiento nos vemos llevados cada vez más a situar en el primer plano el punto de vista *económico*. Me gustaría dejar planteado también este interrogante: ¿No basta el factor cuantitativo que hemos destacado aquí para cubrir los fenómenos a raíz de los cuales recientemente Bleuler [1916] y otros han querido introducir el concepto de «conmutador»? Sólo habría que suponer que un incremento de la resistencia en cierta dirección del decurso psíquico origina una sobreinvestidura de otro camino y, así, la interpolación de este en dicho decurso.[3]

Una instructiva oposición se presentó en mis dos casos de paranoia en cuanto al comportamiento de los sueños. Mientras que en el primer caso, como dijimos, los sueños estaban exentos de delirio, el otro paciente producía en gran

[3] [La idea que está en la base de esto se remonta al cuadro del aparato psíquico que Freud ya había trazado en su «Proyecto de psicología» de 1895 (1950*a*).]

número sueños de persecución que podían considerarse los precursores o las formaciones sustitutivas de las ideas delirantes de idéntico contenido. Lo persecutorio, de lo cual sólo con gran angustia podía sustraerse, era por regla general un potente toro o algún otro símbolo de la virilidad que él mismo muchas veces, todavía en el sueño, reconocía como subrogación del padre. Cierta vez informó de un sueño paranoico de trasferencia muy característico. Vio que yo me rasuraba en presencia de él, y notó, por el olor, que usaba para eso el mismo jabón que su padre. Yo lo hacía para compelerlo a que trasfiriese a su padre sobre mi persona. En la elección de la situación soñada se revelaba de manera inocultable el menosprecio del paciente por sus fantasías paranoicas y su incredulidad hacia ellas, pues el examen cotidiano podía enseñarle que yo nunca me veía en el caso de usar jabón de afeitar, y por tanto en este punto no ofrecía asidero alguno a la trasferencia paterna.

Ahora bien, la comparación de los sueños de nuestros dos pacientes nos enseña que nuestro planteo, a saber, si la paranoia (u otra psiconeurosis) puede instilarse también en el sueño, descansa en una concepción incorrecta de este. El sueño se diferencia del pensamiento de vigilia en que puede acoger contenidos (del ámbito de lo reprimido) cuya presentación en el pensamiento de vigilia no se autorizaría. Aparte de ello, es sólo una *forma del pensar*, una remodelación del material de pensamiento preconciente por obra del trabajo del sueño y sus condiciones.[4] Nuestra terminología de las neurosis es inaplicable a lo reprimido; no se lo puede llamar histérico, ni neurótico obsesivo, ni paranoico. En cambio, la otra parte del material sometido a la formación del sueño, los pensamientos preconcientes, puede ser normal o llevar en sí el carácter de una neurosis cualquiera. Los pensamientos preconcientes pueden ser los resultados de todos aquellos procesos patógenos en que reconocemos la esencia de una neurosis. Y no vemos la razón por la cual una idea enfermiza cualquiera de esa índole no podría experimentar su remodelamiento en un sueño. Por tanto, un sueño puede corresponder sin más a una fantasía histérica, a una representación obsesiva, a una idea delirante, vale decir, destilarse como tal en su interpretación. En nuestra observación de los dos paranoicos hallamos que el sueño del uno es normal mientras ese hombre se encuentra todavía en medio del ataque, y que el del otro tiene un contenido para-

[4] [Cf. «Sobre la psicogénesis de un caso de homosexualidad femenina» (1920*a*), *supra*, pág. 158.]

noico mientras él aún se burla de sus ideas delirantes. Por consiguiente, el sueño ha recogido en los dos casos lo que en la vida de vigilia estaba en ese momento esforzado hacia atrás. Pero tampoco esa es necesariamente la regla.

C

Homosexualidad. Reconocer el factor orgánico de la homosexualidad no nos dispensa de la obligación de estudiar los procesos psíquicos que concurren en su génesis. El proceso típico,[5] establecido para incontables casos, consiste en que el hombre joven, intensamente fijado a la madre, algunos años después de la pubertad emprende una vuelta {*Wendung*}, se identifica él mismo con la madre y se pone a la busca de objetos de amor en los que pueda reencontrarse, para amarlos entonces como la madre lo amó a él. Como marca de este proceso se establece por muchos años esta condición de amor: los objetos masculinos deben tener la edad en que se produjo en él esa trasmudación. Hemos tomado conocimiento de diversos factores que contribuyen a este resultado, probablemente en grados variables. En primer lugar, la fijación a la madre, que dificulta el pasaje a otro objeto femenino. La identificación con la madre es un desenlace de este vínculo de objeto y al mismo tiempo permite permanecer fiel, en cierto sentido, a ese primer objeto. Después, la inclinación a la elección narcisista de objeto, que en general es más asequible y de ejecución más fácil que el giro {*Wendung*} hacia el otro sexo. Tras este factor se oculta otro de fuerza muy especial, o que quizá coincide con él: la alta estima por el órgano viril y la incapacidad de renunciar a su presencia en el objeto de amor. El menosprecio por la mujer, la repugnancia y aun el horror a ella, por lo general derivan del descubrimiento, hecho tempranamente, de que la mujer no posee pene. Más tarde hemos llegado a conocer todavía, como poderoso motivo para la elección homosexual de objeto, la deferencia por el padre o la angustia frente a él, pues la renuncia a la mujer tiene el significado de «hacerse a un lado» en la competencia con él (o con todas las personas de sexo masculino que hacen sus veces). Estos dos últimos motivos, el aferrarse a la condición del pene así como el hacerse a un lado, pueden impu-

[5] [Descrito por Freud en el cap. III de su estudio sobre Leonardo da Vinci (1910*c*).]

tarse al complejo de castración. Vínculo con la madre, narcisismo, angustia de castración: he ahí los factores (en manera alguna específicos, por lo demás) que habíamos descubierto hasta el presente en la etiología psíquica de la homosexualidad, y a ellos se sumaban todavía la influencia de la seducción, culpable de una fijación prematura de la libido, así como la del factor orgánico, que favorece la adopción de un papel pasivo en la vida amorosa.

Pero nunca creímos que este análisis de la génesis de la homosexualidad fuese completo. Hoy puedo señalar un nuevo mecanismo que lleva a la elección homosexual de objeto, aunque no sé indicar en cuánto deba estimarse su papel en la conformación de la homosexualidad extrema, la manifiesta y exclusiva. La observación llamó mi atención sobre muchos casos en los cuales habían emergido en la temprana infancia mociones de celos de particular intensidad [en los varones], que provenían del complejo materno e iban dirigidos a rivales, las más de las veces hermanos mayores. Estos celos provocaban actitudes intensamente hostiles y agresivas hacia los hermanos, que podían extremarse hasta desearles la muerte; empero, sucumbían en el proceso de desarrollo. Bajo los influjos de la educación, y sin duda también por la continua impotencia de estas mociones, se llegaba a su represión y a una trasmudación de sentimientos, de suerte que los que antes eran rivales devenían ahora los primeros objetos de amor homosexual. Un desenlace así del vínculo con la madre exhibe múltiples e interesantes relaciones con otros procesos que conocemos. Es, en primer lugar, la cabal contraparte del desarrollo de la *paranoia persecutoria*, en la cual las personas a quienes primero se amó devienen los odiados perseguidores, mientras que aquí los odiados rivales se trasmudan en objetos de amor. Además, se presenta como una exageración del proceso que, según mi opinión, conduce a la génesis individual de las pulsiones sociales.[6] Aquí como allí, están presentes al comienzo mociones hostiles y de celos que no pueden alcanzar la satisfacción, y los sentimientos de identificación tiernos, así como los sociales, se engendran como formaciones reactivas contra los impulsos de agresión reprimidos.

Con este nuevo mecanismo de la elección homosexual de objeto (su génesis en una rivalidad refrenada y una inclinación agresiva reprimida) van mezcladas en muchos casos las condiciones típicas que ya conocemos. No es raro ente-

[6] Cf. mi *Psicología de las masas y análisis del yo* (1921*c*) [*supra*, págs. 113 y sigs.].

rarse, por la biografía de homosexuales, que su vuelta {giro} sobrevino después que la madre alabó a otro muchacho o lo ensalzó como modelo. Por ese medio se estimuló la tendencia a la elección narcisista de objeto, y tras una breve fase de agudos celos el rival fue convertido en objeto de amor. Pero en lo restante este nuevo mecanismo se diferencia por el hecho de que en él la trasmudación se produce a edad muy temprana y la identificación con la madre aparece en el trasfondo. Además, en los casos que yo observé, provocó sólo actitudes homosexuales que no excluían la heterosexualidad ni conllevaban un *horror feminae*.

Es sabido que un número considerable de personas homosexuales se distinguen por un particular desarrollo de las mociones pulsionales sociales y por su consagración a intereses colectivos. Se estaría tentado de dar esta explicación teórica: un hombre que ve en otros hombres objetos posibles de amor tiene que comportarse hacia la comunidad de los hombres diferentemente que otro, que se vea precisado a discernir en el hombre, ante todo, el rival frente a la mujer. Contradice esto, empero, el que también en el amor homosexual hay celos y rivalidad, y que la comunidad de los hombres incluye a estos rivales posibles. Pero aun aparte de esta fundamentación especulativa, no puede ser indiferente, respecto de la alianza entre homosexualidad y sensibilidad social, el hecho de que la elección homosexual de objeto no pocas veces proviene de un refrenamiento precoz de la rivalidad con el hombre.

En la consideración psicoanalítica estamos habituados a concebir los sentimientos sociales como sublimaciones de actitudes homosexuales de objeto. En los homosexuales de inclinación social, no se habría consumado plenamente el desasimiento de los sentimientos sociales respecto de la elección de objeto.

Dos artículos de enciclopedia: «Psicoanálisis» y «Teoría de la libido»
(1923 [1922])

Nota introductoria

«"Psychoanalyse" und "Libidotheorie"»

Ediciones en alemán

1923 En *Handwörterbuch der Sexualwissenschaft*, M. Marcuse, ed., Bonn, págs. 296-308 y 377-83.
1928 *GS*, **11**, págs. 201-23.
1940 *GW*, **13**, págs. 211-33.

Traducciones en castellano *

1934 «Sistemática» y «Teoría de la libido». *BN* (17 vols.), **17**, págs. 265-(?). Traducción de Luis López-Ballesteros.
1943 «La psicoanálisis» y «La teoría de la libido». *EA*, **17**, págs. 241-64 y 265-70. El mismo traductor.
1948 «Sistemática» y «Teoría de la libido». *BN* (2 vols.), **2**, págs. 19-29 y 29-32. El mismo traductor.
1953 «La psicoanálisis» y «La teoría de la libido». *SR*, **17**, págs. 183-201 y 201-4. El mismo traductor.
1967 «Sistemática» y «Teoría de la libido». *BN* (3 vols.), **2**, págs. 111-21 y 121-3. El mismo traductor.
1974 «Psicoanálisis» y «Teoría de la libido». *BN* (9 vols.), **7**, págs. 2661-74 y 2674-6. El mismo traductor.

Según una nota que aparece en los *Gesammelte Schriften*, **11**, pág. 201, estos artículos fueron escritos en el verano de 1922, vale decir, antes de que Freud formulara sus nuevos puntos de vista sobre la estructura de la mente en *El yo y el ello* (1923*b*). Si bien esos puntos de vista no se expresan en estos artículos, debe haberlos tenido claramente presentes mientras los escribía, pues fue en setiembre de 1922, en el Congreso Psicoanalítico Internacional de Berlín (mencionado en uno de los artículos, *infra*, pág. 244),

* {Cf. la «Advertencia sobre la edición en castellano», *supra*, pág. xi y *n*. 6.}

cuando hizo públicas sus nuevas concepciones acerca del yo, el superyó y el ello. Un artículo de carácter didáctico que escribió poco después para una publicación norteamericana (1924*f*), delineado de manera algo similar, toma en cuenta esas nuevas ideas.

James Strachey

I. «Psicoanálisis»

Psicoanálisis es el nombre: 1) de un procedimiento que sirve para indagar procesos anímicos difícilmente accesibles por otras vías; 2) de un método de tratamiento de perturbaciones neuróticas, fundado en esa indagación, y 3) de una serie de intelecciones psicológicas, ganadas por ese camino, que poco a poco se han ido coligando en una nueva disciplina científica.

Historia. Lo mejor para comprender al psicoanálisis es estudiar su génesis y su desarrollo. Entre 1880 y 1881, el doctor Josef Breuer, de Viena, conocido como internista y fisiólogo experimental, se ocupó del tratamiento de una muchacha que había contraído una grave histeria mientras curaba a su padre enfermo, y cuyo cuadro clínico se componía de parálisis motrices, inhibiciones y perturbaciones de la conciencia. Obedeciendo a una insinuación de la propia paciente, mujer de gran inteligencia, la puso en estado de hipnosis y así obtuvo que por comunicación del talante y de los pensamientos que la dominaban recobrara en cada oportunidad una condición anímica normal. Mediante la repetición consecuente de idéntico, laborioso procedimiento, pudo liberarla de todas sus inhibiciones y parálisis, de suerte que al final su empeño se vio recompensado por un gran éxito terapéutico, así como por inesperadas intelecciones sobre la esencia de la enigmática neurosis. No obstante, Breuer se abstuvo de seguir adelante con su descubrimiento y de publicar nada sobre él por un decenio más o menos, hasta que el autor de este artículo (Freud, de regreso en Viena en 1886 después de concurrir a la escuela de Charcot) logró moverlo a retomar el tema y a emprender sobre él un trabajo en común. Ambos, Breuer y Freud, publicaron entonces, en 1893, una comunicación provisional, «Sobre el mecanismo psíquico de fenómenos histéricos», y en 1895, un libro, *Estudios sobre la histeria* (reimpreso en 1922 en cuarta edición), donde llamaron «catártico» a su procedimiento terapéutico.

La catarsis. De las indagaciones que sirvieron de base a los estudios de Breuer y Freud, se obtuvieron ante todo dos resultados que ni siquiera la experiencia ulterior conmovió. En primer lugar: los síntomas histéricos poseen sentido y significado, por cuanto son sustitutos de actos anímicos normales; y en segundo lugar: el descubrimiento de este sentido desconocido coincide con la cancelación de los síntomas y así, en este punto, investigación científica y empeño terapéutico coinciden. Las observaciones se hicieron en una serie de enfermos tratados como lo hizo Breuer con su primera paciente, vale decir, en estado de hipnosis profunda. Los resultados parecieron brillantes, hasta que más tarde se reveló su lado débil. Las representaciones teóricas que Breuer y Freud se formaron en esa época estaban influidas por las doctrinas de Charcot sobre la histeria traumática y pudieron apuntalarse en las comprobaciones del discípulo de aquel, Pierre Janet, por cierto publicadas con anterioridad a los *Estudios*, pero posteriores en el tiempo al primer caso de Breuer. Desde el comienzo se trajo en ellas al primer plano el factor *afectivo*; se sostuvo que los síntomas histéricos debían su génesis a que a un proceso anímico cargado con intenso afecto se le impidió de alguna manera nivelarse por el camino normal que lleva hasta la conciencia y la motilidad (se le impidió *abreaccionar*), tras lo cual el afecto por así decir «*estrangulado*» cayó en una vía falsa y encontró desagote dentro de la inervación corporal (*conversión*). Las oportunidades en que se engendran esas «representaciones» patógenas fueron designadas por Breuer y Freud «traumas psíquicos», y como casi siempre correspondían a un pasado lejano, los autores pudieron decir que los histéricos padecían en gran parte de reminiscencias (no tramitadas).

La «*catarsis*» se lograba entonces, en el tratamiento, por apertura de la vía hasta la conciencia y descarga normal del afecto. El supuesto de unos procesos anímicos *inconcientes* fue, según se advierte, una pieza indispensable de esta teoría. También Janet había trabajado con actos inconcientes dentro de la vida del alma, pero, según lo destacó en posteriores polémicas en contra del psicoanálisis, no era para él sino una expresión auxiliar, «*une manière de parler*», con la que no quería indicar ninguna intelección nueva.

En una sección teórica de los *Estudios*, Breuer comunicó algunas ideas especulativas acerca de los procesos de excitación que ocurren en el interior de lo anímico. Quedaron como unas orientaciones para el futuro, y todavía hoy no se han apreciado cabalmente. Con esto, Breuer puso fin a sus contribuciones a este campo del saber, y poco después se retiró del trabajo en común.

El paso al psicoanálisis. Ya en los *Estudios* se habían insinuado disensos en las concepciones de ambos autores. Breuer adoptó el supuesto de que las representaciones patógenas exteriorizan un efecto traumático porque se han engendrado dentro de «*estados hipnoides*» en que la operación anímica está sometida a particulares restricciones. El que esto escribe rechazó tal explicación y sostuvo que una representación deviene patógena cuando su contenido aspira en la dirección contraria a las tendencias dominantes en la vida anímica, provocando así la «*defensa*» del individuo (Janet había atribuido a los histéricos una incapacidad constitucional para la unificación coherente de sus contenidos psíquicos; en este punto se apartan del suyo los caminos de Breuer y de Freud). Por otra parte, las dos innovaciones con que el autor abandonó poco después el terreno de la catarsis ya habían sido mencionadas en los *Estudios.* Tras el retiro de Breuer se convirtieron en el punto de arranque de ulteriores desarrollos.

Renuncia a la hipnosis. Una de estas innovaciones se apoyó en una experiencia práctica y llevó a un cambio de la técnica; la otra consistió en un progreso dentro del conocimiento clínico de las neurosis. Pronto se demostró que las esperanzas terapéuticas puestas en el tratamiento catártico en estado de hipnosis quedaban, en cierto sentido, incumplidas. Es verdad que la desaparición de los síntomas se producía paralelamente a la catarsis, pero el resultado global demostró ser por entero dependiente del vínculo del paciente con el médico; se comportaba, por tanto, como un resultado de la «sugestión», y si este vínculo se destruía, volvían a emerger todos los síntomas como si nunca hubieran tenido solución. Y a esto se sumaba la considerable restricción que desde el punto de vista médico significaba para la aplicación del procedimiento catártico el escaso número de las personas que pueden ser puestas en estado de hipnosis profunda. Por estas razones, el autor se decidió a abandonar la hipnosis. Pero al mismo tiempo, de las impresiones que de ella había recogido extrajo los medios para sustituirla.

La asociación libre. El estado hipnótico había traído aparejado un gran aumento de la capacidad de asociación del paciente. Sabía hallar enseguida el camino, inaccesible para su reflexión conciente, que llevaba desde el síntoma hasta los pensamientos y recuerdos enlazados con él. El abandono de la hipnosis pareció crear una situación de desvalimiento, pero el autor recordó aquella demostración de Bernheim: lo vivenciado en estado de sonambulismo sólo en apariencia se había olvidado y en cualquier momento podía emerger su recuerdo si el médico aseguraba con insistencia al sujeto que él lo sabía. El que esto escribe intentó entonces esforzar también a sus pacientes no hipnotizados a que comunicasen asociaciones, y ello con el objeto de hallar por medio de ese material la vía hacia lo olvidado o lo caído bajo la defensa. Más tarde notó que ese esforzar no era necesario, pues en el paciente casi siempre emergían copiosas ocurrencias, sólo que las apartaba de la comunicación, y aun de la conciencia, en virtud de determinadas objeciones que él mismo se hacía. En la expectativa (en ese tiempo todavía indemostrada, pero más tarde corroborada por una rica experiencia) de que todo cuanto al paciente se le ocurría acerca de un determinado punto de partida se hallaba por fuerza en íntima trabazón con este, se obtuvo la técnica de educarlo para que renunciase a todas sus actitudes críticas, y de aplicar el material de ocurrencias así traído a la luz para el descubrimiento de los nexos buscados. En el vuelco hacia esa técnica, destinada a sustituir a la hipnosis, desempeñó sin duda un papel la sólida confianza en la existencia de un rígido determinismo dentro de lo anímico.

La «regla técnica fundamental», ese procedimiento de la «asociación libre», se ha afirmado desde entonces en el trabajo psicoanalítico. El tratamiento se inicia exhortando al paciente a que se ponga en la situación de un atento y desapasionado observador de sí mismo, a que espigue únicamente en la superficie de su conciencia y se obligue, por una parte, a la sinceridad más total, y por la otra a no excluir de la comunicación ocurrencia alguna, por más que: 1) la sienta asaz desagradable, 2) no pueda menos que juzgarla disparatada, 3) la considere demasiado nimia, o 4) piense que no viene al caso respecto de lo que se busca. Por lo general, se revela que justamente aquellas ocurrencias que provocan las censuras que acabamos de mencionar poseen particular valor para el descubrimiento de lo olvidado.

El psicoanálisis como arte de interpretación. La nueva técnica modificó tanto el aspecto del tratamiento, introdujo al médico en vínculos tan nuevos con el enfermo y brindó tantos y tan sorprendentes resultados que pareció justificado distinguir este procedimiento, mediante un nombre, del método catártico. El autor escogió para este modo de tratamiento, que ahora podía extenderse a muchas otras formas de perturbación neurótica, el nombre de *psicoanálisis*. Pues bien; este psicoanálisis era, en primer lugar, un arte de la interpretación, y se proponía la tarea de ahondar en el primero de los grandes descubrimientos de Breuer, a saber, que los síntomas neuróticos son un sustituto, pleno de sentido, de otros actos anímicos que han sido interrumpidos. Importaba ahora concebir el material brindado por las ocurrencias de los pacientes como si apuntase a un sentido oculto, a fin de colegir a partir de él este sentido. La experiencia mostró pronto que la conducta más adecuada para el médico que debía realizar el análisis era que él mismo se entregase, con una *atención parejamente flotante*, a su propia actividad mental inconciente, evitase en lo posible la reflexión y la formación de expectativas concientes, y no pretendiese fijar particularmente en su memoria nada de lo escuchado; así capturaría lo inconciente del paciente con su propio inconciente. Entonces pudo notarse, cuando las circunstancias no eran demasiado desfavorables, que las ocurrencias del paciente eran en cierta medida como unas alusiones arrojadas al tanteo hacia un determinado tema, y sólo hizo falta atreverse a dar otro paso para colegir eso que le era oculto y poder comunicárselo. Por cierto, este trabajo de interpretación no podía encuadrarse en reglas rigurosas y dejaba un amplio campo al tacto y a la destreza del médico; no obstante, cuando se conjugaban neutralidad y ejercitación se obtenían resultados confiables, vale decir, que se confirmaban por su repetición en casos similares. En una época en que aún se sabía muy poco acerca del inconciente, de la estructura de las neurosis y de los procesos patológicos que hay tras ellas, era preciso conformarse con poder utilizar una técnica así, aunque no estuviese mejor fundada en la teoría. Por lo demás, en el análisis de hoy se la practica de igual manera, sólo que con el sentimiento de una mayor seguridad y con una mejor comprensión de sus limitaciones.

La interpretación de las operaciones fallidas y de las acciones casuales. Fue un triunfo para el arte interpretativo del psicoanálisis el que lograra demostrar que ciertos actos anímicos, frecuentes en los hombres normales y para los cuales hasta entonces ni siquiera se había exigido una explicación psicológica, debían comprenderse de igual modo que los síntomas de los neuróticos; vale decir: poseían un sentido que la persona no conocía y que fácilmente podía hallarse mediante un empeño analítico. Los fenómenos correspondientes, el olvido temporario de palabras y nombres por lo demás bien conocidos, el olvido de designios, los tan frecuentes deslices en el habla, en la lectura, en la escritura, la pérdida y el extravío de objetos, muchos errores, actos en que la persona se infiere un daño en apariencia casual y, por último, movimientos que se ejecutan como por hábito, como sin quererlo y jugando, melodías que uno «canturrea» «inadvertidamente», y tantos otros de ese tipo: se demostró que todo eso, que se sustraía de la explicación fisiológica cada vez que se la había intentado, estaba rígidamente determinado y se lo individualizó como exteriorización de propósitos sofocados de la persona, o como resultado de la interferencia de dos propósitos, uno de los cuales era inconciente de manera duradera o temporaria. El valor de esta contribución para la psicología fue múltiple. Amplió en forma insospechada el campo del determinismo anímico; redujo el abismo que se había supuesto entre el acontecer anímico normal y el patológico; en muchos casos se obtuvo una cómoda visión del juego de fuerzas anímicas que no podían menos que conjeturarse tras los fenómenos. Por último, se obtuvo así un material apto como ningún otro para hacer que dieran crédito a la existencia de actos anímicos inconcientes aun aquellos a quienes el supuesto de algo psíquico inconciente les parecía extraño y hasta absurdo. El estudio de las operaciones fallidas y acciones casuales en que uno mismo incurre, para el cual se ofrecen abundantes oportunidades a la mayoría de las personas, es todavía hoy la mejor preparación para penetrar en el psicoanálisis. En el tratamiento analítico, la interpretación de las operaciones fallidas se asegura un lugar como medio para descubrir lo inconciente, junto a la interpretación de las ocurrencias, enormemente más importante.

La interpretación de los sueños. Un nuevo acceso a lo profundo de la vida anímica se abrió al aplicarse la técnica de la asociación libre a los sueños, los propios o los de pacientes en análisis. De hecho, de la interpretación de los sueños procede lo más y lo mejor que sabemos acerca de los procesos que ocurren en los estratos inconcientes del alma. El psicoanálisis ha devuelto al sueño la importancia que universalmente se le reconoció en épocas antiguas, pero le aplica un procedimiento diverso. No se confía en el ingenio del intérprete de sueños, sino que trasfiere la tarea en su mayor parte al soñante mismo, pues le inquiere por sus asociaciones sobre los elementos singulares del sueño. Mediante la ulterior persecución de estas asociaciones se llega a conocer unos pensamientos que coinciden en un todo con el sueño, y es el caso que —hasta cierto punto— se individualizan como fragmentos de pleno derecho y enteramente comprensibles de la actividad anímica de vigilia. Así, al sueño recordado como *contenido onírico manifiesto* se contraponen los *pensamientos oníricos latentes* hallados por interpretación. El proceso que ha traspuesto estos últimos en aquel, vale decir en el «sueño», y que es enderezado en sentido retrocedente por el trabajo interpretativo, puede llamarse *trabajo del sueño.*

A los pensamientos oníricos latentes los llamamos también, a causa de su vínculo con la vida de vigilia, *restos diurnos.* Por obra del trabajo del sueño, al que sería por completo erróneo atribuir carácter «creador», son *condensados* de manera extraordinaria, *desfigurados* por el *desplazamiento* de las intensidades psíquicas, arreglados con miras a la *figuración en imágenes visuales*, y además, antes de pasar a conformar el sueño manifiesto, sometidos a una *elaboración secundaria* que querría dar al nuevo producto algún sentido y alguna coherencia. Este último proceso ya no pertenece propiamente al trabajo del sueño.[1]

Teoría dinámica de la formación del sueño. No ofreció demasiadas dificultades penetrar la dinámica de la formación del sueño. Su fuerza impulsora no es aportada por los pensamientos oníricos latentes o restos diurnos, sino por una aspiración inconciente, reprimida durante el día, con la que los restos diurnos pudieron ponerse en conexión, y que a partir del material de los pensamientos latentes compuso para sí un *cumplimiento de deseo.* Todo sueño es, pues, por una parte un cumplimiento de deseo del inconciente; y por la otra, en la medida en que logre mantener libre de perturbación el estado del dormir, es un cumplimiento del deseo normal de dormir, que da comienzo al dormir. Si se prescinde de la contribución inconciente a la formación del sueño, y se reduce este a sus pensamientos latentes, en él puede estar subrogado todo cuanto ocupó a la vida despierta: una reflexión, una advertencia, un designio, una preparación para el futuro próximo o aun la satisfacción de un deseo incumplido. El carácter irreconocible, extraño, absurdo, del sueño manifiesto es consecuencia, en parte, del trasporte de los pensamientos oníricos a otro modo de expresión, que ha de calificarse de *arcaico*, y, en parte, de una instancia restrictiva,

[1] [En *La interpretación de los sueños* (1900*a*), *AE*, **5**, pág. 486, la elaboración secundaria es considerada una parte del trabajo del sueño.]

de repulsa crítica, que tampoco durante el dormir se cancela del todo. Es natural suponer que la *«censura del sueño»*, a la que hacemos responsable en primera línea por la desfiguración de los pensamientos oníricos en el sueño manifiesto, es una exteriorización de las mismas fuerzas anímicas que a lo largo del día mantuvieron a raya, *reprimida*, la moción inconciente de deseo.

Valió la pena abordar con detalle el esclarecimiento de los sueños; en efecto, el trabajo analítico ha mostrado que la dinámica de la formación del sueño es la misma que la de la formación de síntoma. Aquí como allí individualizamos una disputa entre dos tendencias: una inconciente, en todo otro caso reprimida, que aspira a una satisfacción —cumplimiento de deseo—, y una que reprime y repele, y con probabilidad pertenece al yo conciente; como resultado de este conflicto tenemos una formación de compromiso —el sueño, el síntoma— en la que las dos tendencias han hallado una expresión incompleta. El significado teórico de esta concordancia es esclarecedor. Puesto que el sueño no es un fenómeno patológico, ella aporta la demostración de que los mecanismos anímicos productores de los síntomas patológicos preexisten ya en la vida anímica normal, una misma legalidad abarca lo normal y lo anormal, y los resultados de la investigación de neuróticos o enfermos mentales tienen que ser pertinentes para la comprensión de la psique sana.

El simbolismo. En el estudio de los modos de expresión creados por el trabajo del sueño se tropieza con un hecho sorprendente: ciertos objetos, ciertas acciones y relaciones están figurados en el sueño de una manera indirecta mediante «símbolos» que el soñante emplea sin conocer su significado, y respecto de los cuales por lo común su asociación nada produce. Es el analista el que tiene que traducirlos, y ello sólo puede lograrse por vía empírica, mediante su introducción tentativa dentro de la trama. Más tarde se vio que los usos lingüísticos, la mitología y el folklore contienen las más ricas analogías con los símbolos oníricos. Los símbolos, a los cuales se anudan los más interesantes problemas, todavía irresueltos, parecen ser el fragmento de una antiquísima herencia anímica. La comunidad de símbolos rebasa las fronteras de la comunidad de lenguaje.

El valor etiológico de la vida sexual. La segunda novedad a que se llegó tras sustituir la técnica hipnótica por la asociación libre fue de naturaleza clínica y se halló a raíz de la continua busca de las vivencias traumáticas de que parecían derivarse los síntomas histéricos. Mientras más cuidado se ponía en rastrearlas, tanto más abundantemente se revelaba el encadenamiento de impresiones de esa clase, de importancia etiológica, pero tanto más se remontaban también hasta la pubertad o la infancia del neurótico. Al mismo tiempo iban cobrando un carácter unitario y, por fin, fue preciso rendirse a la evidencia y reconocer que en la raíz de toda formación de síntoma se hallaban impresiones traumáticas procedentes de la vida sexual temprana. Así el trauma sexual remplazó al trauma ordinario, y este último debía su valor etiológico a su referencia asociativa o simbólica al primero, que lo había precedido. A la vez se había emprendido la indagación de casos de neurosis común, clasificados como *neurastenia* y *neurosis de angustia*. Por ella se llegó a saber que estas perturbaciones se reconducían a malas prácticas actuales en la vida sexual, y se las podía eliminar aboliendo estas últimas. Parecía lógico concluir entonces que las neurosis eran en general la expresión de perturbaciones en la vida sexual: las llamadas neurosis *actuales*, de daños presentes (por agente químico), y las *psiconeurosis*, de daños producidos en un lejano pasado (por procesamiento psíquico) en esta función tan importante en el terreno biológico, que hasta ese momento había sido gravemente descuidada por la ciencia. Ninguna de las tesis que ha formulado el psicoanálisis ha despertado una incredulidad tan obstinada ni una resistencia tan encarnizada como esta, que afirma el sobresaliente valor etiológico de la vida sexual para las neurosis. Pero también ha de dejarse constancia expresa de que el psicoanálisis, en su desarrollo hasta el día de hoy, no ha hallado razón alguna para retractarse de esta aseveración.

La sexualidad infantil. La investigación etiológica llevada a cabo por el psicoanálisis lo puso en la situación de ocuparse de un tema cuya existencia apenas se había sospechado antes de él. En la ciencia se acostumbraba hacer comenzar la vida sexual con la pubertad, y eventuales exteriorizaciones de sexualidad infantil se juzgaban como raros indicios de precocidad anormal y de degeneración. Pues bien; el psicoanálisis reveló una multitud de fenómenos tan singulares cuanto regulares, que hicieron preciso hacer coincidir el comienzo de la función sexual en el niño casi con el comienzo de la vida extrauterina. Pudo preguntarse, con asombro, cómo fue posible omitir todo eso. Es verdad que las primeras intelecciones de la sexualidad infantil se obtuvieron mediante la exploración de adultos, y por eso adolecían de todas las dudas y fuentes de error que podían atribuirse a una visión retrospectiva tan tardía. Pero cuando más tarde (desde 1908) se empezó a analizar y a observar sin restricciones a los niños mismos, se obtuvo la corroboración directa para todo el contenido fáctico de la nueva concepción.

La sexualidad infantil mostró en muchos aspectos un cuadro diverso que la de los adultos, y sorprendió hallar en ella numerosos rasgos de lo que en estos se había condenado como «*perversión*». Fue preciso ampliar el concepto de lo sexual para que abarcase algo más que la aspiración a la unión de los dos sexos en el acto sexual o a la producción de determinadas sensaciones placenteras en los genitales. Pero esta ampliación fue recompensada por el hecho de que resultó posible conceptualizar la vida sexual infantil, la normal y la perversa, a partir de un conjunto unitario de nexos.

La investigación analítica del autor cayó primero en el error de sobrestimar en mucho la *seducción* como fuente de las manifestaciones sexuales infantiles y germen de la formación de síntomas neuróticos. Este espejismo pudo superarse cuando se llegó a conocer la extraordinaria importancia que la *actividad fantaseadora* tiene en la vida anímica de los neuróticos; para la neurosis, resultó evidente, era más decisiva que la realidad exterior. Además, tras estas fantasías salió a la luz el material que permitió ofrecer el siguiente cuadro del desarrollo de la función sexual.

El desarrollo de la libido. La pulsión sexual, cuya exteriorización dinámica en la vida del alma ha de llamarse «*libido*», está compuesta por pulsiones parciales en las que puede volver a descomponerse, y que sólo poco a poco se unifican en organizaciones definidas. Fuentes de estas pulsiones parciales son los órganos del cuerpo, en particular ciertas destacadas *zonas erógenas*. Pero todos los procesos corporales que revisten importancia funcional brindan contribuciones a la libido. Las pulsiones parciales singulares aspiran al comienzo a satisfacerse independientemente unas de otras, pero en el curso del desarrollo son conjugadas cada vez más: son centradas. Como primer estadio de organización (pregenital) puede discernirse al estadio *oral*, en el cual, de acuerdo con el principal interés del lactante, la *zona de la boca* desempeña el papel cardinal. Le sigue la organización *sádico-anal*, en la cual la pulsión parcial del *sadismo* y la *zona del ano* se destacan particularmente; la diferencia entre los sexos es subrogada aquí por la oposición entre activo y pasivo. El tercer estadio de organización, y el definitivo, es la conjugación de la mayoría de las pulsiones parciales bajo el *primado de las zonas genitales.* Este desarrollo trascurre por lo general de manera rápida e inadvertida; no obstante, partes singulares de las pulsiones se quedan detenidas en los estadios previos al resultado final y, así, proporcionan las *fijaciones* de la libido; estas, en calidad de disposiciones, revisten importancia para ulteriores estallidos de aspiraciones reprimidas y mantienen una determinada relación con el desarrollo de ulteriores neurosis y perversiones. (Véase el artículo «Teoría de la libido» [*infra*, págs. 250 y sigs.]).

El hallazgo de objeto y el complejo de Edipo. La pulsión parcial oral halla primero su satisfacción *apuntalándose* en el saciamiento de la necesidad de nutrición, y su objeto, en el pecho materno. Después se desprende, se vuelve autónoma y al mismo tiempo *autoerótica*, es decir, halla su objeto en el cuerpo propio. Hay otras pulsiones parciales que se comportan primero de manera autoerótica y sólo más tarde se dirigen a un objeto ajeno. Particular importancia reviste el hecho de que las pulsiones parciales de la zona genital atraviesen por lo regular un período de satisfacción autoerótica intensa. Para la definitiva organización genital de la libido, no todas las pulsiones parciales son igualmente utilizables; algunas (p. ej., las anales) son por eso dejadas de lado, sofocadas o sometidas a complejas trasmudaciones.

Ya en los primeros años de la infancia (de los dos a los cinco, más o menos) se establece una conjugación de las aspiraciones sexuales cuyo objeto es, en el varón, la madre. Esta elección de objeto, junto a la correspondiente actitud de rivalidad y hostilidad hacia el padre, es el contenido del llamado *complejo de Edipo*, que en todos los hombres posee el máximo valor para la conformación final de su vida amorosa. Se ha establecido como característico de las personas normales el hecho de que aprenden a dominar el complejo de Edipo, mientras que los neuróticos permanecen adheridos a él.

La acometida en dos tiempos del desarrollo sexual. Este período temprano de la vida sexual encuentra su término normalmente hacia el quinto año de vida, y es relevado por una época de *latencia* más o menos completa, durante la cual se edifican las restricciones éticas como formaciones protectoras contra las mociones de deseo del complejo de Edipo. En el período que sigue, el de la *pubertad*, el complejo de Edipo experimenta una reanimación en el inconciente y arrostra sus ulteriores remodelamientos. Sólo el período de la pubertad desarrolla las pulsiones sexuales hasta su intensidad plena; ahora bien, la orientación de este desarrollo y todas las disposiciones adheridas a él ya tienen marcado su destino por el florecimiento temprano de la sexualidad infantil, ya trascurrido. Este desarrollo de la función sexual en dos etapas, interrumpido por el período de latencia, parece ser una particularidad biológica de la especie humana y contener la condición para la génesis de las neurosis.

La doctrina de la represión. La conjunción de estos conocimientos teóricos con las impresiones inmediatas recogidas en el trabajo analítico lleva a una concepción de las neurosis que en su más tosco esbozo puede resumirse así: Las neurosis son la expresión de conflictos entre el yo y unas aspiraciones sexuales que le aparecen como inconciliables con su integridad o sus exigencias éticas. El yo ha *reprimido* estas aspiraciones no *acordes con el yo*, es decir, les ha sustraído su interés y les ha bloqueado el acceso a la conciencia así como la descarga motriz en la satisfacción. Cuando en el trabajo analítico se intenta hacer concientes estas mociones reprimidas, las fuerzas *represoras* son sentidas como *resistencia.* Pero la operación de la represión fracasa con particular facilidad en el caso de las pulsiones sexuales. Su libido estancada se crea desde el inconciente otras salidas regresando a anteriores fases de desarrollo y actitudes respecto del objeto, e irrumpiendo hacia la conciencia y la descarga allí donde preexisten fijaciones infantiles, en los puntos débiles del desarrollo libidinal. Lo que así nace es un *síntoma*, que, según eso, es en el fondo una satisfacción sexual sustitutiva. Pero tampoco el síntoma puede sustraerse del todo a la influencia de las fuerzas represoras del yo; tiene que admitir entonces modificaciones y desplazamientos —tal como sucede en el sueño—, en virtud de los cuales se vuelve irreconocible su carácter de satisfacción sexual. El síntoma cobra así la índole de una *formación de compromiso* entre las pulsiones sexuales reprimidas y las pulsiones yoicas represoras, de un cumplimiento de deseo simultáneo para los dos participantes en el conflicto, aunque incompleto para ambos. Esto es rigurosamente válido para los síntomas de la histeria, mientras que en los de la neurosis obsesiva la participación de la instancia represora alcanza a menudo una expresión más potente por el establecimiento de formaciones reactivas (aseguramientos contra la satisfacción sexual).

La trasferencia. Si todavía hiciera falta otra prueba para la tesis de que las fuerzas impulsoras de la formación de síntomas neuróticos son de naturaleza sexual, se la hallaría en el siguiente hecho: en el curso del tratamiento analítico se establece, de manera regular, un particular vínculo afectivo del paciente con el médico; ese vínculo rebasa con mucho la medida de lo que sería acorde a la *ratio*, varía desde la tierna entrega hasta la más terca hostilidad, y toma prestadas todas sus propiedades de actitudes eróticas anteriores del paciente, devenidas inconcientes. Esta *trasferencia*, que tanto en su forma positiva cuanto en la negativa entra al servicio de la *resistencia*, se convierte para el médico en el más poderoso medio auxiliar del tratamiento y desempeña en la dinámica de la cura un papel que sería difícil exagerar.

Los pilares básicos de la teoría psicoanalítica. El supuesto de que existen procesos anímicos inconcientes; la admisión de la doctrina de la resistencia y de la represión; la apreciación de la sexualidad y del complejo de Edipo: he ahí los principales contenidos del psicoanálisis y las bases de su teoría, y quien no pueda admitirlos todos no debería contarse entre los psicoanalistas.

Ulteriores vicisitudes del psicoanálisis. Más o menos hasta donde lo llevamos expuesto, el psicoanálisis avanzó merced al trabajo del que esto escribe, quien, durante más de un decenio, fue su único sostenedor. En 1906 los psiquiatras suizos Eugen Bleuler y Carl G. Jung empezaron a participar activamente en el análisis. En 1907 se realizó en Salzburgo un primer encuentro de sus partidarios,* y pronto la joven ciencia ocupó el centro del interés tanto de los psiquiatras como de los legos. Su recepción en la Alemania maniática de la autoridad no fue precisamente un título de gloria para la ciencia alemana. Incluso un partidario tan sereno como Bleuler se vio llevado a recoger el desafío y a emprender una enérgica defensa. Empero, todas las condenas y todos los veredictos de los congresos oficiales no pudieron detener el crecimiento interno ni la difusión externa del psicoanálisis, que, en los diez años que siguieron, rebasó las fronteras de Europa y se hizo popular sobre todo en Estados Unidos, en no poca medida merced a las actividades de promoción o colaboración de James Putnam (Boston), Ernest Jones (Toronto, después Londres), Flournoy (Ginebra), Ferenczi (Budapest), Abraham (Berlín) y muchos otros. El anatema pronunciado contra el psicoanálisis movió a sus partidarios a congregarse en una organización interna-

* {En verdad, este congreso tuvo lugar en abril de 1908.}

cional. En el presente año (1922), ella celebra su octavo congreso privado en Berlín, y en la actualidad incluye los siguientes grupos locales: Viena, Budapest, Berlín, Holanda, Zurich, Londres, Nueva York, Calcuta y Moscú. Ni siquiera la Guerra Mundial interrumpió este desarrollo. En 1918-19, el doctor Anton von Freund (Budapest) fundó la Internationaler Psychoanalytischer Verlag {Editorial Psicoanalítica Internacional}, encargada de publicar revistas y libros que hacen contribuciones al psicoanálisis. En 1920, el doctor Max Eitingon inauguró en Berlín la primera «Policlínica Psicoanalítica» para el tratamiento de neuróticos sin recursos económicos. Traducciones de las principales obras del autor de este artículo al francés, al italiano y al español, que en estos momentos se preparan, atestiguan el creciente interés que despierta el psicoanálisis también en los países de lengua latina. Entre 1911 y 1913, se escindieron del psicoanálisis dos orientaciones que, era evidente, se afanaban por atemperar sus aspectos chocantes. Una, iniciada por Carl G. Jung, en un esfuerzo por amoldarse a los requerimientos éticos, despojó al complejo de Edipo de su significado objetivo subvirtiendo su valor al concebirlo simbólicamente, y descuidó en la práctica el descubrimiento del período infantil olvidado, que ha de llamarse «prehistórico». La otra, que tiene por inspirador al doctor Alfred Adler, de Viena, ofreció muchos aspectos del psicoanálisis bajo otro nombre (p. ej., llamó «protesta masculina» a la represión, en una concepción sexualizada), pero en lo demás prescindió del inconciente y de las pulsiones sexuales, e intentó reconducir a la voluntad de poder el desarrollo del carácter así como el de las neurosis; esta voluntad de poder aspira a conjurar por vía de sobrecompensación los peligros que amenazan desde las inferioridades de órgano. Ninguna de estas orientaciones, construidas a modo de sistemas, influyó de manera duradera sobre el psicoanálisis; respecto de la de Adler, pronto quedó en claro que tenía muy poco en común con el psicoanálisis, al que pretendía sustituir.

Progresos más recientes del psicoanálisis. Desde entonces, el psicoanálisis se ha convertido en campo de trabajo de un número muy grande de observadores, enriqueciéndose y profundizándose con aportes que por desgracia en este esbozo apenas si pueden consignarse de la manera más sucinta.

El narcisismo. Su progreso teórico más importante fue la aplicación de la doctrina de la libido al yo represor. Se llegó a concebir al yo mismo como un reservorio de libido —llamada narcisista— del que fluyen las investiduras libidinales de los objetos y en el cual estas pueden ser recogidas de nuevo. Con ayuda de esta imagen fue posible abordar el análisis del yo y trazar la división clínica de las psiconeurosis en *neurosis de trasferencia* y afecciones *narcisistas.* En las primeras (histeria y neurosis obsesiva) se dispone de una cuota de libido que aspira a trasferirse a objetos ajenos y es requerida para la ejecución del tratamiento analítico; las perturbaciones narcisistas (*dementia praecox*, paranoia, melancolía) se caracterizan, al contrario, por el quite de la libido de los objetos, y por eso son difícilmente accesibles para la terapia analítica. Empero, esta insuficiencia terapéutica no ha impedido que el análisis diera los primeros pasos, fecundísimos, hacia una comprensión más honda de estas enfermedades, que se cuentan entre las psicosis.

Cambio de la técnica. Luego que el despliegue de la técnica de interpretación hubo satisfecho, por así decir, el apetito de saber del analista, fue natural que el interés se volcara al problema de las vías por las cuales pudiera lograrse la influencia más apropiada sobre el paciente. Pronto se vio que la tarea inmediata del médico era ayudar a aquel a conocer, y después a vencer, las *resistencias* que en él emergen en el curso del tratamiento y de las que al comienzo no tiene conciencia. Al mismo tiempo se reconoció que la pieza esencial del trabajo terapéutico consiste en el vencimiento de estas resistencias, y que sin esta operación no puede alcanzarse una trasformación anímica duradera del paciente. Desde que el trabajo del analista se atuvo de esta suerte a la resistencia del enfermo, la técnica analítica adquirió una precisión y una finura que compiten con la técnica quirúrgica. Por eso debe desaconsejarse enérgicamente que se emprendan tratamientos psicoanalíticos sin un adiestramiento riguroso, y el médico que lo haga confiado en el diploma que le extendió el Estado no será más idóneo que un lego.

El psicoanálisis como método terapéutico. El psicoanálisis nunca se presentó como una panacea ni pretendió hacer milagros. En uno de los ámbitos más difíciles de la actividad médica constituye, para ciertas enfermedades, el único método posible; para otras, el que ofrece los resultados mejores o más duraderos, pero nunca sin el correspondiente gasto de tiempo y trabajo. Si el médico no es absorbido enteramente por la práctica terapéutica, el psicoanálisis recompensa con creces sus empeños mediante insospechadas intelecciones en la maraña de la vida anímica y de los nexos entre lo anímico y lo corporal. Y allí donde hoy no puede remediar, sino sólo procurar una comprensión teórica, acaso allana el camino para una posterior influencia más directa sobre las perturbaciones neuróticas. Su campo de trabajo lo constituyen, sobre todo, las dos neurosis de trasferencia, histeria y neurosis obsesiva, cuya estructura interna y cuyos mecanismos eficaces contribuyó a descubrir; pero, además, todas las variedades de fobias, inhibiciones, deformaciones de carácter, perversiones sexuales y dificultades de la vida amorosa. Y según lo indican algunos analistas (Jelliffe, Groddeck, Felix Deutsch), tampoco el tratamiento analítico de graves enfermedades orgánicas deja de ser promisorio, pues no es raro que un factor psíquico participe en la génesis y la perduración de esas afecciones. Puesto que el psicoanálisis reclama de sus pacientes cierto grado de plasticidad psíquica, debe seleccionarlos ateniéndose a ciertos límites de edad; y puesto que exige ocuparse larga e intensamente de cada enfermo, sería antieconómico dilapidar ese gasto en individuos carentes de todo valor, que además sean neuróticos. Sólo la experiencia obtenida en policlínicas enseñará las modificaciones requeridas para hacer accesible la terapia psicoanalítica a capas populares más amplias y adecuarla a inteligencias más débiles.

Comparación del psicoanálisis con los métodos hipnóticos y sugestivos. El procedimiento psicoanalítico se distingue de todos los métodos sugestivos, persuasivos, etc., por el hecho de que no pretende sofocar mediante la autoridad ningún fenómeno anímico. Procura averiguar la causación del fenómeno y cancelarlo mediante una trasformación permanente de sus condiciones generadoras. El inevitable influjo sugestivo del médico es guiado en el psicoanálisis hacia la tarea, que compete al enfermo, de vencer sus resistencias, o sea, de efectuar el trabajo de la curación. Un cauteloso manejo de la técnica precave del peligro de falsear por vía sugestiva las indicaciones mnémicas del enfermo. Pero, en general, es el despertar de las resistencias lo que protege contra eventuales efectos engañosos del influjo sugestivo. Como meta del tratamiento, puede enunciarse la siguiente: Producir, por la cancelación de las resistencias y la pesquisa de las represiones, la unificación y el fortalecimiento más vastos del yo del enfermo, ahorrándole el gasto psíquico que suponen los conflictos interiores, dándole la mejor formación que admitan sus disposiciones y capacidades y haciéndolo así, en todo lo posible, capaz de producir y de gozar. La eliminación de los síntomas patológicos no se persigue como meta especial, sino que se obtiene, digamos, como una ganancia colateral si el análisis se ejerce de acuerdo con las reglas. El analista respeta la especificidad del paciente, no procura remodelarlo según sus ideales personales —los del médico—, y se alegra cuando puede ahorrarse consejos y despertar en cambio la iniciativa del analizado.

Su relación con la psiquiatría. La psiquiatría es en la actualidad una ciencia esencialmente descriptiva y clasificatoria cuya orientación sigue siendo más somática que psicológica, y que carece de posibilidades de explicar los fenómenos observados. Empero, el psicoanálisis no se encuentra en oposición a ella, como se creería por la conducta casi unánime de los psiquiatras. Antes bien, en su calidad de *psicología de lo profundo* —psicología de los procesos de la vida anímica sustraídos de la conciencia—, está llamado a ofrecerle la base indispensable y a remediar sus limitaciones presentes. El futuro creará, previsiblemente, una psiquiatría científica a la que el psicoanálisis habrá servido de introducción.

Críticas al psicoanálisis y malentendidos acerca de él. Casi todo lo que se reprocha al psicoanálisis, aun en obras científicas, descansa en una información insuficiente que, a su vez, parece fundada en resistencias afectivas. Así, es erróneo acusarlo de «*pansexualismo*» y reprocharle maliciosamente que derivaría todo acontecer anímico de la sexualidad, y lo reconduciría a ella. Desde el comienzo mismo, el psicoanálisis distinguió las pulsiones sexuales de otras, que llamó «pulsiones yoicas». Nunca se le ocurrió explicarlo «todo», y ni siquiera a las neurosis las derivó de la sexualidad solamente, sino del conflicto entre las aspiraciones sexuales y el yo. El nombre «*libido*» no significa en psicoanálisis (excepto en Carl G. Jung) energía psíquica lisa y llanamente, sino la fuerza pulsional de las pulsiones sexuales. Jamás se formularon ciertas aseveraciones, como la de que todo sueño sería el cumplimiento de un deseo sexual. Al psicoanálisis, que tiene como preciso y limitado ámbito de trabajo el de ser *ciencia de lo inconciente en el alma*, sería tan impertinente reprocharle unilateralidad como a la química. Un malicioso malentendido, justificado sólo por la ignorancia, es creer que el psicoanálisis esperaría la curación de los trastornos neuróticos del «libre gozar de la vida» sexualmente. Cuando hace concientes los apetitos sexuales reprimidos, el análisis posibilita, más bien, dominarlos en un grado que antes era imposible a causa de la represión. Con más derecho se diría que el análisis emancipa al neurótico de los grilletes de su sexualidad. Además, es enteramente acientífico enjuiciar al psicoanálisis por su aptitud para enterrar religión, autoridad y eticidad, puesto que, como toda ciencia, está por completo libre de tendencia y sólo conoce un propósito: aprehender, sin contradicciones, un fragmento de la realidad. Por último, puede calificarse directamente de majadería el temor de que el psicoanálisis restaría valor o dignidad a los llamados bienes supremos de la humanidad —la investigación científica, el arte, el amor, la sensibilidad ética y social— porque puede mostrar que descienden de mociones pulsionales elementales, animales.

Las aplicaciones no médicas y las relaciones del psicoanálisis. La apreciación del psicoanálisis quedaría incompleta si se omitiera comunicar que es la única entre las disciplinas médicas que mantiene los vínculos más amplios con las ciencias del espíritu y está en vías de obtener, para la historia de las religiones y de la cultura, para la mitología y la ciencia de la literatura, un valor semejante al que ya posee para la psiquiatría. Esto podría maravillar si se creyera que por su origen no tuvo otra meta que comprender síntomas neuróticos e influir sobre ellos. Pero no es difícil indicar el lugar en que se echaron los puentes hacia las ciencias del espíritu. Cuando el análisis de los sueños permitió inteligir los procesos anímicos inconcientes y mostró que los mecanismos creadores de los síntomas patológicos se encontraban activos también en la vida anímica normal, el psicoanálisis devino *psicología de lo profundo* y, como tal, susceptible de aplicarse a las ciencias del espíritu; así pudo resolver buen número de cuestiones ante las cuales debía detenerse inerme la psicología escolar de la conciencia. Desde temprano se establecieron los vínculos con la *filogénesis* humana. Se advirtió que a menudo la función patológica no es más que una *regresión* a un estadio anterior del desarrollo normal. Carl G. Jung fue el primero en señalar la sorprendente concordancia entre las desenfrenadas fantasías de los enfermos de *dementia praecox* y las formaciones de mitos de los pueblos primitivos; el autor de este artículo llamó la atención sobre el hecho de que las dos mociones de deseo que componen el complejo de Edipo presentan una completa coincidencia de contenido con las dos prohibiciones principales del *totemismo* (no matar al antepasado y no desposar mujer de la estirpe a que se pertenece), y extrajo de ahí vastas inferencias. El valor del complejo de Edipo empezó a crecer en medida gigantesca; se vislumbró que el régimen político, la eticidad, el derecho y la religión habían nacido en la época primordial de la humanidad como una formación reactiva frente al complejo de Edipo. Otto Rank arrojó clara luz sobre la mitología e historia de la literatura aplicando las ideas psicoanalíticas, y Theodor Reik hizo lo propio en el campo de la historia de las costumbres y las religiones; el padre Oscar Pfister (Zurich) despertó el interés de los pastores de almas y maestros e hizo comprender el valor de los puntos de vista psicoanalíticos para la pedagogía. No es este el lugar apropiado para seguir detallando tales aplicaciones del psicoanálisis; baste observar que su extensión no se alcanza a ver todavía.

Carácter del psicoanálisis como ciencia empírica. El psicoanálisis no es un sistema como los filosóficos, que parten de algunos conceptos básicos definidos con precisión y procuran apresar con ellos el universo todo, tras lo cual ya no resta espacio para nuevos descubrimientos y mejores intelecciones. Más bien adhiere a los hechos de su campo de trabajo, procura resolver los problemas inmediatos de la observación, sigue tanteando en la experiencia, siempre inacabado y siempre dispuesto a corregir o variar sus doctrinas. Lo mismo que la química o la física, soporta que sus conceptos máximos no sean claros, que sus premisas sean provisionales, y espera del trabajo futuro su mejor precisión.

II. «Teoría de la libido»

Libido es un término de la doctrina de las pulsiones, usado en este sentido ya por Albert Moll (1898)[1] e introducido en el psicoanálisis por el autor. En lo que sigue se expondrán sólo los desarrollos —no concluidos todavía— que la doctrina de las pulsiones ha experimentado en el psicoanálisis.

Oposición entre pulsiones sexuales y pulsiones yoicas. El psicoanálisis reconoció pronto que todo acontecer anímico debía edificarse sobre el juego de fuerzas de las pulsiones elementales. Así se vio en pésima situación, puesto que en la psicología no existía una doctrina de las pulsiones, y nadie podía decirle qué era verdaderamente una pulsión. Reinaba una total arbitrariedad, cada psicólogo solía admitir tales y tantas pulsiones como mejor le parecía. El primer campo de fenómenos estudiados por el psicoanálisis fueron las llamadas neurosis de trasferencia (histeria y neurosis obsesiva). Sus síntomas se engendraban porque las mociones pulsionales habían sido rechazadas (reprimidas) de la personalidad (del yo) y, a través de desvíos por lo inconciente, se habían procurado una expresión. Se pudo dar razón de ello contraponiendo a las pulsiones sexuales unas pulsiones yoicas (*pulsiones de autoconservación*), lo cual armonizaba con la frase del poeta, que alcanzó difusión popular: la fábrica del mundo es mantenida «por hambre y por amor». La libido era la exteriorización de fuerza del amor, en idéntico sentido que el hambre lo era de la pulsión de autoconservación. De ese modo, la naturaleza de las pulsiones yoicas quedó al comienzo indeterminada e inaccesible al análisis, como todos los otros caracteres del yo. No era posible indicar si debían suponerse diferencias cualitativas entre ambas variedades de pulsiones, y cuáles serían estas.

1 [En verdad, el propio Freud empleó el término «libido» en su primer trabajo sobre la neurosis de angustia (1895*b*) y en su correspondencia con Fliess (1950*a*), donde lo había utilizado ya en los Manuscritos E y F, este último de agosto de 1894, *AE*, **1**, págs. 228 y 235.]

La libido primordial. Carl G. Jung procuró superar esta oscuridad por un camino especulativo: supuso una única libido primordial que podía ser sexualizada y desexualizada, y por tanto coincidía en esencia con la energía anímica. Esta innovación era metodológicamente objetable, sembraba mucha confusión, rebajaba el término «libido» a la condición de un sinónimo superfluo; además, en la práctica seguía siendo preciso distinguir entre libido sexual y asexual. En efecto, la diferencia entre las pulsiones sexuales y las pulsiones con otras metas no podía suprimirse por la vía de una definición nueva.

La sublimación. Entretanto, el estudio cuidadoso de las aspiraciones sexuales, las únicas asequibles al análisis, había proporcionado notables intelecciones. Lo que se llamaba pulsión sexual era de naturaleza extremadamente compuesta y podía volver a descomponerse en sus pulsiones parciales. Cada pulsión parcial se hallaba caracterizada invariablemente por su *fuente*, esto es, la región o zona del cuerpo de la que recibía su excitación. Además, debían distinguirse en ella un *objeto* y una *meta.* La meta era siempre la descarga-satisfacción; empero, podía experimentar una mudanza de la actividad a la pasividad. El objeto pertenecía a la pulsión de manera menos fija de lo que se pensó al comienzo: era fácilmente trocado por otro, y además la pulsión que había tenido un objeto exterior podía ser vuelta hacia la persona propia. Las pulsiones singulares podían permanecer independientes unas de otras o (de un modo todavía no imaginable) combinarse, fusionarse para el trabajo común. Podían también remplazarse mutuamente, trasferirse su investidura libidinal, de modo que la satisfacción de una hiciera las veces de la satisfacción de la otra. El destino de pulsión más importante pareció ser la *sublimación*, en la que objeto y meta sufren un cambio de vía, de suerte que la pulsión originariamente sexual halla su satisfacción en una operación que ya no es más sexual, sino que recibe una valoración social o ética superior. Todos los enumerados son rasgos que aún no se combinan en una imagen de conjunto.

El narcisismo. Se produjo un progreso decisivo cuando se osó pasar al análisis de la *dementia praecox* y de otras afecciones psicóticas y así se empezó a estudiar al yo mismo, que hasta ese momento se había conocido sólo como instancia represora y contrarrestante. Se discernió del siguiente modo el proceso patógeno de la demencia: la libido era debitada de los objetos e introducida en el yo, mientras que los fenómenos patógenos paralizantes procedían del vano afán de la libido por hallar el camino de regreso a los objetos. Era posible, entonces, que una libido de objeto se trasmudase e invirtiese en investidura yoica. Ulteriores ponderaciones mostraron que este proceso debía suponerse en la máxima escala, que era preciso ver en el yo más bien un gran reservorio de libido, desde el cual esta última era enviada a los objetos, y que siempre estaba dispuesto a acoger la libido que refluye desde los objetos. Por tanto, también las pulsiones de autoconservación eran de naturaleza libidinosa; eran pulsiones sexuales que habían tomado como objeto al yo propio en vez de los objetos externos. Por la experiencia clínica se conocían personas que se comportaban llamativamente como si estuvieran enamoradas de sí mismas, y esta perversión había recibido el nombre de *narcisismo*. Pues bien; la libido de las pulsiones de autoconservación fue llamada *libido narcisista*, y se reconoció que una elevada medida de tal amor de sí mismo era el estado primario y normal. La fórmula anterior para las neurosis de trasferencia requería entonces, no por cierto una enmienda, sino una modificación; en vez de hablar de un conflicto entre pulsiones sexuales y pulsiones yoicas, sería mejor decir un conflicto entre libido de objeto y libido yoica o, puesto que la naturaleza de las pulsiones era la misma, entre las investiduras de objeto y el yo.

Aparente acercamiento a la concepción de Jung. De esa manera se suscitó la apariencia de que la lenta investigación analítica no había hecho sino seguir con retraso a la especulación de Jung sobre la libido primordial, en particular porque la trasmudación de la libido de objeto en narcisismo conllevaba inevitablemente una cierta desexualización, una resignación de las metas sexuales especiales. Empero, se impone esta reflexión: el hecho de que las pulsiones de autoconservación del yo hayan de reconocerse como libidinosas no prueba que en el yo no actúen otras pulsiones.

La pulsión gregaria. Muchos autores sostienen que existe una «pulsión gregaria» particular, innata y no susceptible de ulterior descomposición. Ella regularía la conducta social de los seres humanos, y esforzaría a los individuos a unirse en comunidades mayores. El psicoanálisis se ve obligado a contradecir esa tesis. Aun si la pulsión social es innata, se la puede reconducir sin dificultad a investiduras de objeto originariamente libidinosas, y en el individuo infantil se desarrolla como formación reactiva frente a actitudes hostiles de rivalidad. Descansa en un tipo particular de identificación con los otros.

Aspiraciones sexuales de meta inhibida. Las pulsiones sociales pertenecen a una clase de mociones pulsionales que todavía no hace falta llamar «sublimadas», aunque se aproximan a estas. No han resignado sus metas directamente sexuales, pero resistencias internas les coartan su logro; se conforman con ciertas aproximaciones a la satisfacción, y justamente por ello establecen lazos particularmente fijos y duraderos entre los seres humanos. A esta clase pertenecen, sobre todo, los vínculos de ternura —plenamente sexuales en su origen— entre padres e hijos, los sentimientos de la amistad y los lazos afectivos en el matrimonio —que proceden de una inclinación sexual—.

Reconocimiento de dos clases de pulsiones en la vida anímica. Si bien el trabajo psicoanalítico se afana en general por desarrollar sus doctrinas con la máxima independencia posible de las otras ciencias, se ve precisado, con relación a la doctrina de las pulsiones, a buscar apuntalamiento en la biología. Sobre la base de reflexiones de alto vuelo acerca de los procesos que constituyen la vida y conducen a la muerte, parece verosímil que deban admitirse dos variedades de pulsiones, en correspondencia con los procesos orgánicos contrapuestos de anabolismo y catabolismo. Un grupo de estas pulsiones, que trabajan en el fundamento sin ruido, persiguen la meta de conducir el ser vivo hasta la muerte, por lo cual merecerían el nombre de «*pulsiones de muerte*», y saldrían a la luz, vueltas hacia afuera por la acción conjunta de los múltiples organismos celulares elementales, como tendencias de *destrucción* o de *agresión.* Las otras serían las pulsiones libidinosas sexuales o de vida, más conocidas por nosotros en el análisis; su mejor designación sintética sería la de «*Eros*», y su propósito sería configurar a partir de la sustancia viva unidades cada vez mayores, para obtener así la perduración de la vida y conducirla a desarrollos cada vez más altos. En el ser vivo, las pulsiones eróticas y las de muerte entrarían en mezclas, en amalgamas regulares; pero también serían posibles desmezclas [2] de ellas; la vida consistiría en las exteriorizaciones del conflicto o de la interferencia de ambas clases de pulsiones, y aportaría al indi-

[2] [Parece ser esta la primera vez que Freud usó este término; el concepto se discute con más extensión en *El yo y el ello* (1923*b*), *AE*, **19**, págs. 32 y 42.]

viduo el triunfo de las pulsiones de destrucción por la muerte, pero también el triunfo del Eros por la reproducción.

La naturaleza de las pulsiones. Sobre la base de esta concepción puede proponerse esta caracterización de las pulsiones: serían tendencias, inherentes a la sustancia viva, a reproducir un estado anterior; serían entonces históricamente condicionadas, de naturaleza conservadora, y por así decir la expresión de una inercia o elasticidad de lo orgánico. Ambas variedades de pulsiones, el Eros y la pulsión de muerte, actuarían y trabajarían una en contra de la otra desde la génesis misma de la vida.

Escritos breves
(1920-22)

Para la prehistoria de la técnica analítica[1] (1920)

En un nuevo libro de Havelock Ellis, el meritísimo investigador de temas sexuales y eminente crítico del psicoanálisis, titulado *The Philosophy of Conflict* {La filosofía del conflicto} (1919), se contiene un ensayo: «Psycho-Analysis in Relation to Sex» {El psicoanálisis con relación al sexo}, que se empeña en demostrar que la obra del creador dei análisis no debería valorarse como una pieza de trabajo científico, sino como una producción artística. Vemos en esta concepción un nuevo giro de la resistencia y una repulsa del análisis, si bien disfrazados con unas maneras amistosas y aun demasiado halagadoras. Nos inclinamos a contradecirla en la forma más terminante.

Empero, no es esa contradicción el motivo que nos lleva a ocuparnos del ensayo de Havelock Ellis, sino el hecho de que su vasta información bibliográfica le permite citar a un autor que practicó la asociación libre como técnica y la recomendó, si bien con otros fines, y por eso tiene derecho a que se lo califique de precursor del psicoanálisis en este aspecto.

«En 1857, el doctor J. J. Garth Wilkinson, más conocido como místico de la orientación de Swedenborg y como poeta que como médico, publicó un volumen de versos místicos compuesto a manera de las coplas de ciegos me-

1 [«Zur Vorgeschichte der analytischen Technik». Publicado por primera vez, anónimamente, con la firma «F.». *Ediciones en alemán:* 1920: *Int. Z. Psychoanal.*, **6**, págs. 79-81; 1922: *SKSN*, **5**, págs. 141-5; 1924: *Technik und Metapsychol.*, págs. 148-51; 1925: *GS*, **6**, págs. 148-51; 1931: *Neurosenlehre und Technik*, págs. 423-6; 1947: *GW*, **12**, págs. 309-12. {*SA*, «Ergänzungsband» (Volumen complementario), págs. 251-5. *Traducciones en castellano* (cf. la «Advertencia sobre la edición en castellano», *supra*, pág. xi y *n.* 6): 1930: «Para la prehistoria de la técnica psicoanalítica», *BN* (17 vols.), **14**, págs. 211-4, trad. de L. López-Ballesteros; 1943: Igual título, *EA*, **14**, págs. 219-22, el mismo traductor; 1948: Igual título, *BN* (2 vols.), **2**, págs. 361-4, el mismo traductor; 1953: Igual título, *SR*, **14**, págs. 168-70, el mismo traductor; 1967: Igual título, *BN* (3 vols.), **2**, págs. 453-6, el mismo traductor; 1974: Igual título, *BN* (9 vols.), **7**, págs. 2463-4, el mismo traductor.}]

diante lo que consideraba "un nuevo método". el método de la "impresión". "Se escoge o se pone por escrito un tema", decía; "hecho esto, la primera ocurrencia (*impression upon the mind*)* que sucede al acto de escribir el título es el comienzo en la evolución de ese tema, no importa cuán extrañas o ajenas puedan parecer la palabra o frase". "El primer movimiento del espíritu {*mental movement*}, la primera palabra que sobreviene" es "la respuesta al deseo del espíritu de desplegar el asunto". Se continúa con el mismo método, y Garth Wilkinson agrega: "Siempre he hallado que lleva, por un instinto infalible, al interior del asunto". El método era, según Garth Wilkinson lo consideraba, una suerte de exaltado *laissez-faire*, una orden para que las mociones {*instincts*} inconcientes más profundas se expresaran. Voluntad y reflexión {*reason*}, señalaba, se dejan de lado; uno se entrega a "un influjo" (*influx*), y las facultades del espíritu "apuntan a fines que ellas ignoran". Entiéndase bien: Garth Wilkinson, si bien era médico, usó este método con fines religiosos y literarios, y nunca con fines científicos o médicos; pero es fácil ver que esencialmente se trata del método del psicoanálisis que toma por objeto a la persona propia {*applied to oneself*}: una prueba más de lo mucho que el método de Freud es el de un artista (*artist*)».

Los conocedores de la bibliografía psicoanalítica recordarán en este punto aquel hermoso pasaje de la correspondencia de Schiller con Körner [2] (de 1788) donde el gran poeta y pensador recomendaba, a quien quisiera ser productivo, el respeto por la ocurrencia libre. Es de presumir que la técnica pretendidamente nueva de Wilkinson ya había sido entrevista por muchos, y su aplicación sistemática en el psicoanálisis no nos parecerá tanto una prueba de la naturaleza artística de Freud, cuanto una consecuencia de su convicción, mantenida a la manera de un prejuicio, sobre el estricto determinismo de todo acontecer anímico. Que la ocurrencia libre tuviera relación con el tema fijado se presentó entonces como la posibilidad más inmediata y probable, corroborada también por la experiencia en el análisis, en la medida en que resistencias hipertróficas no volvieran irreconocible el nexo presunto.

* {Los agregados en inglés entre paréntesis pertenecen a Freud; entre llaves consignamos otros términos o frases en inglés cuando la versión de Freud se aparta de la literalidad.}

[2] Señalado por Otto Rank y citado en [la edición de 1909 de] *La interpretación de los sueños* (1900*a*) [*AE*, **4**, pág. 124].

No obstante, puede suponerse con certeza que ni Schiller ni Garth Wilkinson influyeron sobre la elección de la técnica psicoanalítica. Un vínculo más personal parece insinuarse desde otro lado.

Hace poco, en Budapest, el doctor Hugo Dubowitz llamó la atención del doctor Ferenczi sobre un breve ensayo (comprende sólo cuatro páginas y media) de Ludwig Börne; redactado en 1823, fue impreso en el primer volumen de sus obras completas (edición de 1862). Lleva por título «Der Kunst, in drei Tagen ein Originalschriftsteller zu werden» {El arte de convertirse en escritor original en tres días}, y exhibe las conocidas peculiaridades del estilo de Jean Paul, al que Börne rendía tributo en esos años. Concluye con estas frases:

«Y aquí viene la prometida recomendación. Tomen algunas hojas de papel y escriban tres días sucesivos, sin falsedad ni hipocresía, todo lo que se les pase por la mente. Consignen lo que piensan sobre ustedes mismos, sobre su mujer, sobre la guerra turca, sobre Goethe, sobre el proceso criminal de Fonk, sobre el Juicio Final, sobre sus jefes; y pasados los tres días, se quedarán atónitos ante los nuevos e inauditos pensamientos que han tenido. ¡He ahí el arte de convertirse en escritor original en tres días!».

Cuando el profesor Freud fue instado a leer este ensayo de Börne, hizo una serie de indicaciones que pueden resultar pertinentes para el problema aquí abordado, el de la prehistoria de la valoración de las ocurrencias por el psicoanálisis. Contó que teniendo él catorce años le habían obsequiado las obras de Börne, y que hoy, cincuenta años después, las poseía aún como el único libro que conservaba de sus años de muchacho. Dijo que este autor había sido el primero de cuyos escritos se había interiorizado. No podía acordarse del ensayo en cuestión, pero otros, como «En memoria de Jean Paul», «El artista en comer», «El loco en la Posada del Cisne Blanco», habían emergido repetidamente en su recuerdo durante largos años sin que hubiera razón discernible para ello. En las páginas dedicadas a indicar la manera de convertirse en escritor original, le asombró, en particular, hallar expresados algunos pensamientos que él mismo había cobijado y sustentado siempre. Por ejemplo: «Una vituperable cobardía para pensar nos refrena a todos. Más oprimente que la censura de los gobiernos es la censura que la opinión pública ejerce sobre nuestra labor espiritual». (Aquí, por lo demás, se menciona la «censura», que en el psicoanálisis reaparece como «censura onírica»...) «A la mayoría de los escritores no les falta, para ser mejores, espíritu, sino carácter. (...) La sinceridad es la fuente de toda genialidad, y los hombres serían más penetrantes si fueran más morales...».

No nos parece imposible, entonces, que esta referencia acaso pusiera en descubierto esa cuota de criptomnesia que en tantos casos es lícito suponer detrás de una aparente originalidad.

Asociación de ideas de una niña de cuatro años[1]
(1920)

He aquí un fragmento tomado de la carta de una madre norteamericana:

«Tengo que contarte lo que la pequeña dijo ayer. Aún no salgo de mi asombro. La prima Emily estaba diciendo que tomaría una vivienda. Entonces la nena expresó: "Si Emily se casa, tendrá un bebé". Quedé muy sorprendida, y le pregunté: "¿De dónde sabes eso?". Y respondió: "Y. . . cuando alguien se casa, siempre tiene un bebé". Yo repetí: "Pero, ¿cómo puedes saberlo?". Y la pequeña: "¡Oh!, sé muchas cosas más, sé también que los árboles crecen en la tierra (*in the ground*)". ¡Mira tú la rara asociación de ideas! Era justamente lo que me proponía decirle algún día para su esclarecimiento. Pero ella continuó todavía: "Sé también que el buen Dios crea el mundo (*makes the world*)". Cuando le escucho decir tales cosas, me cuesta creer que apenas tiene cuatro años».

Parece que la madre ha comprendido por sí misma el tránsito de la primera manifestación de la niña a la segunda. La niña quiere decir: «Yo sé que los hijos crecen en la madre», y expresa ese saber, no de manera directa, sino simbólica, sustituyendo la madre por la Madre Tierra. Numerosas e indubitables observaciones nos han enseñado ya cuán temprano saben los niños servirse de símbolos. Pero tampoco la tercera manifestación de la pequeña carece de

1 [«Gedankenassoziation eines vierjährigen Kindes». *Ediciones en alemán:* 1920: *Int. Z. Psychoanal.*, **6**, pág. 157; 1924: *GS*, **5**, pág. 244; 1926: *Psychoanalyse der Neurosen*, pág. 85; 1931: *Neurosenlehre und Technik*, pág. 172; 1947: *GW*, **12**, pág. 305. {*Traducciones en castellano* (cf. la «Advertencia sobre la edición en castellano», *supra*, pág. xi y *n.* 6): 1929: «Asociación de ideas de una niña de cuatro años», *BN* (17 vols.), **13**, págs. 131-2, trad. de L. López-Ballesteros; 1943: Igual título, *EA*, **13**, págs. 135-6, el mismo traductor; 1948: Igual título, *BN* (2 vols.), **1**, pág. 1208, el mismo traductor; 1953: Igual título, *SR*, **13**, pág. 107, el mismo traductor; 1967: Igual título, *BN* (3 vols.), **1**, pág. 1194, el mismo traductor; 1974: Igual título, *BN* (9 vols.), **7**, pág. 2481, el mismo traductor.}]

relación con las anteriores. No podemos menos que suponer que quiso comunicar otra parte de su saber sobre el origen de los niños: «Sé también que todo eso es la obra del padre». Pero esta vez sustituye las ideas directas por la sublimación que les corresponde: que el buen Dios crea al mundo.

Dr. Anton von Freund[1]
(1920)

El 20 de enero de 1920, pocos días después de cumplir cuarenta años, murió en un sanatorio de Viena el doctor Anton von Freund; había sido secretario general de la Asociación Psicoanalítica Internacional desde el Congreso de Budapest, celebrado en setiembre de 1918. Fue uno de los más esforzados promotores de nuestra ciencia, y era una de sus más bellas esperanzas. Nacido en Budapest en 1880, se doctoró en filosofía, consagrándose a la enseñanza; pero fue persuadido a ingresar en las empresas industriales de su padre. Empero, los grandes éxitos que obtuvo como fabricante y organizador no pudieron satisfacer las dos necesidades que alentaban en lo profundo de su ser: la ayuda social y el quehacer científico. Desinteresado para sí mismo, dotado con todas las virtudes que hechizan a los seres humanos y conquistan su amor, empleó sus recursos materiales para ayudar a otros, aliviarles las penas de su destino y acendrar por doquier el sentido de justicia social. Así se ganó un gran círculo de amigos, a quienes pesa su pérdida.

Cuando en los últimos años de su vida tomó conocimiento del psicoanálisis, parecióle vislumbrar el cumplimiento simultáneo de sus dos grandes deseos. Se impuso la tarea de auxiliar a las masas mediante el psicoanálisis, de aprovechar el poder terapéutico de esta técnica médica, que hasta entonces sólo había podido beneficiar a unos pocos ricos, para aliviar la miseria neurótica de los pobres. Puesto que el Estado no se ocupaba de las neurosis de la población y la mayoría de las clínicas desestimaban la terapia psicoanalítica

1 [«Dr. Anton v. Freund». Publicado por primera vez con la firma «Redaktion und Herausgeber {la redacción y el director} der *Internationaler Zeitschrift für Psychoanalyse*». *Ediciones en alemán:* 1920: *Int. Z. Psychoanal.*, **6**, pág. 95; 1928: *GS*, **11**, pág. 280; 1940: *GW*, **13**, pág. 435. Posiblemente escrito en colaboración con Otto Rank. {*Traducciones en castellano* (cf. la «Advertencia sobre la edición en castellano», *supra*, pág. xi y *n.* 6): 1955: «En memoria de Anton von Freund», *SR*, **20**, págs. 204-5, trad. de L. Rosenthal; 1968: Igual título, *BN* (3 vols.), **3**, págs. 326-7; 1974: Igual título, *BN* (9 vols.), **7**, págs. 2825-6.}]

sin poder ofrecer un sustituto de ella, y como por otra parte los psicoanalistas, en la necesidad de procurarse individualmente sus medios de subsistencia, no estaban en condiciones de emprender una tarea tan gigantesca, Anton von Freund quiso abrir por su iniciativa privada el camino que condujese al cumplimiento de un deber social tan importante para todos. En los años de la guerra había reunido una suma considerable (más de un millón y medio de coronas) para fines humanitarios en la ciudad de Budapest. De acuerdo con el doctor Stephan von Bárczy, a la sazón burgomaestre de la susodicha ciudad, destinó esa suma a fundar en ella un instituto psicoanalítico en el cual se cultivaría el análisis, se lo enseñaría y se lo pondría al alcance del pueblo. El propósito era formar un gran número de médicos en la práctica psicoanalítica, que luego recibirían un estipendio por el tratamiento ambulatorio de neuróticos pobres. Además, el instituto se convertiría en un centro para el perfeccionamiento científico en el análisis. El doctor Ferenczi sería su director científico, y el propio Von Freund se haría cargo de su organización y mantenimiento. El fundador asignó una suma menor para la creación de una Editorial Psicoanalítica Internacional.[2] Pero,

> «¿Qué es de las esperanzas, de los proyectos del hombre, esa criatura transitoria?».[3]

La prematura muerte de Von Freund puso término a estos planes humanitarios y tan prometedores para la ciencia. Si bien el fondo reunido por él existe todavía, la actitud de quienes hoy gobiernan en la capital húngara no permite esperar la realización de sus proyectos. Sólo la editorial psicoanalítica ha nacido en Viena.

A pesar de ello, el ejemplo que quiso dar el muerto ya ha producido su efecto. A pocas semanas de su fallecimiento se abrió en Berlín, merced a la energía y liberalidad del doctor Max Eitingon, la primera policlínica psicoanalítica. Así, aunque la persona de Freund es insustituible e inolvidable, su obra tiene un continuador.

[2] [Cf. «La Editorial Psicoanalítica Internacional y los premios para trabajos psicoanalíticos» (Freud, 1919*c*).]
[3] [Schiller, *Die Braut von Messina*, acto III, escena 5.]

Prólogo a James J. Putnam, *Addresses on Psycho-Analysis*[1] (1921)

El director de esta serie[2] debe sentir una particular satisfacción al poder publicar como volumen inaugural esta colección de escritos psicoanalíticos del profesor James J. Putnam, el distinguido neurólogo de la Universidad de Harvard. El profesor Putnam, fallecido en 1918 a los 72 años de edad, no sólo fue el primer norteamericano que se interesó por el psicoanálisis, sino que pronto se convirtió en su más decidido partidario y su representante más influyente en Estados Unidos. Como consecuencia de la sólida reputación que había ganado merced a su actividad docente, así como su importante obra en el campo de la enfermedad nerviosa orgánica, y gracias al respeto universal de que gozaba su personalidad, pudo hacer más que nadie quizá por la difusión del psicoanálisis en su país y protegerlo contra las calumnias que, del otro lado del Atlántico no menos que de este, inevitablemente le habrían sido dirigidas. Pero todos esos reproches debían silenciarse si un hombre con las elevadas normas éticas y la rectitud moral de Putnam se había sumado a los sostenedores de la nueva ciencia y de la terapia basada en ella.

Los trabajos aquí reunidos en un solo volumen, escritos por Putnam entre 1909 y el fin de su vida, ofrecen un buen cuadro de sus relaciones con el psicoanálisis. Muestran cómo al principio se dedicó a modificar un juicio provisional basado en un conocimiento insuficiente; cómo aceptó lue-

1 [El manuscrito original en alemán no ha podido encontrarse. La versión inglesa de Ernest Jones apareció por primera vez en J. J. Putnam, *Addresses on Psycho-Analysis* {Alocuciones sobre psicoanálisis}, Londres: The International Psychoanalytical Press, 1921. *Ediciones en alemán:* 1928: *GS*, **11**, pág. 262; 1940: *GW*, **13**, pág. 437. — Véase también la nota necrológica de Freud sobre Putnam (1919*b*). {*Traducciones en castellano* (cf. la «Advertencia sobre la edición en castellano», *supra*, pág. xi y *n.* 6): 1955: «Prólogo para un libro de J. J. Putnam», *SR*, **20**, págs. 164-5, trad. de L. Rosenthal; 1968: Igual título, *BN* (3 vols.), **3**, págs. 305-6; 1974: Igual título, *BN* (9 vols.), **7**, págs. 2818-9.}]

2 [La International Psychoanalytical Library, dirigida por Ernest Jones.]

go la esencia del análisis, reconociendo la capacidad que este tenía de echar clara luz sobre el origen de las imperfecciones y las fallas humanas, y lo atrajo la perspectiva de contribuir al mejoramiento de la humanidad siguiendo las líneas fijadas por el análisis; cómo se convenció luego, en su propia actividad médica, de la verdad de la mayoría de las conclusiones y postulados psicoanalíticos, y más tarde atestiguó a su vez que el médico que emplea el análisis comprende mucho más sobre las dolencias de sus pacientes y puede hacer mucho más por ellos de lo que era posible con los métodos anteriores de tratamiento; y cómo, finalmente, comenzó a trascender los límites del análisis exigiendo que este último, en su carácter de ciencia, estuviese vinculado con un particular sistema filosófico y que su práctica se asociase explícitamente a un especial conjunto de doctrinas éticas.

De modo que no ha de sorprender que una mente con inclinaciones tan predominantemente éticas y filosóficas como la de Putnam desease, luego de que hubo penetrado en las profundidades del psicoanálisis, establecer la más estrecha relación entre este último y los propósitos que le eran más caros. Ahora bien, su entusiasmo, tan admirable en un hombre de su avanzada edad, no logró convocar a otros. La reacción de los más jóvenes fue de mayor frialdad. Ferenczi, en especial, expresó el punto de vista opuesto. La razón decisiva para el rechazo de las propuestas de Putnam era la duda acerca de cuál entre los incontables sistemas filosóficos debía aceptarse, ya que todos ellos parecían descansar en una base igualmente insegura y que hasta ese momento se había sacrificado todo en aras de la relativa certidumbre de los resultados psicoanalíticos. Parecía más prudente esperar, y ver si la propia investigación analítica nos imponía, con todo el peso de la necesidad, una determinada actitud hacia la vida.

Es nuestra obligación agradecer a la viuda del autor, la señora de Putnam, la ayuda que nos proporcionó con respecto a los manuscritos y derechos de publicación, así como su apoyo financiero, sin los cuales habría sido imposible editar este volumen. En el caso de los trabajos numerados VI, VII y X no se disponía de manuscritos en inglés; fueron traducidos a este idioma, a partir de los originales en alemán del propio Putnam, por la doctora Katherine Jones.

Este volumen mantendrá fresco en los círculos analíticos el recuerdo del amigo cuya pérdida tan hondamente deploramos. Tal vez sea el primero de una serie de publicaciones que tengan por finalidad promover la comprensión y aplicación del psicoanálisis entre quienes hablan la lengua inglesa, finalidad a la que James J. Putnam consagró los diez últimos años de su fructífera vida.

Enero de 1921

Introducción a J. Varendonck, *The Psychology of Day-Dreams**[1] (1921)

El presente libro del doctor Varendonck contiene una importante novedad y despertará con justicia el interés de todos los filósofos, psicólogos y psicoanalistas. Tras años de esfuerzos, el autor ha logrado asir el modo de la actividad fantaseadora de pensamiento a que uno se entrega en los estados de distracción y en la que se cae con facilidad antes de dormirse o tras un despertar incompleto. Ha llevado a la conciencia las cadenas de pensamiento que en tales circunstancias se instalan sin la voluntad de la persona; las ha consignado por escrito, estudiando sus peculiaridades y sus diferencias respecto del pensar deliberado y conciente, obteniendo de ese modo una serie de importantes descubrimientos, que llevan a problemas todavía más vastos y dan origen a la formulación de preguntas aún más abarcadoras. Mediante las observaciones del doctor Varendonck hallan solución cierta muchos puntos de la psicología del sueño y de las operaciones fallidas.

No es mi propósito pasar revista aquí a los resultados del autor. Me contentaré con señalar la importancia de su trabajo, y sólo me permitiré hacer una acotación respecto de la terminología que ha adoptado. Se ocupa de la actividad

* {La psicología de los sueños diurnos.}

1 [*Primera edición en inglés:* 1921: Londres: Allen & Unwin. Es probable que esta «Introducción» haya sido escrita por Freud en inglés. El libro de Varendonck fue traducido al alemán por Anna Freud con el título *Über das vorbewusste phantasierende Denken* (Viena, 1922), y esta traducción incluyó la versión en alemán (también escrita probablemente por Freud) del primer párrafo, únicamente, de la presente introducción. Este párrafo fue reimpreso (en alemán) en 1928: *GS*, **11**, pág. 264, y en 1940: *GW*, **13**, pág. 439. En *GW* figura, además, la versión inglesa del segundo párrafo (del cual no existe original en alemán). {*Traducciones en castellano* (cf. la «Advertencia sobre la edición en castellano», *supra*, pág. xi y *n.* 6): 1955: «Prólogo para un libro de J. Varendonck», *SR*, **20**, págs. 167-8, trad. de L. Rosenthal; 1968: Igual título, *BN* (3 vols.), **3**, págs. 307-8; 1974: Igual título, *BN* (9 vols.), **7**, págs. 2816-7.} Hay una breve alusión al libro de Varendonck en el resumen, titulado «Complementos a la doctrina de los sueños» (1920*f*), de la conferencia que pronunció Freud en el Congreso de La Haya; cf. mi «Nota introductoria» a *Más allá del principio de placer* (1920*g*), *supra*, págs. 5-6.]

de pensamiento que ha observado en el pensamiento autista de Bleuler, pero por regla general la denomina *pensamiento preconciente*, según se acostumbra en psicoanálisis. Sin embargo, el pensamiento autista de Bleuler en modo alguno se corresponde, en extensión y contenido, con lo preconciente, ni puedo yo aceptar que el nombre empleado por Bleuler sea el producto de una elección feliz. La propia designación de «pensamiento preconciente», como caracterización, me parece equívoca e insatisfactoria. Lo cierto es que la clase de actividad de pensamiento de la cual es un ejemplo el bien conocido sueño diurno —completa en sí misma, y que desarrolla una situación o acto llevados a su término— constituye el mejor ejemplo y el único estudiado hasta la fecha. Este sueño diurno no debe sus peculiaridades a la circunstancia de trascurrir en su mayor parte preconcientemente, ni se modifican las formas cuando se lo lleva a cabo concientemente. Desde otro punto de vista, sabemos también que incluso una reflexión estrictamente orientada puede obtenerse sin la cooperación de la conciencia, o sea, de manera preconciente. Por tal motivo, creo conveniente que al establecer una distinción entre las diferentes modalidades de actividad de pensamiento no se recurra en primer término a la relación con la conciencia, y considero preferible designar al sueño diurno, al igual que a las cadenas de pensamiento estudiadas por Varendonck, como pensamiento fantaseador o de libre discurrir, por oposición a la reflexión intencionalmente dirigida. Al mismo tiempo, debe tenerse en cuenta que ni siquiera el pensamiento fantaseador carece siempre de una meta y de representaciones-meta.

La cabeza de Medusa[1]
(1940 [1922])

No hemos intentado con frecuencia la interpretación de productos mitológicos singulares. Es palmaria en el caso de la horripilante cabeza decapitada de Medusa.

Decapitar = castrar. El terror a la Medusa es entonces un terror a la castración, terror asociado a una visión. Por innumerables análisis conocemos su ocasión: se presenta cuando el muchacho que hasta entonces no había creído en la amenaza ve un genital femenino. Probablemente el de una mujer adulta, rodeado por vello; en el fondo, el de la madre.

Si el arte figura tan a menudo los cabellos de la cabeza de Medusa como serpientes, también estas provienen del complejo de castración y, cosa notable, por terrorífico que sea su efecto en sí mismas, en verdad contribuyen a mitigar el horror, pues sustituyen al pene, cuya falta es la causa del horror. Aquí se corrobora una regla técnica: la multiplicación de los símbolos del pene significa castración.[2]

La visión de la cabeza de Medusa petrifica de horror, trasforma en piedra a quien la mira. ¡El mismo origen en el complejo de castración y el mismo cambio del afecto! El petrificarse significa la erección, y en la situación originaria es, por tanto, el consuelo del que mira. Es que él posee, no obstante, un pene, y se lo asegura por su petrificación.

Atenea, la diosa virgen, lleva en su vestido este símbolo del horror. Y con justicia, pues eso la hace una mujer inabordable, que rechaza toda concupiscencia sexual. Deja ver, en efecto, los terroríficos genitales de la madre. A los griegos, en su generalidad fuertemente homosexuales, no podía

[1] [«Das Medusenhaupt». *Ediciones en alemán:* Publicado por primera vez, póstumamente, en 1940: *Int. Z. Psychoanal.-Imago*, **25**, pág. 105; 1941: *GW*, **17**, pág. 47. El manuscrito está fechado el 14 de mayo de 1922 y parece ser el bosquejo de una obra más amplia. {*Traducciones en castellano* (cf. la «Advertencia sobre la edición en castellano», *supra*, pág. xi y *n.* 6): 1955: «La cabeza de Medusa», *SR*, **21**, págs. 51-4, trad. de L. Rosenthal; 1968: Igual título, *BN* (3 vols.), **3**, págs. 385-6; 1974: Igual título, *BN* (9 vols.), **7**, pág. 2697.}]

[2] [Se hace referencia a esto en el trabajo de Freud sobre «Lo ominoso» (1919*h*), sección II.]

faltarles la figuración de la mujer que aterroriza por su castración.

Si la cabeza de Medusa sustituye la figuración del genital femenino, y más bien aísla su efecto excitador de horror de su efecto excitador de lubricidad, puede recordarse que enseñar los genitales es conocido como acción apotropaica. Lo que excita horror en uno mismo provocará igual efecto en el enemigo con quien se lucha. Todavía en Rabelais el diablo emprende la huida después que la mujer le enseñó su vulva.

También el miembro masculino erecto sirve para provocar un efecto apotropaico, pero en virtud de otro mecanismo. Enseñar el pene —y todos sus subrogados— quiere decir: «No tengo miedo de ti, yo te desafío, tengo un pene». Por eso es otro modo de amedrentar al Espíritu Malo.[3]

Ahora bien, para sustentar seriamente esta interpretación se debería perseguir por separado la génesis de este símbolo del horror en la mitología de los griegos y sus paralelos en otras mitologías.[4]

3 [Tal vez valga la pena citar aquí una nota al pie agregada por Freud (1911*b*) a un artículo de Stekel sobre la psicología del exhibicionismo (1911*b*): «El doctor Stekel propone aquí reconducir el exhibicionismo a fuerzas impulsoras narcisistas inconcientes. Creo probable que la misma explicación se aplique al papel apotropaico del desnudamiento, que hallamos entre los pueblos antiguos». {*Traducción anterior en castellano:* 1974: *BN* (9 vols.), **7**, pág. 2697*n*.}]

4 [De este tema se ocupó Ferenczi (1923) en un muy breve trabajo, a su vez comentado por Freud en «La organización genital infantil» (1923*e*), *AE*, **19**, pág. 148.]

Prólogo a Raymond de Saussure, *La méthode psychanalytique** [1] (1922)

Con gran placer puedo asegurar al público que la presente obra del doctor De Saussure es valiosa y meritoria. Ha sido particularmente bien concebida para brindar a los lectores franceses una idea correcta acerca de lo que es el psicoanálisis y de lo que contiene.

El doctor De Saussure no sólo ha estudiado escrupulosamente mis escritos sino que ha hecho el sacrificio de someterse a un análisis conmigo durante varios meses. Esto le ha permitido formarse su propio juicio sobre la mayoría de las cuestiones que aún no han sido resueltas por el psicoanálisis, y evitar las numerosas distorsiones y errores a que nos tienen habituados las exposiciones tanto francesas como alemanas del psicoanálisis. Tampoco ha dejado de refutar ciertas afirmaciones falsas o negligentes que los comentaristas se trasmiten uno al otro, como por ejemplo que todos los sueños tienen significado sexual o que, según mi opinión, la única fuerza impulsora de nuestra vida psíquica es la libido sexual.

Como el doctor De Saussure dice en su prólogo que yo he corregido su obra, debo hacer esta salvedad: mi influencia sólo se ha dejado sentir en unas pocas correcciones y comentarios, y en modo alguno pretendí usurpar la independencia de criterio del autor. En la primera parte del libro, la teórica, yo habría expuesto las cosas en forma algo diferente de lo que él lo hace —p. ej., en el difícil tema del pre-

* {El método psicoanalítico.}

1 [*Primera edición en francés:* 1922: Lausana y Ginebra, págs. vii-viii. El texto alemán no ha sido publicado y la versión francesa parece no haber sido nunca reimpresa. No figura ni en *GS* ni en *GW*. Gracias a la gentileza del doctor De Saussure hemos podido ver el manuscrito original en alemán, y nuestra traducción se basa en él. Por ello difiere levemente, en dos o tres puntos, de la versión francesa. {Este prólogo apareció en el volumen 19 de la *Standard Edition*, págs. 283-4; allí, el propio Strachey consigna que por la fecha en que fue escrito correspondía incluirlo en el volumen anterior, pero que ello no fue posible porque tomó conocimiento del escrito cuando ese volumen ya estaba en prensa. — La presente traducción ha sido efectuada de la versión inglesa de Strachey.}]

conciente y el inconciente—. Y, sobre todo, habría tratado mucho más exhaustivamente el complejo de Edipo.

El excelente sueño que el doctor Odier puso a disposición del autor puede dar, aun al novato, una idea acerca de la riqueza de las asociaciones oníricas y de la relación entre la imagen onírica manifiesta y los pensamientos latentes que se ocultan tras ella. Demuestra, asimismo, la significación que el análisis de un sueño puede tener en el tratamiento de un paciente.

Por último, las observaciones que hace el autor a modo de conclusión sobre la técnica del psicoanálisis son espléndidas. Son por entero correctas y, pese a su brevedad, no dejan de lado nada esencial. Constituyen una prueba convincente de la fina captación del autor. Por supuesto, el lector no debe inferir que el conocimiento de estas reglas técnicas lo capacitará, por sí solo, para emprender un análisis.

Hoy el psicoanálisis está comenzando a despertar en mayor medida el interés de los profesionales y legos también en Francia; sin duda, no encontrará allí menos resistencias que las que ya encontró antes en otros países. Esperemos que el libro del doctor De Saussure sea un importante aporte para la clarificación de las argumentaciones que tenemos por delante.

Viena, febrero de 1922

Bibliografía e índice de autores

[Los títulos de libros y de publicaciones periódicas se dan en bastardillas, y los de artículos, entre comillas. Las abreviaturas utilizadas para las publicaciones periódicas fueron tomadas de la *World List of Scientific Periodicals* (Londres, 1952; 4ª ed., 1963-65). Otras abreviaturas empleadas en este libro figuran *supra*, págs. xii-xiii. Los números en negrita corresponden a los volúmenes en el caso de las revistas y otras publicaciones, y a los tomos en el caso de libros. Las cifras entre paréntesis al final de cada entrada indican la página o páginas de este libro en que se menciona la obra en cuestión. Las letras en bastardilla anexas a las fechas de publicación (tanto de obras de Freud como de otros autores) concuerdan con las correspondientes entradas de la «Bibliografía general» que será incluida en el volumen 24 de estas *Obras completas*.

Esta bibliografía cumple las veces de índice onomástico para los autores de trabajos especializados que se mencionan a lo largo del volumen. Para los autores no especializados, y para aquellos autores especializados de los que no se menciona ninguna obra en particular, consúltese el «Indice alfabético».

{En las obras de Freud se han agregado entre llaves las referencias a la *Studienausgabe* (*SA*), así como a las versiones castellanas de Santiago Rueda (*SR*), Biblioteca Nueva (*BN*, 1972-75, 9 vols.) o *Revista de Psicoanálisis* (*RP*), y a las incluidas en los volúmenes correspondientes a esta versión de Amorrortu editores (*AE*). En las obras de otros autores se consignan, también entre llaves, las versiones castellanas que han podido verificarse con las fuentes de consulta bibliográfica disponibles.}]

Abraham, K. (1912) «Ansätze zur psychoanalytischen Erforschung und Behandlung des manisch-depressiven Irreseins und verwandter Zustände», *Zbl. Psychoanal.*, **2**, pág. 302. {«Notas sobre la investigación y tratamiento psicoanalíticos de la locura maníaco-depresiva y condiciones asociadas», en *Psicoanálisis clínico*, Buenos Aires: Hormé, cap. 6, pág. 104. «Sobre la exploración y el tratamiento psicoanalítico de la psicosis maníaco-depresiva y estados análogos», *RP*, **3**, nº 2, 1945-46, pág. 314.} (125)

(1916) «Untersuchungen über die früheste prägenitale Entwicklungsstufe der Libido», *Int. Z. ärztl. Psychoanal.*, **4**, pág. 71. {«La primera etapa pregenital de la libido», en *Psicoanálisis clínico*, Buenos Aires: Hormé, cap. 12, pág. 189. En *Contribuciones a la teoría de la libido*, Buenos Aires: Hormé, pág. 9. En *RP*, **3**, nº 3, 1945-46, pág. 586.} (99)

Adler, A. (1908) «Der Aggressionstrieb im Leben und in der Neurose», *Fortschr. Med.*, **26**, pág. 577. (52)

Bernheim, H. (1886) *De la suggestion et de ses applications à la thérapeutique*, París. (2ª ed., 1887.) (121)

Bleuler, E. (1912) «Das autistische Denken», *Jb. psychoanalyt. psychopath. Forsch.*, **4**, nº 1; en forma de libro: Leipzig y Viena, 1912. (67)

(1916) «Physisch und Psychisch in der Pathologie», *Z. ges. Neurol. Psychiat.*, **30**, pág. 426. (222)

Breuer, J. y Freud, S. (1893): *véase* Freud, S. (1893*a*).

(1895): *véase* Freud, S. (1895*d*).

(1940): *véase* Freud, S. (1940*d*).

Brugeilles, R. (1913) «L'essence du phénomène social: la suggestion», *Rev. phil.*, **75**, pág. 593. (84)

Devereux, G. (1953) *Psychoanalysis and the Occult*, Nueva York. (208)

Doflein, F. (1919) *Das Problem des Todes und der Unsterblichkeit bei den Pflanzen und Tieren*, Jena. (46)

Ellis, H. (1919) *The Philosophy of Conflict and Other Essays in Wartime*, 2ª serie, Londres. (257)

Fechner, G. T. (1873) *Einige Ideen zur Schöpfungs- und Entwicklungsgeschichte der Organismen*, Leipzig. (8-9)

Federn, P. (1919) *Die vaterlose Gesellschaft*, Viena. (94)

Felszeghy, B. von (1920) «Panik und Pankomplex», *Imago*, **6**, pág. 1. (93)

Ferenczi, S. (1909) «Introjektion und Übertragung», *Jb. psychoanalyt. psychopath. Forsch.*, **1**, pág. 422. {«Introyección y trasferencia», en *Sexo y psicoanálisis*, Buenos Aires: Hormé, cap. II, pág. 35. En *RP*, **6**, nºs 3-4, 1948-49, pág. 701.} (107, 120)

(1913*c*) «Entwicklungsstufen des Wirklichkeitssinnes», *Int. Z. ärztl. Psychoanal.*, **1**, pág. 124. {«Estadios en el desarrollo del sentido de la realidad», en *Sexo y psi-*

coanálisis, Buenos Aires: Hormé, cap. VIII, pág. 153. En *RP*, **5**, nº 3, 1947-48, pág. 807.} (41)
(1917) «Träume der Ahnungslosen», *Int. Z. ärztl. Psychoanal.*, **4**, pág. 208. {«Sueños sobre cosas "insospechables"», en *Teoría y técnica del psicoanálisis*, Buenos Aires: Paidós, cap. LVI, pág. 284.} (205)
(1923) «Zur Symbolik des Medusenhauptes», *Int. Z. Psychoanal.*, **9**, pág. 69. {«Sobre el simbolismo de la cabeza de la Medusa», en *Teoría y técnica del psicoanálisis*, Buenos Aires: Paidós, pág. 296.} (271)

Ferenczi, S. *et. al.* (1919) *Zur Psychoanalyse der Kriegsneurosen*, Leipzig y Viena. (12)

Fliess, W. (1906) *Der Ablauf des Lebens*, Viena. (44)

Forel, A. (1889*b*) *Der Hypnotismus, seine Bedeutung und seine Handhabung in kurzgefasster Darstellung*, Stuttgart. (66, 85)

Freud, S. (1888-89) Traducción, con prólogo y notas complementarios, de H. Bernheim, *De la suggestion et de ses applications à la thérapeutique*, París, 1886, con el título *Die Suggestion und ihre Heilwirkung* {De la sugestión y sus aplicaciones a la terapéutica}, Viena (parte II trad. por O. von Springer). (2ª ed., rev. por M. Kahane, Viena, 1896.) *SE*, **1**, pág. 73 (prólogo). {*SR*, **21**, pág. 374 (prólogo y notas); *BN*, **1**, pág. 4 (prólogo y notas); *AE*, **1**, pág. 77.} (121)
(1889*a*) Reseña de A. Forel, *Der Hypnotismus, seine Bedeutung und seine Handhabung* {Hipnotismo, su significación y su manejo}, *Wien. med. Wschr.*, **39**, págs. 1097 y 1892. *SE*, **1**, pág. 91. {*AE*, **1**, pág. 95.} (66, 85)
(1890*a*) Registrado anteriormente como (1905*b* [1890]) «Psychische Behandlung (Seelenbehandlung)» {«Tratamiento psíquico (tratamiento del alma)»}, *GW*, **5**, pág. 289; *SE*, **7**, pág. 283. {*SA*, «Ergänzungsband» (Volumen complementario), pág. 13; *SR*, **21**, pág. 143; *BN*, **3**, pág. 1014; *AE*, **1**, pág. 111.} (85, 108)
(1893*a*) En colaboración con Breuer, J., «Über den psychischen Mechanismus hysterischer Phänomene: Vorläufige Mitteilung» {«Sobre el mecanismo psíquico de fenómenos histéricos: comunicación preliminar». Es el cap. I de *Estudios sobre la histeria* (1895)}, *GS*, **1**, pág. 7; *GW*, **1**, pág. 81; *SE*, **2**, pág. 3. {*SR*, **10**, pág. 9; *BN*, **1**, pág. 41; *AE*, **2**, pág. 27.} (13, 231)
(1895*b* [1894]) «Über die Berechtigung, von der Neurasthenie einen bestimmten Symptomenkomplex als

Freud, S. *(cont.)*
"Angstneurose" abzutrennen» {«Sobre la justificación de separar de la neurastenia un determinado síndrome en calidad de "neurosis de angustia"»}, *GS*, **1**, pág. 306; *GW*, **1**, pág. 315; *SE*, **3**, pág. 87. {*SA*, **6**, pág. 25; *SR*, **11**, pág. 99; *BN*, **1**, pág. 183; *AE*, **3**, pág. 85.} (250)

(1895*d*) En colaboración con Breuer, J., *Studien über Hysterie* {*Estudios sobre la histeria*}, Viena; reimpresión, Francfort, 1970. *GS*, **1**, pág. 3; *GW*, **1**, pág. 77 (estas ediciones no incluyen las contribuciones de Breuer); *SE*, **2** (incluye las contribuciones de Breuer). {*SA*, «Ergänzungsband» (Volumen complementario), pág. 37 (sólo la parte IV: «Zur Psychotherapie der Hysterie»); *SR*, **10**, pág. 7; *BN*, **1**, pág. 39 (estas ediciones no incluyen las contribuciones de Breuer); *AE*, **2** (incluye las contribuciones de Breuer).} (9, 25-6, 34, 120, 140, 231-3)

(1899*a*) «Über Deckerinnerungen» {«Sobre los recuerdos encubridores»}, *GS*, **1**, pág. 465; *GW*, **1**, pág. 531; *SE*, **3**, pág. 301. {*SR*, **12**, pág. 205; *BN*, **1**, pág. 330; *AE*, **3**, pág. 291.} (206)

(1900*a* [1899]) *Die Traumdeutung* {*La interpretación de los sueños*}, Viena. *GS*, **2-3**; *GW*, **2-3**; *SE*, **4-5**. {*SA*, **2**; *SR*, **6-7**, y **19**, pág. 217; *BN*, **2**, pág. 343; *AE*, **4-5**.} (5, 14-5, 24-5, 32-4, 74-5, 98, 158, 168, 189-90, 199-200, 204, 208, 211, 237, 258)

(1901*b*) *Zur Psychopathologie des Alltagslebens* {*Psicopatología de la vida cotidiana*}, Berlín, 1904. *GS*, **4**, pág. 3; *GW*, **4**; *SE*, **6**. {*SR*, **1**; *BN*, **3**, pág. 755; *AE*, **6**.} (183, 206, 216)

(1905*c*) *Der Witz und seine Beziehung zum Unbewussten* {*El chiste y su relación con lo inconciente*}, Viena. *GS*, **9**, pág. 5; *GW*, **6**; *SE*, **8**. {*SA*, **4**, pág. 9; *SR*, **3**, pág. 7; *BN*, **3**, pág. 1029; *AE*, **8**.} (35, 120, 179)

(1905*d*) *Drei Abhandlungen zur Sexualtheorie* {*Tres ensayos de teoría sexual*}, Viena. *GS*, **5**, pág. 3; *GW*, **5**, pág. 29; *SE*, **7**, pág. 125. {*SA*, **5**, pág. 37; *SR*, **2**, pág. 7, y **20**, pág. 187; *BN*, **4**, pág. 1169; *AE*, **7**, pág. 109.} (32-3, 52-3, 57, 76, 88, 98-9, 105, 108, 130, 136, 147, 164)

(1905*e* [1901]) «Bruchstück einer Hysterie-Analyse» {«Fragmento de análisis de un caso de histeria»}, *GS*, **8**, pág. 3; *GW*, **5**, pág. 163; *SE*, **7**, pág. 3. {*SA*, **6**, pág. 83; *SR*, **15**, pág. 7; *BN*, **3**, pág. 933; *AE*, **7**, pág. 1.} (100, 140, 204)

Freud, S. *(cont.)*
(1909*b*) «Analyse der Phobie eines fünfjährigen Knaben» {«Análisis de la fobia de un niño de cinco años»}, *GS*, **8**, pág. 129; *GW*, **7**, pág. 243; *SE*, **10**, pág. 3. {*SA*, **8**, pág. 9; *SR*, **15**, pág. 113; *BN*, **4**, pág. 1365; *AE*, **10**, pág. 1.} (85)
(1909*d*) «Bemerkungen über einen Fall von Zwangsneurose» {«A propósito de un caso de neurosis obsesiva»}, *GS*, **8**, pág. 269; *GW*, **7**, pág. 381; *SE*, **10**, pág. 155. {*SA*, **7**, pág. 31; *SR*, **16**, pág. 7; *BN*, **4**, pág. 1441; *AE*, **10**, pág. 119.} (209)
(1910*c*) *Eine Kindheitserinnerung des Leonardo da Vinci* {*Un recuerdo infantil de Leonardo da Vinci*}, Viena. *GS*, **9**, pág. 371; *GW*, **8**, pág. 128; *SE*, **11**, pág. 59. {*SA*, **10**, pág. 87; *SR*, **8**, pág. 167; *BN*, **5**, pág. 1577; *AE*, **11**, pág. 53.} (102, 224)
(1910*d*) «Die zukünftigen Chancen der psychoanalytischen Therapie» {«Las perspectivas futuras de la terapia psicoanalítica»}, *GS*, **6**, pág. 25; *GW*, **8**, pág. 104; *SE*, **11**, pág. 141. {*SA*, «Ergänzungsband» (Volumen complementario), pág. 121; *SR*, **14**, pág. 73; *BN*, **5**, pág. 1564; *AE*, **11**, pág. 129.} (135)
(1910*h*) «Über einen besonderen Typus der Objektwahl beim Manne (Beiträge zur Psychologie des Liebeslebens, I)» {«Sobre un tipo particular de elección de objeto en el hombre (Contribuciones a la psicología del amor, I)»}, *GS*, **5**, pág. 186; *GW*, **8**, pág. 66; *SE*, **11**, pág. 165. {*SA*, **5**, pág. 185; *SR*, **13**, pág. 61; *BN*, **5**, pág. 1625; *AE*, **11**, pág. 155.} (154)
(1910*i*) «Die psychogene Sehstörung in psychoanalytischer Auffassung» {«La perturbación psicógena de la visión según el psicoanálisis»}, *GS*, **5**, pág. 310; *GW*, **8**, pág. 94; *SE*, **11**, pág. 211. {*SA*, **6**, pág. 205; *SR*, **13**, pág. 151; *BN*, **5**, pág. 1631; *AE*, **11**, pág. 205.} (50)
(1911*b*) «Formulierungen über die zwei Prinzipien des psychischen Geschehens» {«Formulaciones sobre los dos principios del acaecer psíquico»}, *GS*, **5**, pág. 409; *GW*, **8**, pág. 230; *SE*, **12**, pág. 215. {*SA*, **3**, pág. 13; *SR*, **14**, pág. 199; *BN*, **5**, pág. 1638; *AE*, **12**, pág. 217.} (6, 10)
(1911*c* [1910]) «Psychoanalytische Bemerkungen über einen autobiographisch beschriebenen Fall von Paranoia (Dementia paranoides)» {«Puntualizaciones psicoanalíticas sobre un caso de paranoia (dementia paranoides) descrito autobiográficamente»}, *GS*, **8**, pág. 355; *GW*, **8**, pág. 240; *SE*, **12**, pág. 3. {*SA*, **7**, pág.

Freud, S. *(cont.)*
133; *SR*, **16**, pág. 77; *BN*, **4**, pág. 1487; *AE*, **12**, pág. 1.} (219)
(1912*d*) «Über die allgemeinste Erniedrigung des Liebeslebens (Beiträge zur Psychologie des Liebeslebens, II)» {«Sobre la más generalizada degradación de la vida amorosa (Contribuciones a la psicología del amor, II)», *GS*, **5**, pág. 198; *GW*, **8**, pág. 78; *SE*, **11**, pág. 179. {*SA*, **5**, pág. 197; *SR*, **13**, pág. 70; *BN*, **5**, pág. 1710; *AE*, **11**, pág. 169.} (106, 133)
(1912-13) *Totem und Tabu* {*Tótem y tabú*}, Viena, 1913. *GS*, **10**, pág. 3; *GW*, **9**; *SE*, **13**, pág. 1. {*SA*, **9**, pág. 287; *SR*, **8**, pág. 7; *BN*, **5**, pág. 1745; *AE*, **13**, pág. 1.} (66, 74, 76, 104, 116, 118-9, 124, 128, 135)
(1914*c*) «Zur Einführung des Narzissmus» {«Introducción del narcisismo»}, *GS*, **6**, pág. 155; *GW*, **10**, pág. 138; *SE*, **14**, pág. 69. {*SA*, **3**, pág. 37; *SR*, **14**, pág. 171; *BN*, **6**, pág. 2017; *AE*, **14**, pág. 65.} (6, 33, 50-1, 66, 97, 99, 103-4, 106, 123-4)
(1914*g*) «Erinnern, Wiederholen und Durcharbeiten (Weitere Ratschläge zur Technik der Psychoanalyse, II)» {«Recordar, repetir y reelaborar (Nuevos consejos sobre la técnica del psicoanálisis, II)»}, *GS*, **6**, pág. 109; *GW*, **10**, pág. 126; *SE*, **12**, pág. 147. {*SA*, «Ergänzungsband» (Volumen complementario), pág. 205; *SR*, **14**, pág. 139; *BN*, **5**, pág. 1683; *AE*, **12**, pág. 145.} (18, 146)
(1915*b*) «Zeitgemässes über Krieg und Tod» {«De guerra y muerte. Temas de actualidad»}, *GS*, **10**, pág. 315; *GW*, **10**, pág. 324; *SE*, **14**, pág. 275. {*SA*, **9**, pág. 33; *SR*, **18**, pág. 219; *BN*, **6**, pág. 2101; *AE*, **14**, pág. 273.} (71, 155)
(1915*c*) «Triebe und Triebschicksale» {«Pulsiones y destinos de pulsión»}, *GS*, **5**, pág. 443; *GW*, **10**, pág. 210; *SE*, **14**, pág. 111. {*SA*, **3**, pág. 75; *SR*, **9**, pág. 100; *BN*, **6**, pág. 2039; *AE*, **14**, pág. 105.} (6, 29, 53)
(1915*e*) «Das Unbewusste» {«Lo inconciente»}, *GS*, **5**, pág. 480; *GW*, **10**, pág. 264; *SE*, **14**, pág. 161. {*SA*, **3**, pág. 119; *SR*, **9**, pág. 133; *BN*, **6**, pág. 2061; *AE*, **14**, pág. 153.} (7, 24, 28)
(1916-17 [1915-17]) *Vorlesungen zur Einführung in die Psychoanalyse* {*Conferencias de introducción al psicoanálisis*}, Viena. *GS*, **7**; *GW*, **11**; *SE*, **15-16**. {*SA*, **1**, pág. 33; *SR*, **4-5**; *BN*, **6**, pág. 2123; *AE*, **15-16**.} (20, 92, 113, 200)

Freud, S. *(cont.)*
(1917*b*) «Eine Kindheitserinnerung aus *Dichtung und Wahrheit*» {«Un recuerdo de infancia en *Poesía y verdad*»}, *GS*, **10**, pág. 357; *GW*, **12**, pág. 15; *SE*, **17**, pág. 147. {*SA*, **10**, pág. 255; *SR*, **18**, pág. 139; *BN*, **7**, pág. 2437; *AE*, **17**, pág. 137.} (16)
(1917*d* [1915]) «Metapsychologische Ergänzung zur Traumlehre» {«Complemento metapsicológico a la doctrina de los sueños»}, *GS*, **5**, pág. 520; *GW*, **10**, pág. 412; *SE*, **14**, pág. 219. {*SA*, **3**, pág. 175; *SR*, **9**, pág. 165; *BN*, **6**, pág. 2083; *AE*, **14**, pág. 215.} (24, 30, 108)
(1917*e* [1915]) «Trauer und Melancholie» {«Duelo y melancolía»}, *GS*, **5**, pág. 535; *GW*, **10**, pág. 428; *SE*, **14**, pág. 239. {*SA*, **3**, pág. 193; *SR*, **9**, pág. 177; *BN*, **6**, pág. 2091; *AE*, **14**, pág. 235.} (66, 98, 103, 123)
(1918*a* [1917]) «Das Tabu der Virginität (Beiträge zur Psychologie des Liebeslebens, III)» {«El tabú de la virginidad (Contribuciones a la psicología del amor, III)»}, *GS*, **5**, pág. 212; *GW*, **12**, pág. 161; *SE*, **11**, pág. 193. {*SA*, **5**, pág. 211; *SR*, **13**, pág. 81; *BN*, **7**, pág. 2444; *AE*, **11**, pág. 185.} (107)
(1919*b*) «James J. Putnam» {Nota necrológica}, *GS*, **11**, pág. 276; *GW*, **12**, pág. 315; *SE*, **17**, pág. 271. {*SR*, **20**, pág. 199; *BN*, **7**, pág. 2822; *AE*, **17**, pág. 264.} (265)
(1919*c*) «Internationaler Psychoanalytischer Verlag und Preiszuteilungen für psychoanalytische Arbeiten» {«La Editorial Psicoanalítica Internacional y los premios para trabajos psicoanalíticos»}, *GW*, **12**, pág. 333; *SE*, **17**, pág. 267. {*SR*, **20**, pág. 227; *BN*, **7**, pág. 2829; *AE*, **17**, pág. 260.} (264)
(1919*d*) Introducción a *Zur Psychoanalyse der Kriegsneurosen* {Sobre el psicoanálisis de las neurosis de guerra}, Viena. *GS*, **11**, pág. 252; *GW*, **12**, pág. 321; *SE*, **17**, pág. 207. {*SR*, **20**, pág. 154; *BN*, **7**, pág. 2542; *AE*, **17**, pág. 201.} (12, 32)
(1919*h*) «Das Unheimliche» {«Lo ominoso»}, *GS*, **10**, pág. 369; *GW*, **12**, pág. 229; *SE*, **17**, pág. 219. {*SA*, **4**, pág. 241; *SR*, **18**, pág. 151; *BN*, **7**, pág. 2483; *AE*, **17**, pág. 215.} (4, 119, 270)
(1920*a*) «Über die Psychogenese eines Falles von weiblicher Homosexualität» {«Sobre la psicogénesis de un caso de homosexualidad femenina»}, *GS*, **5**, pág. 312; *GW*, **12**, pág. 271; *SE*, **18**, pág. 147. {*SA*, **7**, pág.

Freud, S. *(cont.)*
255; *SR*, **13**, pág. 160; *BN*, **7**, pág. 2545; *AE*, **18**, pág. 137.} (102, 223)

(1920*f*) «Ergänzungen zur Traumlehre» {«Complementos a la doctrina de los sueños»}, *Int. Z. Psychoanal.*, **6**, pág. 397; *SE*, **18**, pág. 4. {*SR*, **19**, pág. 137; *BN*, **7**, pág. 2630; *AE*, **18**, pág. 4.} (268)

(1920*g*) *Jenseits des Lustprinzips* {*Más allá del principio de placer*}, Viena. *GS*, **6**, pág. 191; *GW*, **13**, pág. 3; *SE*, **18**, pág. 7. {*SA*, **3**, pág. 213; *SR*, **2**, pág. 217; *BN*, **7**, pág. 2507; *AE*, **18**, pág. 1.} (66, 88, 97, 112, 200, 268)

(1921*b*) Introducción (en inglés) a J. Varendonck, *The Psychology of Day-Dreams* {La psicología de los sueños diurnos}, Londres. Traducido parcialmente en la versión alemana del libro de Varendonck, *Über das vorbewusste phantasierende Denken*, Viena, 1922. *GS*, **11**, pág. 264; *GW*, **13**, pág. 439; *SE*, **18**, pág. 271. {*SR*, **20**, pág. 167; *BN*, **7**, pág. 2816; *AE*, **18**, pág. 268.} (5)

(1921*c*) *Massenpsychologie und Ich-Analyse* {*Psicología de las masas y análisis del yo*}, Viena. *GS*, **6**, pág. 261; *GW*, **13**, pág. 71; *SE*, **18**, pág. 69. {*SA*, **9**, pág. 61; *SR*, **9**, pág. 7; *BN*, **7**, pág. 2563; *AE*, **18**, pág. 63.} (176, 225)

(1922*a*) «Traum und Telepathie» {«Sueño y telepatía»}, *GS*, **3**, pág. 278; *GW*, **13**, pág. 165; *SE*, **18**, pág. 197. {*SR*, **19**, pág. 139; *BN*, **7**, pág. 2631; *AE*, **18**, pág. 185.} (168)

(1922*b* [1921]) «Über einige neurotische Mechanismen bei Eifersucht, Paranoia und Homosexualität» {«Sobre algunos mecanismos neuróticos en los celos, la paranoia y la homosexualidad»}, *GS*, **5**, pág. 387; *GW*, **13**, pág. 195; *SE*, **18**, pág. 223. {*SA*, **7**, pág. 217; *SR*, **13**, pág. 219; *BN*, **7**, pág. 2611; *AE*, **18**, pág. 213.} (102, 158, 164)

(1923*b*) *Das Ich und das Es* {*El yo y el ello*}, Viena. *GS*, **6**, pág. 351; *GW*, **13**, pág. 237; *SE*, **19**, pág. 3. {*SA*, **3**, pág. 273; *SR*, **9**, pág. 191; *BN*, **7**, pág. 2701; *AE*, **19**, pág. 1.} (6, 19, 50, 53, 66, 100, 108, 126, 229, 253)

(1923*c* [1922]) «Bemerkungen zur Theorie und Praxis der Traumdeutung» {«Observaciones sobre la teoría y la práctica de la interpretación de los sueños»}, *GS*, **3**, pág. 305; *GW*, **13**, pág. 301; *SE*, **19**, pág. 109. {*SA*, «Ergänzungsband» (Volumen complementario), pág.

257; *SR*, **19**, pág. 165; *BN*, **7**, pág. 2619; *AE*, **19**, pág. 107.} (20, 32, 158)
(1923*e*) «Die infantile Genitalorganisation» {«La organización genital infantil»}, *GS*, **5**, pág. 232; *GW*, **13**, pág. 293; *SE*, **19**, pág. 141. {*SA*, **5**, pág. 235; *SR*, **13**, pág. 97; *BN*, **7**, pág. 2698; *AE*, **19**, pág. 141.} (271)
(1924*c*) «Das ökonomische Problem des Masochismus» {«El problema económico del masoquismo»}, *GS*, **5**, pág. 374; *GW*, **13**, pág. 371; *SE*, **19**, pág. 157. {*SA*, **3**, pág. 339; *SR*, **13**, pág. 208; *BN*, **7**, pág. 2752; *AE*, **19**, pág. 161.} (8, 54)
(1924*f* [1923]) «Psychoanalysis: Exploring the Hidden Recesses of the Mind» (Psicoanálisis: exploración de los recovecos ocultos de la mente) {traducido en la presente edición como «Breve informe sobre el psicoanálisis»}, **2**, cap. LXXIII de *These Eventful Years*, Londres y Nueva York. El texto original en alemán fue publicado en 1928 con el título «Kurzer Abriss der Psychoanalyse». *GS*, **11**, pág. 183; *GW*, **13**, pág. 403; *SE*, **19**, pág. 191. {*SR*, **17**, pág. 163; *BN*, **7**, pág. 2729; *AE*, **19**, pág. 199.} (230)
(1924*g* [1923]) Fragmento de una carta a Fritz Wittels, en F. Wittels, *Sigmund Freud*, Londres. El original alemán completo se publicó en S. Freud, *Briefe 1873-1939* (ed. por E. L. Freud), Francfort, 1960. (2ª ed. aumentada, Francfort, 1968.) *SE*, **19**, pág. 286. {*Epistolario*, Barcelona: Plaza y Janés, 2 vols., **2**, pág. 108; *AE*, **19**, pág. 292.} (4)
(1925*a* [1924]) «Notiz über den "Wunderblock"» {«Nota sobre la "pizarra mágica"»}, *GS*, **6**, pág. 415; *GW*, **14**, pág. 3; *SE*, **19**, pág. 227. {*SA*, **3**, pág. 363; *SR*, **14**, pág. 221; *BN*, **7**, pág. 2808; *AE*, **19**, pág. 239.} (25, 28)
(1925*i*) «Einige Nachträge zum Ganzen der Traumdeutung» {«Algunas notas adicionales a la interpretación de los sueños en su conjunto»}, *GS*, **3**, pág. 172; *GW*, **1**, pág. 561; *SE*, **19**, pág. 125. {*SR*, **19**, pág. 185; *BN*, **8**, pág. 2887; *AE*, **19**, pág. 123.} (168, 177)
(1925*j*) «Einige psychische Folgen des anatomischen Geschlechtsunterschieds» {«Algunas consecuencias psíquicas de la diferencia anatómica entre los sexos»}, *GS*, **11**, pág. 8; *GW*, **14**, pág. 19; *SE*, **19**, pág. 243. {*SA*, **5**, pág. 253; *SR*, **21**, pág. 203; *BN*, **8**, pág. 2896; *AE*, **19**, pág. 259.} (140)

Freud, S. *(cont.)*
(1926*d* [1925]) *Hemmung, Symptom und Angst* {*Inhibición, síntoma y angustia*}, Viena. *GS*, **11**, pág. 23; *GW*, **14**, pág. 113; *SE*, **20**, pág. 77. {*SA*, **6**, pág. 227; *SR*, **11**, pág. 9; *BN*, **8**, pág. 2833; *AE*, **20**, pág. 71.} (11, 13, 19, 29, 92)
(1930*a* [1929]) *Das Unbehagen in der Kultur* {*El malestar en la cultura*}, Viena. *GS*, **12**, pág. 29; *GW*, **14**, pág. 421; *SE*, **21**, pág. 59. {*SA*, **9**, pág. 191; *SR*, **19**, pág. 11; *BN*, **8**, pág. 3017; *AE*, **21**, pág. 57.} (54, 96)
(1931*b*) «Über die weibliche Sexualität» {«Sobre la sexualidad femenina»}, *GS*, **12**, pág. 120; *GW*, **14**, pág. 517; *SE*, **21**, pág. 223. {*SA*, **5**, pág. 273; *SR*, **21**, pág. 279; *BN*, **8**, pág. 3077; *AE*, **21**, pág. 223.} (17, 140, 148)
(1933*a* [1932]) *Neue Folge der Vorlesungen zur Einführung in die Psychoanalyse* {*Nuevas conferencias de introducción al psicoanálisis*}, Viena. *GS*, **12**, pág. 151; *GW*, **15**; *SE*, **22**, pág. 3. {*SA*, **1**, pág. 447; *SR*, **17**, pág. 7; *BN*, **8**, pág. 3101; *AE*, **22**, pág. 1.} (140, 168, 173, 177, 182, 192)
(1940*d* [1892]) En colaboración con Breuer, J., «Zur Theorie des hysterischen Anfalls» {«Sobre la teoría del ataque histérico»}, *GW*, **17**, pág. 9; *SE*, **1**, pág. 151. {*SR*, **21**, pág. 20; *BN*, **1**, pág. 51; *AE*, **1**, pág. 187.} (9)
(1941*a* [1892]) Carta a Josef Breuer, *GW*, **17**, pág. 5; *SE*, **1**, pág. 147. {*SR*, **21**, pág. 19; *BN*, **1**, pág. 50; *AE*, **1**, pág. 183.} (9)
(1941*c* [1899]) «Eine erfüllte Traumahnung» {«Una premonición onírica cumplida»}, *GW*, **17**, pág. 21; *SE*, **5**, pág. 623. {*SR*, **21**, pág. 27; *BN*, **2**, pág. 753; *AE*, **5**, pág. 609.} (176)
(1941*d* [1921]) «Psychoanalyse und Telepathie» {«Psicoanálisis y telepatía»}, *GW*, **17**, pág. 27; *SE*, **18**, pág. 177. {*SR*, **21**, pág. 33; *BN*, **7**, pág. 2648; *AE*, **18**, pág. 165.} (120, 187, 215-6)
(1942*a* [1905-06]) «Psychopathic Characters on the Stage» {«Personajes psicopáticos en el escenario»}. El original alemán se publicó en 1962 con el título «Psychopathische Personen auf der Bühne», *Neue Rundschau*, **73**, pág. 53; *SE*, **7**, pág. 305. {*SA*, **10**, pág. 161; *SR*, **21**, pág. 388; *BN*, **4**, pág. 1272; *AE*, **7**, pág. 273.} (17)
(1950*a* [1887-1902]) *Aus den Anfängen der Psychoanalyse* {*Los orígenes del psicoanálisis*}, Londres.

Abarca las cartas a Wilhelm Fliess, manuscritos inéditos y el «Entwurf einer Psychologie» {«Proyecto de psicología»}, 1895. *SE*, **1**, pág. 175 {incluye 29 cartas, 13 manuscritos y el «Proyecto de psicología». *SR*, **22**, pág. 13; *BN*, **9**, pág. 3433, y **1**, pág. 209; incluyen 153 cartas, 14 manuscritos, y el «Proyecto de psicología»; *AE*, **1**, pág. 211 (el mismo contenido que *SE*)}. (6, 8-9, 25-9, 61-2, 98, 120, 222, 250)

(1955*c* [1920]) «Memorandum on the Electrical Treatment of War Neurotics» {«Informe sobre la electroterapia de los neuróticos de guerra»}. Publicado por primera vez en traducción al inglés; el manuscrito original permaneció inédito hasta 1972: «Gutachten über die elektrische Behandlung der Kriegsneurotiker», *Psyche*, **26**, nº 12, pág. 942; *SE*, **17**, pág. 211. {*RP*, **13**, nº 3, 1956, pág. 277; *AE*, **17**, pág. 209.} (12)

Goette, A. (1883) *Über den Ursprung des Todes*, Hamburgo. (46)

Hartmann, M. (1906) *Tod und Fortpflanzung*, Munich. (46)

Hering, E. (1878) *Zur Lehre vom Lichtsinne*, Viena. (48)

Jones, E. (1957) *Sigmund Freud: Life and Work*, Londres y Nueva York, **3**. (Las páginas que se mencionan en el texto remiten a la edición inglesa.) {*Vida y obra de Sigmund Freud*, Buenos Aires: Hormé, **3**.} (4, 139, 215)

Jung, C. G. (1909) «Die Bedeutung des Vaters für das Schicksal des Einzelnen», *Jb. psychoanalyt. psychopath. Forsch.*, **1**, pág. 155. {«Importancia del padre en el destino de sus hijos», en *Conflictos del alma infantil*, Buenos Aires: Paidós, pág. 88.} (22)

(1913) «Versuch einer Darstellung der psychoanalytischen Theorie», *Jb. psychoanalyt. psychopath. Forsch.*, **5**, pág. 307; en forma de libro: Leipzig y Viena, 1913. {*Teoría del psicoanálisis*, México: Nacional.} (148)

Kelsen, H. (1922) «Der Begriff des Staates und die Sozialpsychologie», *Imago*, **8**, pág. 97. (83)

Kraskovic, B. (1915) *Die Psychologie der Kollektivitäten*, Vukovar. (78)

Kroeber, A. L. (1920) Reseña de S. Freud, *Totem und Tabu*, *Amer. Anthropol.*, nueva serie, **22**, pág. 48. (116)

(1939) Reseña de S. Freud, *Totem und Tabu*, *Amer. J. Sociol.*, **45**, pág. 446. (116)

Le Bon, G. (1895) *Psychologie des foules*, París. Trad. al alemán por R. Eisler, *Psychologie der Massen*, 2ª ed.,

Leipzig, 1912. {*Psicología de las multitudes*, México: Nacional.} (69-78)
Lipschütz, A. (1914) *Warum wir sterben*, Stuttgart. (46, 54)
(1919) *Die Pubertätsdrüse und ihre Wirkungen*, Berna (163)
Low, B. (1920) *Psycho-Analysis*, Londres y Nueva York. (54)
Marcinowski, J. (1918) «Erotische Quellen der Minderwertigkeitsgefühle», *Z. Sexualwiss.*, **4**, pág. 313. (20)
Marcuszewicz, R. (1920) «Beitrag zum autistischen Denken bei Kindern», *Int. Z. Psychoanal.*, **6**, pág. 248. (103)
Marett, R. R. (1920) Reseña de S. Freud, *Totem und Tabu*, *The Athenaeum*, 13 de febrero, pág. 206. (116)
McDougall, W. (1920*a*) *The Group Mind*, Cambridge. (79-81, 92-3)
(1920*b*) «A Note on Suggestion», *J. Neurol. Psychopath.*, **1**, pág. 1. (86)
Moede, W. (1915) «Die Massen- und Sozialpsychologie im kritischen Überblick», *Z. pädag. Psychol.*, **16**, pág. 385. (78)
Moll, A. (1898) *Untersuchungen über die Libido sexualis*, Berlín, **1**. (250)
Nachmansohn, M. (1915) «Freuds Libidotheorie verglichen mit der Eroslehre Platos», *Int. Z. ärztl. Psychoanal.*, **3**, pág. 65. (87)
Pfeifer, S. (1919) «Äusserungen infantil-erotischer Triebe im Spiele», *Imago*, **5**, pág. 243. (14)
Pfister, O. (1910) *Die Frömmigkeit des Grafen Ludwig von Zinzendorf*, Viena. (132)
(1921) «Plato als Vorläufer der Psychoanalyse», *Int. Z. Psychoanal.*, **7**, pág. 264. (87)
Putnam, J. J. (1921) *Addresses on Psycho-Analysis*, Londres y Nueva York. (265-7)
Rank, O. (1907) *Der Künstler, Ansätze zu einer Sexualpsychologie*, Leipzig y Viena. (53)
(1922) «Die Don Juan-Gestalt», *Imago*, **8**, pág. 142; en forma de libro: Viena, 1924. (128)
Sachs, H. (1912) «Traumdeutung und Menschenkenntnis», *Jb. psychoanalyt. psychopath. Forsch.*, **3**, pág. 568. (75)
(1920) «Gemeinsame Tagträume», *Int. Z. Psychoanal.*, **6**, pág. 395. Incluido en H. Sachs, *Gemeinsame Tagträume*, Leipzig y Viena, 1924. (129)
Sadger, I. (1914) «Jahresbericht über sexuelle Perversionen», *Jb. psychoanalyt. psychopath. Forsch.*, **6**, pág. 296. (150)

Saussure, R. de (1922) *La méthode psychanalytique*, Lausana y Ginebra. (272-3)
Schopenhauer, A. (1851*a*) «Über die anscheinende Absichtlichkeit im Schicksale des Einzelnen», *Parerga und Paralipomena* (IV), **1**, Leipzig. (2ª ed., Berlín, 1862.) En *Sämtliche Werke* (ed. por Hübscher), Leipzig, 1938, **5**, pág. 213. (49)
(1851*c*) «Gleichnisse, Parabeln und Fabeln», *Parerga und Paralipomena*, **2**, Leipzig. (2ª ed., Berlín, 1862.) En *Sämtliche Werke* (ed. por Hübscher), Leipzig, 1938, **5**. (96)
Simmel, E. (1918) *Kriegsneurosen und «psychisches Trauma»*, Munich. (91)
Smith, W. Robertson (1885) *Kinship and Marriage*, Londres. (104)
Spielrein, S. (1912) «Die Destruktion als Ursache des Werdens», *Jb. psychoanalyt. psychopath. Forsch.*, **4**, pág. 465. (53)
Stärcke, A. (1914) Introducción a la traducción al holandés de S. Freud, «Die "kulturelle" Sexualmoral und die moderne Nervosität», Leiden. (53)
Stekel, W. (1911*a*) *Die Sprache des Traumes*, Wiesbaden. (2ª ed., 1922.) {*El lenguaje de los sueños*, Buenos Aires: Imán.} (189, 191)
(1911*b*) «Zur Psychologie des Exhibitionismus», *Zbl. Psychoanal.*, **1**, pág. 494. (271)
(s. f. [1920]) *Der telepathische Traum*, Berlín. (191)
Tarde, G. (1890) *Les lois de l'imitation*, París. (84)
Trotter, W. (1916) *Instincts of the Herd in Peace and War*, Londres. (83, 112)
Varendonck, J. (1921) *The Psychology of Day-Dreams*, Londres y Nueva York. Trad. al alemán por A. Freud, *Über das vorbewusste phantasierende Denken*, Viena, 1922. (6, 268-9)
Weismann, A. (1882) *Über die Dauer des Lebens*, Jena. (44-5)
(1884) *Über Leben und Tod*, Jena. (44-6)
(1892) *Das Keimplasma*, Jena. (44, 55)
Ziegler, K. (1913) «Menschen- und Weltenwerden», *Neue Jb. klass. Altert.*, **31**, pág. 529. (57)

Indice alfabético

El presente índice incluye los nombres de autores no especializados, y también los de autores especializados cuando en el texto no se menciona una obra en particular. Para remisiones a obras especializadas, consúltese la «Bibliografía». Este índice fue preparado {para la *Standard Edition*} por la señora R. S. Partridge. {El de la presente versión castellana se confeccionó sobre la base de aquel.}

Impreso en los Talleres Gráficos Color Efe, Paso 192, Avellaneda, provincia de Buenos Aires, en diciembre de 1995.

Tirada de esta edición: 4.000 ejemplares.

